Kenau

Tessa de Loo

Kenau

Roman

Uitgeverij De Arbeiderspers · Utrecht
Amsterdam · Antwerpen

Tessa de Loo schreef deze roman vrij naar het scenario van Karen van Holst Pellekaan & Marnie Blok voor de speelfilm *Kenau* (regie: Maarten Treurniet), een productie van Fu Works.

Omslagontwerp: Bram van Baal
Omslagillustratie: Artwork Fu Works & Dutch FilmWorks

ISBN 978 90 295 8864 1 / NUR 301

www.arbeiderspers.nl

Proloog

De Opstand tegen Filips de Tweede, de Spaanse koning die ook over de Nederlandse gewesten heerste, begon in het jaar 1568. Dit jaar zou later de geschiedenis in gaan als het begin van de Tachtigjarige Oorlog. Vier jaar later hadden veel steden zich aan de kant van de Prins van Oranje geschaard, die de Opstand leidde. De koning in Spanje besloot zijn tanende macht te herstellen en stuurde de alom gevreesde hertog van Alva naar de Lage Landen, om de bevolking door middel van straf en terreur tot de orde te roepen.

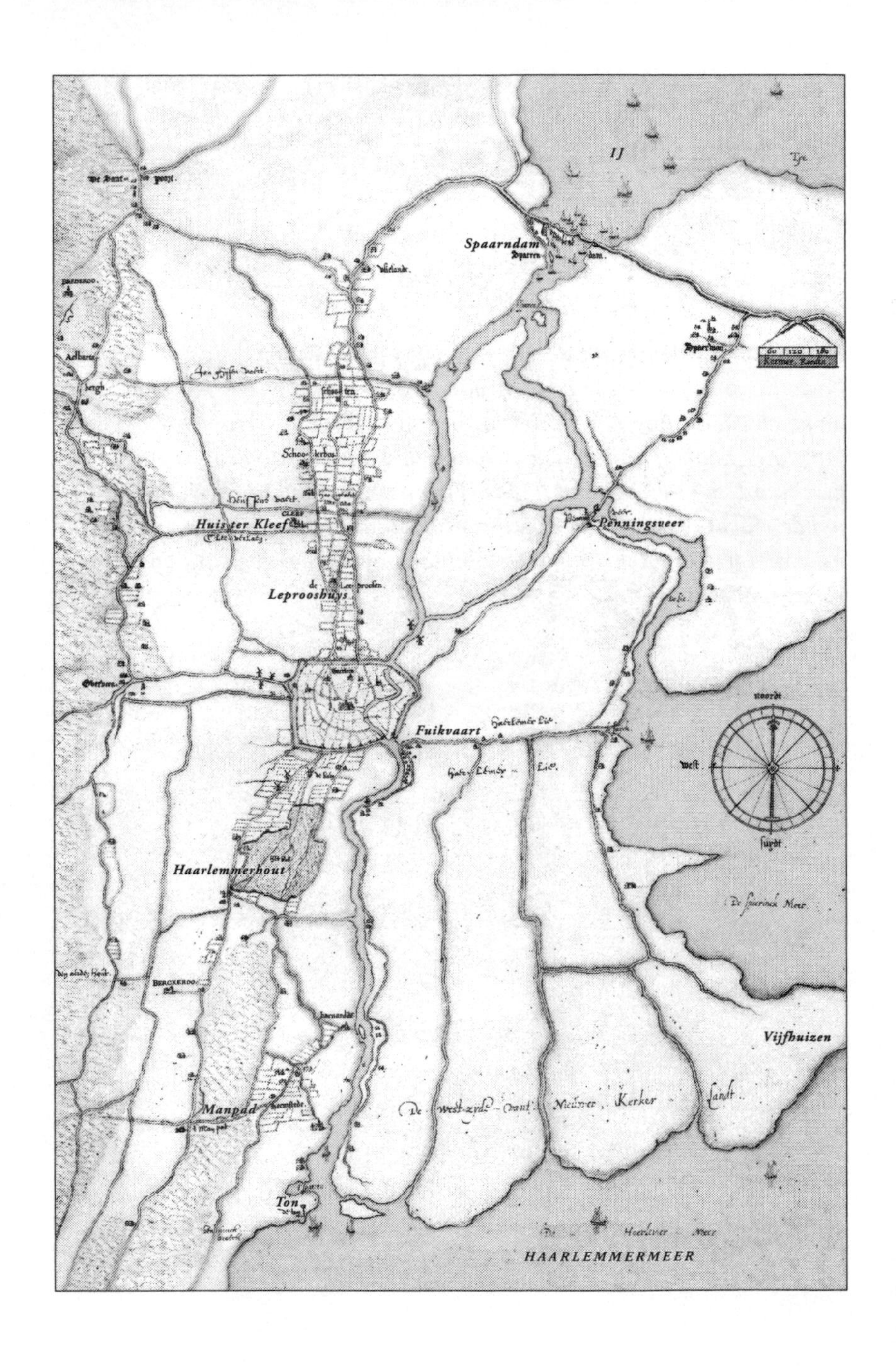
IJ
Spaarndam
Huis ter Kleef
Leproosbuys
Penningsveer
Fuikvaart
Haarlemmerhout
Vijfhuizen
Manpad
Ton
HAARLEMMERMEER
noordt
west
suydt

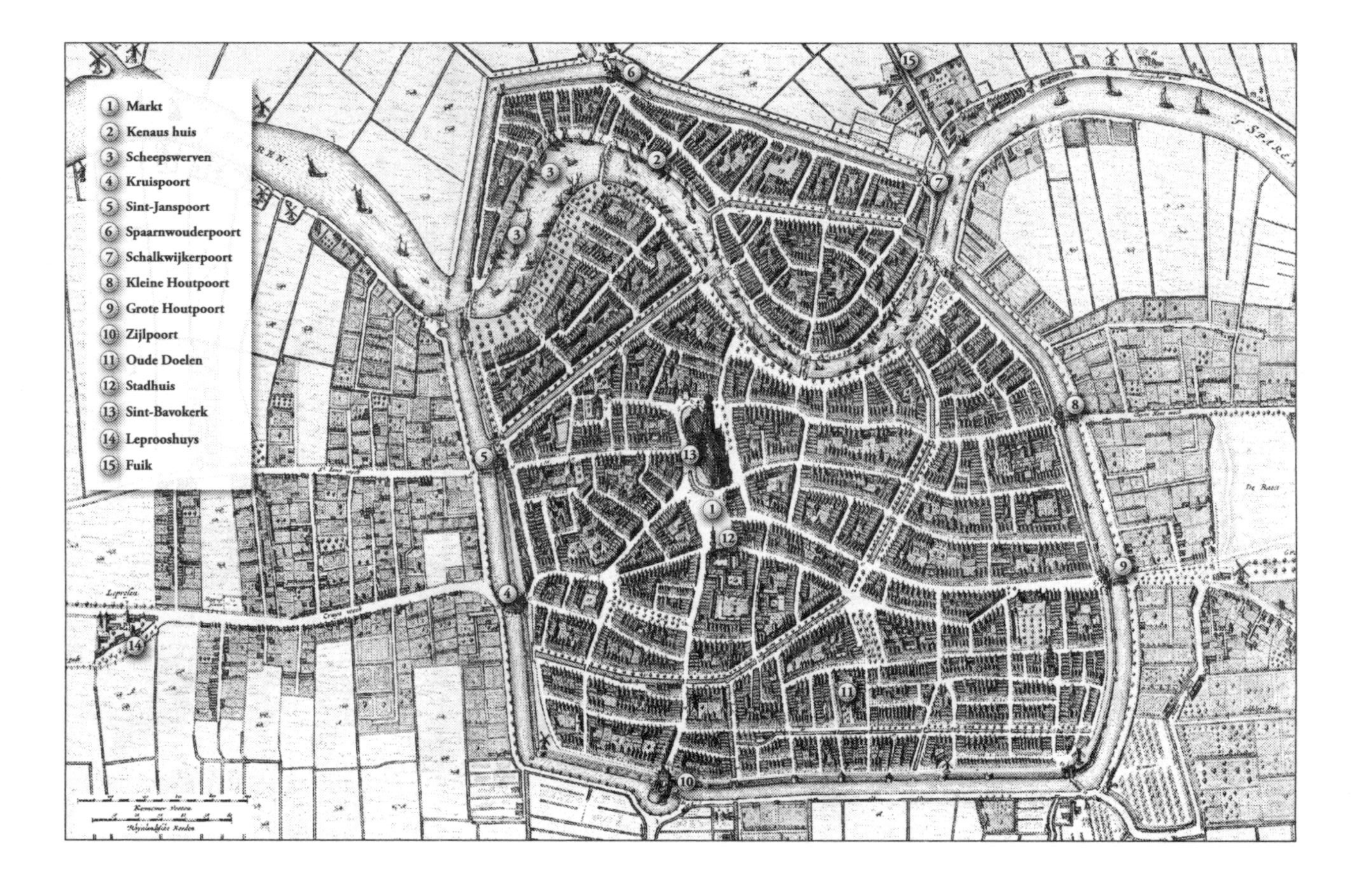
1 Markt
2 Kenaus huis
3 Scheepswerven
4 Kruispoort
5 Sint-Janspoort
6 Spaarnwouderpoort
7 Schalkwijkerpoort
8 Kleine Houtpoort
9 Grote Houtpoort
10 Zijlpoort
11 Oude Doelen
12 Stadhuis
13 Sint-Bavokerk
14 Leprooshuys
15 Fuik

I

1

In de Lage Landen aan de zee heerste de Kleine IJstijd. De winters begonnen in november en waren extreem koud. Zwaar beladen karren reden moeiteloos over het ijs van de rivier die door Haarlem kronkelde en in het IJ uitmondde.

Kort na zonsondergang zochten de mensen de beschutting van hun huizen op, om warmte te zoeken bij de haard en bij elkaar. De buitenwereld omsloot de huizen met een ijzige, metalen hand, zodra de deur op slot was.

Ook Kenau Hasselaer was voordat het donker werd binnen. Ze ging vroeg aan tafel, samen met haar twee dochters, vermoeid na een dag vol bedrijvigheid op haar scheepswerf. De meid schepte het eten op en de geur van vis en kool vulde de woonruimte.

Toen er ineens op de deur gebonsd werd, keken ze elkaar geschrokken aan. De meid staarde met opgetrokken wenkbrauwen naar de vrouw des huizes, terwijl haar mollige hand tussen schaal en bord zweefde. Het hout knetterde in de haard, een verkoold stuk viel met een plofje in de as. Verder was het verontrustend stil, totdat buiten een vuist voor de tweede keer op de deur bonsde.

'Ik ga wel.' Kenau stond op, schoof haar stoel naar achteren en liep om de tafel heen naar de voorkamer die, via een zware eikenhouten deur, direct toegang gaf tot de straat.

Cathelijne keek haar moeder na, zoals die met zelfverzekerde tred op haar doel afging. Ze voelde bewondering, maar ook ergernis. Toen ze naar de bleke vis keek die op haar bord lag en die nu koud zou worden, en naar de glanzende witte kool ernaast, liep er een lichte rilling over haar rug. Een angstig voorgevoel bekroop haar. Het was ongericht en vormloos, als een mist die ineens kwam opzetten – na het optrekken zou al het vertrouwde verdwenen zijn.

'Ai, ai, ai,' hoorde ze haar moeder roepen, 'arme jongen, wat zie je eruit. Kom binnen, kom gauw binnen!'

Geertruide stond met een ruk op en liep nieuwsgierig naar de voorkamer, gevolgd door Mechteld, de meid, die de opscheplepel nog steeds in haar hand hield. Cathelijne kwam nu ook overeind, het diffuse gevoel van dreiging van zich afschuddend. Haar fantasie was weer met haar op de loop gegaan. Die hield haar 's nachts graag uit haar slaap, of overviel haar op klaarlichte dag, op momenten dat ze er niet op bedacht was.

In de hal brandde alleen een kaars in een kandelaar. De vlam flakkerde wild omdat de deur naar buiten openstond en zo een koude luchtstroom naar binnen liet. Op de stenen drempel stond de wankelende gestalte van een jongeman, die met een donkere, holle blik voor zich uit staarde. Kenau probeerde hem te ondersteunen en tegelijkertijd naar binnen te trekken, opdat ze de deur achter zich kon sluiten.

'Wat zie je eruit,' verzuchtte ze. Ze draaide zich om naar haar dochters. 'Wat staan jullie daar als twee zoutpilaren. Kom, help eens een handje. Het is jullie neef Claes uit Naarden, zien jullie dat dan niet, het lijkt wel of hij half bevroren is.'

'Ik sterf...' kondigde die aan, met een waardigheid die bij de aard van de mededeling paste.

Hij had het nog niet gezegd of hij ontglipte haar en viel als een houten pop recht voorover. Geertruide had de tegenwoordigheid van geest om hem met uitgestoken armen in zijn val te stuiten, waardoor zijn gezicht net niet op de plavuizen belandde.

'Hier wordt om de dooie dood niet gestorven,' bromde Kenau, uit alle macht proberend hem bij zijn schouders op te tillen.

Haar dochters schoten te hulp en pakten hem beet ter hoogte van zijn heupen. Het viel niet mee iemand die zichzelf dood had verklaard van de ene ruimte naar de andere te verplaatsen, al was het misschien maar zeven meter.

Wat is zijn mantel koud, dacht Cathelijne. Het leek wel of er duizenden ijskristallen in de wol zaten.

'We klappen de tafel uit en leggen hem erop,' besliste haar moeder, 'Mechteld, ruim maar weer af, eten doen we later wel.'

De meid deed mopperend wat haar werd opgedragen. Een door

haar bereide maaltijd was heilig, de hemel mocht naar beneden vallen en de aarde opensplijten, als het voedsel maar warm werd opgediend en genoten.

Met veel moeite hesen ze Claes op de keukentafel. Kenau begon aan zijn kleren te sjorren. 'Alles is kletsnat, lieve God in de hemel, wat moet die jongen het koud hebben.'

Claes was nog steeds buiten westen, zijn gezicht akelig bleek.

'Hij is toch niet dood, ma?' Geertruide ging een stapje achteruit, vol afweer naar het lichaam starend.

Kenau antwoordde niet. Ze was druk bezig zijn kleren uit te trekken, terwijl Cathelijne aan zijn laarzen rukte. Geertruide zette zich over haar aarzeling heen en begon de knopen van zijn wambuis los te maken. Alles wat ze aanraakte was koud en nat.

Mechteld kwam er hoofdschuddend bij staan. 'Wat een verschrikking,' jeremieerde ze, 'dat jong is harstikke dood.'

'Stook jij het vuur maar op,' zei Kenau, 'hij heeft warmte nodig.'

'Oef...' Cathelijne viel bijna achterover toen zijn laars eindelijk meegaf. 'Het lijkt wel of hij vastgevroren zat aan zijn voet. Nu die andere nog.'

Ten slotte was hij naakt, op zijn ondergoed na.

'Dat moet ook uit.' Kenau sjorde zijn hemd over zijn hoofd. Haar dochters weifelden beschaamd. Ze hadden nog nooit een naakte man gezien, ze leefden al jaren in een vrouwenhuishouding. De anatomie van het mannelijk lichaam was hun alleen bekend van de Christusbeelden in de kerk.

'Niet zo preuts,' mopperde hun moeder, 'hij is geschapen naar Adams evenbeeld, daar is niets mis mee.'

Cathelijne greep zijn onderbroek en trok hem met een paar rukken over zijn benen naar beneden. Ze vermeed de aanblik van zijn geslacht en begon de kleren van de grond te rapen.

Mechteld nam ze van haar over. 'Tjonge jonge, het is toch wat,' mekkerde ze. Ze was goed in het doen van vage uitspraken die van alles konden betekenen. Het was louter een neiging om klanken uit te stoten, zodra de emmer van emoties dreigde over te lopen.

Kenau kwam aanlopen met een wollen deken en wikkelde zijn lichaam erin. 'En nu emmers of pannen met lauw water.'

Geertruide hing de kookpot boven het vuur, dat dag en nacht met nieuwe blokken turf gevoed werd. Zodra het water kookte verdeelde ze het over twee emmers en een grote pan. Daarna goot ze er koud water bij tot het lauw was.

Kenau had inmiddels linnen doeken tevoorschijn gehaald. Ze liet zien hoe je, nadat die in lauw water gedompeld waren, de griezelig bleke handen en voeten moest masseren. 'Geen kracht gebruiken, anders gaat de huid stuk,' waarschuwde ze, 'heel zachtjes wrijven.'

Zo waren ze een tijdje in de weer met de onverwachte gast. Terwijl ze haar bijdrage leverde aan het ontdooien van haar neef, kwamen er bij Cathelijne herinneringen naar boven. Een reis naar Naarden in een aak, om de familie van haar stiefvader te bezoeken. Ze moest een jaar of zes geweest zijn en het was haar eerste reis buiten Haarlem. Ze zag de blauwe hemel weer voor zich waarin wolken voortjoegen in de wind, ze zag wuivende rietkragen, kabbelende golfjes op het water van de vaart en laagvliegende, krijsende meeuwen. Ze was opgetogen, omdat de wereld zo oneindig groot en interessant bleek te zijn, wat een gewaarwording van onbeperkte vrijheid gaf.

Maar wie van de jongens was Claes geweest, in dat reusachtige gezin van haar oom en tante? Veel blonde kinderen, een paar roodharige – dat is wat er bij haar boven kwam, maar de individuele gezichten vervloeiden met elkaar, zonder dat er een herkenbaar uit opdook. Er was een nichtje van haar eigen leeftijd, waar ze die zomerse dagen veel mee optrok, maar haar naam was ze vergeten. Er waren hooimijten om je in te verstoppen en zoete appels aan laaghangende takken. Een van haar broers was een plaaggeest, die met een kikker in de hand achter haar aan had gezeten. Vaag zag ze een spottende lach op een gezicht vol sproeten. Gek, dat juist zo'n herinnering kwam bovendrijven. Hun huis had maar liefst twee verdiepingen en was tegen de vestingwal aan gebouwd. O ja, er was een grote gewelfde kelder waar haar oom, die graanhandelaar was, zijn voorraden had opgeslagen in houten vaten. Die plaaggeest, was dat Claes geweest of een van zijn broers? Tersluiks keek ze naar zijn gezicht, waar langzaam een beetje kleur in kwam. Hij had geen sproeten, of had haar geheugen die sproeten erbij verzonnen?

'Mijnheer komt bij!' riep Mechteld op een triomfantelijke toon, alsof het haar eigen verdienste was.

Claes knipperde met zijn oogleden en mompelde iets onverstaanbaars. Een uitdrukking van lichte verbazing verscheen op zijn gezicht, alsof hij gedroomd had zich voor de poort van Petrus te bevinden en het nu opeens moest doen met de keuken van zijn tante in Haarlem.

'Alles is goed, jongen, maak je geen zorgen,' Kenau streek over zijn wang en keek hem geruststellend aan.

Hij schudde zijn hoofd. Ineens werden zijn ogen groot en donker van angst. 'Tante... ze zijn allemaal dood!' riep hij schor.

'Praat geen onzin, jongen.'

'De spanjolen...' Hij probeerde zijn hoofd op te tillen, maar het viel krachteloos terug op het blad van de tafel.

'Waarschijnlijk heeft hij koorts,' mompelde Kenau, 'zo'n wartaal als die arme jongen uitslaat.'

'Zijn voet wordt rood,' fluisterde Geertruide, 'moet ik gewoon doorgaan met wrijven?'

'Zijn handen worden nu ook warm, we kunnen beter stoppen,' besloot haar moeder. 'Er verschijnen gelukkig geen blaren, dat is een goed teken.'

Claes begon te kreunen. 'Auuu... aai...' Hij schoot overeind en greep naar zijn voeten.

Geschrokken deinsden ze terug. Zo lag hij nog half dood op de tafel en ineens keerde het leven met een abrupte dynamiek terug in zijn lichaam.

'Ontdooien doet pijn,' knikte Kenau, 'maar het gaat gauw over, geloof me.'

Zwaar hijgend ging hij weer liggen, wentelde zich van zijn ene zij op de andere en wrong zich de handen. Uit machteloosheid begonnen ze de doeken en de emmers water op te ruimen.

'Geef hem een kroes mede, daar zal hij van opknappen,' zei Kenau tegen niemand in het bijzonder, terwijl ze met een van de doeken het zweet van haar wangen en voorhoofd wiste.

Cathelijne opende de kast met voorraden en vulde een tinnen kroes met honingdrank. Ze waren gewend spaarzaam te zijn met de dure drank, die ze bij de nonnen van het Sint-Ursulaklooster kochten. Die hadden hun eigen recept en voegden er goddelijke kruiden aan toe, waarvan ze de namen natuurlijk geheimhielden. Ze liep terug naar haar neef en zei zachtjes: 'Hier Claes, een heilzaam drankje.'

Hij keek haar aan met een van pijn vertrokken gezicht. Ze zag in zijn ogen dat zijn kwelling veel dieper ging dan alleen fysieke pijn.

Hij hief zijn hoofd op en begon te drinken, met voorzichtige teugjes.

'Lekker is dat, hè,' zei Cathelijne.

De anderen stonden weer om de tafel heen, zwijgzaam en afwachtend toekijkend. Het was erg warm in de keuken, omdat ze het vuur hoog opgestookt hadden. Het enige geluid was het knetteren van het brandhout, alsof dit zelf dringend een verhaal te vertellen had en zo hun aandacht probeerde te trekken. De meeste mensen in de stad stookten met turf, dat goedkoper was, maar zij hadden regelmatig de beschikking over mooi, droog hout, dat als afval was overgebleven van de timmerlieden op de scheepswerf.

Claes knikte zowaar en leek een beetje tot rust te komen. Er zitten vast medicinale kruiden in de drank, dacht Cathelijne, speciaal gezegend door de nonnen.

'Ik ga maar naar bed,' zei Mechteld, 'nu de jongeheer langzaam opknapt kan ik hier wel gemist worden.'

Kenau knikte. 'Wij gaan zo ook slapen, ga maar.'

Zuchtend en steunend liep ze de trap op. Het was waar dat Mechteld een dagje ouder werd, maar ze hadden de indruk dat ze haar leeftijd steeds vaker misbruikte om hun medelijden op te wekken en zwaardere taken te ontlopen. Wanneer ze met een diepe kreun naar haar onderrug greep, wisten ze nooit zeker of het theater was of echt.

'Ik wil dood, tante, net als zij...' zei Claes ineens. Rustig, alsof het een nuchtere constatering was. Hij was zowaar rechtop gaan zitten. Zijn benen bungelden naar beneden en zijn voeten hadden hun normale kleur teruggekregen. De deken was afgezakt tot aan zijn middel. Hij heeft haar op zijn borst, zag Cathelijne nu pas. De constatering bezorgde haar een aangename tinteling. Ze schrok van haar eigen reactie op zoiets triviaals.

'Ze zijn allemaal vermoord, waarom zou ik nog doorgaan met leven?'

Kenau pakte een van zijn handen in de hare en keek hem aan. 'Wie zijn er vermoord, mijn jongen, wat bedoel je?'

'Mijn vader, mijn moeder, mijn broers en al mijn zussen... Zelfs Maaike, die pas drie was.'

'Wie hebben dat dan gedaan?'

'De spanjolen... Heeft u dan niet gehoord wat er gebeurd is, heeft het nieuws u nog niet bereikt?'

Cathelijne bespeurde een toenemende ongerustheid bij haar moeder, hoewel ze nog steeds een sceptische frons op haar voorhoofd had.

'Wij weten nergens van hier.'

Claes slikte, zijn adamsappel ging heftig op en neer. Hij haalde heel diep adem en begon te vertellen, terwijl hij strak naar de grond staarde alsof daar een plek was waar het opnieuw gebeurde. Eerst sprak hij met horten en stoten, maar daarna steeds koortsachtiger, totdat hij op het laatst bijna over zijn woorden struikelde.

In augustus had Naarden de zijde van de Prins en de geuzen gekozen. Kort daarna gonsde het door de stad, dat de hertog van Alva zijn zoon Don Frederik met een flinke krijgsmacht naar de noordelijke gewesten had gestuurd, om een strafcampagne te houden tegen de opstandige steden. De burgers van Naarden hoopten aanvankelijk dat hun stad gespaard zou blijven, maar in november vond die hoop een drastisch einde toen het Spaanse leger van de ene dag op de andere zijn tenten rond de stad opsloeg.

Het stadsbestuur was niet ingegaan op Spaanse voorstellen tot onmiddellijke overgave, maar had ervoor gekozen trouw aan de Prins te blijven en de stad koste wat het koste te verdedigen. Helaas waren de stadsmuren zwak en slecht onderhouden, en hadden ze naast hun eigen schutterij maar honderdvijftig Duitse huursoldaten tot hun beschikking. Het lukte de Spanjaarden de aanvoerwegen voor voedsel, brandstof en wapens te blokkeren, waardoor de burgers hongerleden en ten prooi vielen aan de kou.

Hier zweeg Claes even. Hij rilde, en Cathelijne zag dat haar moeder bleek wegtrok. Claes vermande zich en ging met neergeslagen ogen verder.

Ten slotte besloot het stadsbestuur, uit angst voor vergelding als ze nog langer verzet zouden bieden, met de Spaanse legerleiding te onderhandelen over overgave. Ze kwamen terug met het goede nieuws dat ze tot een akkoord waren gekomen. Ze hadden een flinke afkoopsom betaald, opdat de burgers gespaard zouden worden en de stad gevrijwaard zou blijven van plundering. De meeste inwoners waren opgelucht, velen zelfs uitgelaten van vreugde, omdat er een eind zou komen aan het beleg en omdat de rust in de stad zou weerkeren. Alleen degenen die openlijk de geuzen steunden waren er niet blij mee. Claes voelde het ook als een nederlaag, want voor hem waren de geuzen de enige hoop om van die spanjolen af te komen.

Hij slikte. 'Maar ik was de enige in de familie die zo dacht,' zei hij, waarna hij met gesmoorde stem verderging.

Gisteren, op 1 december, was het zover geweest. De stadspoorten werden geopend en rijen musketiers trokken de stad binnen. De inwoners van Naarden hadden een groot feestmaal bereid voor de legerleiding, uit vreugde dat het met een sisser afliep. Er kwam een oproep dat de hele burgerij zich moest verzamelen in het stadhuis, om de eed van trouw aan koning Filips de Tweede af te leggen. Zijn vader riep het gezin bij elkaar, om er gezamenlijk heen te gaan. Eerst wilde zijn moeder achterblijven, omdat Maaike nog zo klein was en zo moeilijk in het gareel te houden. Maar zijn vader stond erop dat ze allemaal meegingen, om de spanjolen niet te ontrieven. Claes weigerde koppig. Het was al erg genoeg dat ze die lui weer in de stad hadden toegelaten, vond hij, en nu moesten ze ook nog eens de eed van trouw gaan afleggen? Mij niet gezien, had hij tegen zijn vader gezegd. Ze kregen nog een felle woordenwisseling, maar omdat de tijd drong was de familie vertrokken en was Claes alleen thuisgebleven.

'Had ik maar de juiste woorden gevonden om ze tegen te houden,' kreunde hij. Wanhopig wiegde hij zijn bovenlichaam heen en weer, zijn blonde hoofd in zijn handen. 'Maar ze zouden toch niet geluisterd hebben,' voegde hij er meteen aan toe. 'Ze waren zo opgelucht en vrolijk...'

Terwijl zijn familie naar het stadhuis liep, lummelde Claes wat rond. Ten slotte ging hij naar de zolder, waar zijn vader de voorraden bewaarde. Er zat een luik aan de straatkant, van waaruit je de halve stad kon overzien. Hij zette het op een kier, want er kwam een ijzig koude lucht naar binnen. Het plein voor het stadhuis was volgestroomd, en de mensen dromden naar binnen. Hij kon zijn familie niet onderscheiden, zoveel mensen stonden er op elkaar gepakt. Hij bleef kijken, al werd hij langzaam steenkoud. Na enige tijd was iedereen in het gebouw verdwenen, gevolgd door een flink aantal Spaanse soldaten, wat hem een wee gevoel gaf in zijn maag. De deuren bleven open en hij kon horen dat er sprekers waren, maar wat er gezegd werd kon hij niet verstaan. Ineens waren ze begonnen...

In plaats van zijn zin af te maken verborg Claes zijn hoofd in Kenaus rokken, alsof hij een kind was dat troost zocht bij zijn moeder. Kenau pakte zijn hoofd en keek hem streng aan. 'Begonnen met wat? Maak je zin af, jongen.'

Ze waren begonnen te schieten, vertelde Claes, op iedereen. Er werd gegild en gekrijst. Er kwam kruitdamp door de deuren naar buiten, en even later stond er een toren in brand en hoorde hij nog meer doodskreten. Hij raakte in paniek. Spoedig zouden diezelfde soldaten de stad in trekken om te plunderen, daar kon je vergif op innemen. Voor verdriet was geen tijd, hij moest snel handelen. Hij rende de trappen af, griste warme kleren en een mantel mee, wat geld uit het huishoudkistje van zijn moeder, en glipte weg via een haast onzichtbaar deurtje in de stadsmuur. Dat deurtje gaf toegang tot de gracht, waar ze een bootje hadden liggen om over te steken naar de weide, waarin 's zomers hun koeien graasden. Alles was dichtgevroren, dus hij kon ongezien over het ijs wegsluipen. Na een uur lopen mocht hij met een marskramer mee op de kar tot net buiten Amsterdam. Daarna werd het moeilijk, hij had een nacht en een dag gelopen, totdat hij bij zijn tante voor de deur stond.

'Dat je zoiets hebt moeten meemaken,' zei Kenau met een zucht, 'weet je zeker dat ze allemaal...'

'Ze hebben niemand in leven gelaten, tante, ik zweer het.'

Ze staarden alle drie zwijgend naar Claes, alsof de beelden van de gebeurtenissen zichtbaar rond zijn hoofd zweefden. Het was te erg om te bevatten. Cathelijne voelde zich misselijk bij het besef in een wereld te leven waarin zulke wreedheden ongestraft konden plaatsvinden. Tegelijkertijd wekte het gevoel van machteloosheid een vlammende woede bij haar op. Ineens deden de herinneringen aan die zomer uit haar jeugd pijn, en ze wenste dat ze zich niets herinnerd had.

'Waar was God toen het gebeurde,' verzuchtte Kenau.

'De God van de katholieken was in ieder geval nergens te bekennen,' zei Claes, 'hij liet de burgers van onze stad gewoon creperen.'

'Zulke dingen mag je niet zeggen, jongen, er is maar één God en dat is een God van liefde en medeleven.'

'Pfff, mooie God is dat!' Geertruide, die al die tijd gezwegen had, sloeg troostend een arm om Claes' schouders.

'Laten we niet over God bakkeleien,' zei Kenau, 'dit is er niet het moment voor.'

'Tante,' zei Claes, 'er is nog iets.'

Kenau trok haar wenkbrauwen op. 'Hoe zou er nog meer kunnen zijn, is het niet erg genoeg zo?'

'Hun volgende doel is Haarlem, ik ben gekomen om u te waarschuwen.'

2

Door de smalle ramen van kasteel het Valkhof kwam weinig licht naar binnen. Buiten was het grijs en koud, de vorst was al vroeg ingevallen.

De hertog van Alva had een gemeen hoestje, dat niet veel goeds beloofde voor de winter. Vermaledijde Lage Landen, vochtige uithoek van het Roomse Rijk. Hij hoopte dat zijn missie gauw volbracht zou zijn en hij verwachtte ook niet anders, want hij had al geconstateerd dat de mannen hier ongeoefend waren in het omgaan met wapens. Je zou nog eerder een koe zien dansen, dan deze mensen oorlog zien voeren, was zijn mening. Hij had zijn zoon Don Frederik eropuitgestuurd om met zijn leger snel korte metten te maken met de opstandige steden, die zich aan de kant van de Prins van Oranje hadden geschaard. Het betrof vooral steden waarin ketterse ideeën waren binnengedrongen en de bevolking zich tegen de koning in Spanje had gekeerd. Ook hadden ze de euvele moed om te protesteren tegen de nieuwe belasting. Het was een penibele situatie en het werd tijd dat recht en orde terugkeerden in deze gewesten.

Hij zat aan een grote tafel, op een met donkerrood fluweel beklede stoel, en rapporteerde vol tevredenheid aan Filips de Tweede dat de slag om Naarden naar verwachting was verlopen.

Majesteit, succes stapelt zich op succes.
Na Zutphen hebben wij Naarden ingenomen.
Wij hebben de stad vakkundig schoongeveegd,
niet één kind is er ontkomen!
Zo leren wij deze steden, die vergiftigd zijn
door de goddeloze filosofieën van Calvijn,
dat er met ons niet te spotten valt.
Morgen trekt ons leger op naar Haarlem,

de poort naar het noorden van Holland.
Moge God opnieuw aan onze zijde staan
in onze kruistocht tegen de ongelovigen,
die Zijn Naam onteren en Zijn Heiligdommen
in hun duivelse toorn verwoesten.

Af en toe moest hij de schrijfarbeid onderbreken om eens flink in zijn manchet van Spaanse kant te hoesten. Daarna nam hij haastig een slok wijn om de volgende kriebel in de kiem te smoren.

Naar huis, als dat zou kunnen. Zijn stadspaleis in Salamanca, de sinaasappelbomen en palmen in de zonnige patio. Eindelijk uitrusten en zijn longen zuiveren van de zompige, beschimmelde lucht in deze delta. Bijkomen in de armen van een vrouw, een Spaanse eindelijk. De vrouwen hier waren wel mooi, maar ongecultiveerd. Zeg maar rustig verre van elegant, lomp zelfs. En wat erger was: ze bedreven de liefde zonder passie.

3

De stad was bedekt met een laag rijp die glinsterde in de ochtendzon. Kenau keek met andere ogen naar de plaats waar ze geboren was, en vele generaties voor haar. Wat was hij eigenlijk kwetsbaar! Mooi ja, ontroerend mooi, zoals de rivier erdoorheen slingerde, met de kleurrijke schepen die aangemeerd lagen aan de kade, de berijpte takken van de iepen aan weerszijden, de ranke torenspitsen van kerken en kloosters. Mooi, maar kwetsbaar. Ze had er nooit bij stilgestaan dat het allemaal verwoest zou kunnen worden door een bende soldaten, en dat de bewoners met hun stad ten onder konden gaan op een manier waarvan de rillingen je over de rug liepen.

Ze trok haar omslagdoek steviger om zich heen en versnelde haar pas. De rijp knerpte onder haar voeten. Al was het nog vroeg, er was al heel wat bedrijvigheid in de stad. Op de werven aan het Spaarne werd gezaagd en gehamerd, bij de bierbrouwerijen werden zakken graan naar binnen gesjouwd en tonnen op karren geladen. Nu het Spaarne was dichtgevroren ging al het vervoer over land, of per slede over het ijs. Ook aan de andere kant van de rivier, in de oude binnenstad, waagden veel burgers zich buiten. Marktkooplieden stalden hun waren uit, klerken waren onderweg naar hun werk en dienstmeiden met een boodschappenmand aan de arm stonden met elkaar te kwebbelen – hun adem steeg in wolkjes roddel omhoog, rechtstreeks de blauwe hemel tegemoet.

Onvoorstelbaar dat dit allemaal zou kunnen verdwijnen, dacht Kenau, onaanvaardbaar. Dit was hun leven, haar leven, het leven van alle Haarlemmers en niemand had het recht hun dat te ontnemen, omdat een wildvreemde koning, duizenden kilometers hier vandaan, het zo bepaalde.

Ze kwam langs de bakker en besloot een zak krakelingen te kopen, zodat ze niet met lege handen bij haar oude vriend Hendrik Bastiaensz aan zou komen. Bertha, van nature gezegend met indrukwekkende rondingen die meedeinden bij iedere beweging, woog een half pond af.

'Gaat u ook naar het plein om Ripperda te horen spreken?' vroeg ze. Boven haar rode wangen glinsterden diepliggende pretoogjes.

'Ik zou niet weten wat ik daar te zoeken heb,' zei Kenau. Het kwam er bitser uit dan ze bedoelde. Ze kon er niets aan doen dat al haar stekels rechtovereind gingen staan bij de naam Ripperda. Al had hij het sinds kort voor het zeggen in de stad, hij stond bekend als een fervent aanhanger van het protestantse geloof. Dat de Prins zo iemand had uitgekozen voor zo'n hoge functie was een schande, vond ze.

'Het schijnt een knappe kerel te zijn,' voegde Bertha eraan toe met een schalkse knipoog, 'en weduwnaar bovendien.'

Kenau vatte de hint. Ze bloosde tegen haar wil. Om zich een houding te geven trok ze snel haar beurs tevoorschijn en haalde er een paar penningen uit.

Terwijl Bertha het geld opborg, stak ze een krakeling die over was gebleven in haar mond.

'Welja, prop onze handel maar in dat onverzadigbare lijf van je.' Haar man Teun was binnengekomen, met een gezicht op zeven dagen onweer. 'Raakt het dan nooit eens vol daarbinnen?'

Bertha verstarde. De verwijzing naar haar corpulentie deed pijn, zag Kenau. De bakker was van nature een slechtgehumeurde man, die zijn gebrek aan levenslust dag in, dag uit, op de dichtstbijzijnde persoon afreageerde, en die arme Bertha had het ongeluk door de huwelijkse staat die pechvogel te zijn.

Kenau groette haastig en vervolgde haar tocht naar het huis van Bastiaensz. Hendrik was de beste vriend van haar man geweest en had hem ooit, toen Nanning nog springlevend was, beloofd een waakzaam oog op zijn vrouw en dochters te houden, mocht hem plotseling iets overkomen. Hij stamde uit een vooraanstaand geslacht van lakenhandelaren en probeerde in zijn functie als schepen trouw te blijven aan zijn gevoel voor rechtvaardigheid en barmhartigheid. Hij had een groot hart voor de burgers van de stad, ongeacht hun komaf of beroep. Kenau had veel vertrouwen in zijn oordeel, vooral nu haar man er niet meer was om haar weerwoord te geven en een gezamenlijke koers te bepalen.

Bastiaensz woonde aan het marktplein. Het huis was met zijn drie verdiepingen en de sierlijke trapgevel een van de mooiste aan het plein. Kenau stak de Markt over en beklom de drie traptreden naar de voordeur. Ze ademde diep in om zich te concentreren en liet de klopper op de deur vallen. De huisknecht deed open. Met een korte hoofdknik liet hij haar binnen. Hij verzocht haar even te wachten en maakte een kalmerend gebaar met zijn hand, dat ze betuttelend vond. Ze herinnerde zich hem nog als een snotneus van vijftien, toen hij als loopjongen begon. Zijn Hollands was nauwelijks verstaanbaar en ze had Hendrik gevraagd waar hij die knul had opgeduikeld. Hij bleek uit een boerendorp in Zeeland te komen, waarvan ze de naam alweer vergeten was. Zo'n negen jaar geleden, ten tijde van de grote pestepidemie in Amsterdam, was ook dit dorp door die plaag bezocht, waarbij alle inwoners bezweken waren. Eén kleine jongen was als door een wonder gespaard gebleven en Hendrik had zich uit medelijden over hem ontfermd. Wanneer een enkeling de plaag overleefde kon dit slechts het werk van God zijn, geloofde hij.

Hendrik kwam de met Perzische tapijten belegde hal in en heette haar welkom. Ze was altijd weer onder de indruk van zijn forse gestalte, die kracht en zelfvertrouwen uitstraalde. Zijn donkerblonde haar was grijzend aan de slapen, terwijl zijn baard en snor rossig waren. Hij had een vorsende maar vriendelijke blik, waardoor ze zich bij hem altijd thuis voelde. Het leek of je in zijn nabijheid beschermd was voor al het kwaad in de wereld, omdat hij een scherm van goedheid om zich heen had waarin het niet door kon dringen.

'Waar is Geerte?' vroeg Kenau, verwonderd om zich heen kijkend in de ruime achterkamer, waarin gewoond en gekookt werd. Meestal heerste daar een levendigheid van jewelste, dankzij de zes kinderen en Hendriks vrouw, die daarvan het middelpunt was.

'Ik heb ze voorlopig naar Leiden gestuurd, naar Geertes ouders. Het rommelt hier te veel, Kenau.'

Ze knikte instemmend. 'Daarom ben ik hier, Hendrik, om met je te praten.'

'Ga zitten,' Hendrik schoof een stoel bij de tafel. 'Wil je iets drinken?'

Ze schudde haar hoofd.

Hij draaide zich om naar de knecht. 'Laat ons alleen, Lambert, we hebben niets meer nodig.'

Lambert verliet de keuken en sloot de deur geruisloos achter zich.

'Je weet, ik ben niet voor een kleintje vervaard, maar ik moet toegeven dat de angst me nu toch echt te pakken heeft,' zei Kenau zacht.

'Ik kan je helaas niet geruststellen,' zei Hendrik, haar met gefronste wenkbrauwen aankijkend.

'Weet je al wat er in Naarden is gebeurd?' informeerde ze.

'Ja, sinds gisteren. Ik ben geschokt – ik kan je niet zeggen hoe het me aangrijpt.'

Kenau schraapte haar keel en vertelde wat er de vorige avond was gebeurd. Haar stem trilde. Op het moment zelf was ze sterk en daadkrachtig geweest, maar 's nachts had ze urenlang wakker gelegen.

Toen ze uitgesproken was wreef Hendrik peinzend over zijn baard. 'Hij zal een van de weinigen zijn, die het heeft overleefd,' zei hij. 'Het schijnt dat ze grondig te werk zijn gegaan.'

'Is het waar dat Haarlem nu aan de beurt is?' Kenau fluisterde bijna.

'Daar is geen twijfel aan. Toen onze stad op de 3e juli de kant van de Prins van Oranje koos, haalden we ons de woede van Filips de Tweede en de hertog van Alva op de hals. Ze laten zich niet straffeloos provoceren. Daarbij is het oprukkende protestantisme in onze stad de koning een doorn in het oog. En dat verergert alleen maar door de plunderingen van kloosters waar we sindsdien mee te maken hebben.'

'Dat komt door die verschrikkelijke geuzenhopman, Lumey. Ik veracht ze, die geuzen, het zijn piraten zonder enige beschaving, met van die walgelijke vossenstaarten aan hun mutsen.'

'Ik ben bang dat we ze hard nodig hebben, vergeet niet dat ze aan de kant van Oranje vechten. Bovendien zijn het niet allemaal woestelingen, er zitten ook edellieden tussen.'

Kenau zuchtte. 'Waarom kunnen ze de kerken en kloosters niet respecteren, het is toch niet nodig om ze te vernielen?'

'Vergeet niet hoe groot hun afkeer is van de corruptie en hebzucht van de katholieke kerk. Bovendien zetten de kettervervolgingen veel kwaad bloed bij de protestanten. We weten allemaal dat het levensgevaarlijk is om een aanhanger van Luther of Calvijn te zijn, of een wederdoper. Voor je het weet word je verbannen, of beland je op de brandstapel.'

'Hendrik, je bent toch nog wel katholiek?'

Hij grinnikte. 'Jawel, maar ik zie wel dat er hervormingen binnen de kerk nodig zijn. En de harde Spaanse lijn verafschuw ik. Onze Prins pleit voor wederzijdse verdraagzaamheid tussen protestanten en katholieken en daar ben ik het mee eens. Maar makkelijk is het niet.'

Kenau staarde hem aan. Het katholieke geloof was een vanzelfsprekend onderdeel van haar leven. Dat je er van een afstand kritisch naar zou kunnen kijken stuitte haar tegen de borst. 'Zal ik mijn dochters ook wegsturen?' zei ze zacht.

Hendrik aarzelde. 'Aan de ene kant ben ik geneigd om te zeggen: zo snel mogelijk, en ga zelf met ze mee. Aan de andere kant zullen we de hulp van alle Haarlemmers nodig hebben om de vestingwallen te versterken en weerstand te bieden tijdens een beleg. Als iedereen ervandoor gaat is Haarlem bij voorbaat verloren. Ik heb mijn vrouw weggestuurd met de kinderen, omdat de jongsten nog zo klein zijn en ons in de weg zullen lopen.'

Kenau deed haar omslagdoek af. Het was warm, zo dicht bij het vuur. 'We kunnen de stad toch nog redden?' zei ze wanhopig. 'Als we ons onmiddellijk overgeven, in plaats van het tot een beleg laten komen, en opnieuw trouw zweren aan de koning in Spanje? Hij zal ons onze korte dwaling misschien vergeven en ons verder met rust laten.'

'Laat men je niet horen, ze zullen je voor een verrader aanzien. De meerderheid van de schouten en schepenen gelooft niet in overgave, hoewel enkelen onder hen zo denken als jij. Zij geloven ook dat Filips de Tweede onze ontrouw door de vingers zal zien en dat er nog met hem onderhandeld kan worden. Dat is vreselijk naïef, kijk maar naar Mechelen, Zutphen en Naarden. Er waren afspraken gemaakt dat de Spanjaarden de bevolking ongemoeid zou laten, maar desondanks zijn ze daar als beesten tekeergegaan.'

Het zweet brak Kenau uit. De beelden die Claes met zijn gedetailleerde beschrijving had opgeroepen kwamen weer tot leven.

Hendrik pakte haar handen en dwong hem haar aan te kijken. 'Ze zijn niet te vertrouwen, Kenau, dat weet je zelf ook, ze voeren strafexpedities uit in alle steden die de kant van de Prins gekozen hebben.'

Kenau liet haar hoofd hangen en staarde naar de blauwe aderen op de rug van zijn handen.

'Ik zal je iets vertellen dat onder ons moet blijven,' hij fluisterde nu bijna, 'ik weet dat ik je kan vertrouwen. Gisterenavond had ik een vergadering van het stadsbestuur. Daar kon je al zien wie de lafaards en de naïevelingen zijn. En dan heb je nog een stel berekenende zakenlieden, die slechts aan de handel denken. Ik heb sterk het gevoel dat er een paar potentiële verraders tussen zitten, zoals bijvoorbeeld Cornelis Duyff – die is in staat ons voor dertig zilverlingen te verlinken.'

'Die?' riep Kenau uit. 'Dat is een ellendeling, hij is me nog een flink bedrag schuldig voor een zeilschip.'

'Die kerel deugt niet, dat gevoel heb ik ook, maar ik ben tot nu toe de enige die er zo over denkt. Helaas kon ik niet verhinderen dat hij ook deel uitmaakt van een uit drie mannen bestaande delegatie, die morgen naar Amsterdam vertrekt, om uitstel van beslissing te vragen bij Don Frederik. Die heeft ons al benaderd met een voorstel tot onmiddellijke overgave. Maar we hebben tijd nodig om overleg te plegen met de Staten van Holland, voordat we als stadsbestuur eendrachtig kunnen besluiten tot een beleg – want dat is dus wat de meesten van ons willen. We vertrouwen ze voor geen cent, die Spanjaarden.'

Er viel een ongemakkelijke stilte. Kenau slikte. Ze had er moeite mee dat Hendrik een andere mening had dan zij. Hij verkeerde in het hart van de gemeentelijke politiek en wist veel meer dan de burger in de straat. Toch was hij tegen overgave aan Spanje en sprak hij over het vreedzaam naast elkaar bestaan van verschillende godsdiensten, alsof het de gewoonste zaak van de wereld was. Zat ze dan zelf op een dwaalspoor?

'Wat zou Nanning gedaan hebben, denk je?' vroeg ze zacht.

'Ik kan natuurlijk niet namens hem spreken, maar zoals ik hem ken durf ik te zweren dat hij Haarlem voor geen goud aan de genade van de Spanjaarden had willen overleveren. Hij zou tot zijn laatste ademtocht meegevochten hebben.'

Kenau knikte peinzend. Ze wist dat Hendrik gelijk had. Zo'n man was Nanning geweest. Misschien zou hij zijn gezin de stad uit gestuurd hebben, maar zelf zou hij op de barricades staan en de vijand lachend tarten.

'Denk erover na, lieve vriendin, maar niet te lang. Don Frederik is met zijn troepen al ter hoogte van Amsterdam.'

'Goed.' Kenau schoof haar stoel naar achteren en stond op. 'Och, ik vergeet helemaal wat ik voor jullie had meegebracht.' Ze schoof hem de zak krakelingen toe.

'Dank je, ik zal ze in een trommel bewaren, voor als we iets te vieren hebben. Onthoud dat je altijd bij me terecht kunt, wat er ook is.'

Weer stak ze het marktplein over. Voor het stadhuis was een kleine menigte bijeengekomen. Op het bordes stond een man met donker haar, een flinke snor die omhoogkrulde aan de punten en een kortgeknipt baardje. Zijn stem schalde over het plein, zijn gehoor luisterde stil en aandachtig naar wat hij te zeggen had. Kenau deed enkele stappen dichterbij.

'Hoe lang staan wij nog toe dat landvoogd Alva onze schatkist leegrooft? Nu heeft hij de Tiende Penning bedacht, een onmogelijke belasting die wij niet op kunnen brengen.'

'Weg met de Tiende Penning. Weg met de spanjolen!' riep een man. De menigte volgde zijn voorbeeld en scandeerde 'Weg met de spanjolen!', totdat de spreker hen met een bezwerend handgebaar tot stilte maande. Men bedaarde onmiddellijk. Dit moest Wigbolt Ripperda zijn, die sinds begin augustus als gouverneur de Prins van Oranje vertegenwoordigde in Haarlem.

'Wij zullen de stad niet opgeven,' riep hij, 'in naam van de Prins zullen wij Haarlem met hand en tand verdedigen. Don Fernando, al bent u dan duizendmaal de hertog van Alva, wij laten niet toe dat u in de Lage Landen aan de zee moord en verderf zaait. Wij zullen uw opmars stuiten met kruit en lood, moge God ons bijstaan!'

Er steeg gejuich op, men klapte in de handen, een enkeling probeerde in zijn geestdrift op het bordes te klimmen om Ripperda te omhelzen, maar werd tegengehouden door diens lijfwacht.

Kenau was onder de indruk, ondanks zichzelf. Tegelijkertijd voelde ze een primitieve angst opkomen: zijn woorden waren een regelrechte provocatie aan de koning in Spanje en aan Alva, wiens zoon Don Frederik nota bene in Amsterdam op een startsein wachtte om op te rukken naar Haarlem. En de mensen op het plein gingen erin mee, met een geestdrift die de dood tartte!

'Met die woorden heeft deze Ripperda de schutterij in de Oude Doelen ook al opgezweept,' hoorde ze een oude man naast zich zeggen, 'die staan allemaal te popelen om in actie te komen. Er zal veel nodeloos bloed vloeien, vrees ik. Waarom onderhandelen we niet over overgave? Om erger te voorkomen?'

In een opwelling glipte Kenau de Sint-Bavokathedraal in, die Haarlems trots was. Ze stevende rechtstreeks op het Mariabeeld af, dat in een zijbeuk stond. De Heilige Moeder keek in stille wanhoop neer op het levenloze lichaam van haar zoon, dat half op haar schoot lag. Kenau knielde, vouwde haar handen en begon te bidden. Het was een smeekbede die niets met de geijkte termen van een gebed te maken had, maar regelrecht voortkwam uit haar angstige voorgevoelens. De stad zou schudden op haar grondvesten en geen gezin zou gespaard worden... Ze zag het voor zich als een visioen.

Ineens begonnen de kerkklokken te luiden. Kenau schrok op uit haar gebed. Het leek wel of er een onweer boven haar hoofd was losgebarsten, en de Goddelijke toorn zich met geweld ontlaadde. Ze keek rillend omhoog naar de houten gewelven, waarvan het geometrische patroon altijd een geruststellend effect op haar had gehad, maar nu leek er ineens een dreiging van uit te gaan. Ze boog haar hoofd weer naar de vloer en bleef enige tijd in gedachten verzonken zitten. Moest ze haar dochters de stad uit sturen? Ze konden naar haar broer in Middelburg, die zou ze liefdevol in zijn gezin opnemen. Zelf kon ze in ieder geval niet weg, er waren zoveel werklieden afhankelijk van haar, zowel op de scheepswerf als in de houthandel. De werkzaamheden moesten zo goed mogelijk doorgaan, ongeacht de omstandigheden.

Het gebeier hield net zo plotseling op als het begonnen was. Kenau kwam moeizaam overeind. Waar kwam die stijfheid vandaan? Al was ze nog maar zesenveertig, ze leek wel een oude vrouw met versleten gewrichten. Juist nu kwam het erop aan jong en veerkrachtig te blijven.

Met gebogen hoofd verliet ze de kerk. Haastig sloeg ze de weg in naar huis. Toen ze de brug overstak besloot ze nog even een kijkje op de werf te nemen. Er was een zeilschip voltooid en die middag zouden de masten gezet worden. Het was een mooi schip geworden, vakkundig gebouwd, en een van de timmerlieden, die begaafd was in de houtsnijkunst, had een prachtig boegbeeld gesneden. Het was een maagd met lange donkere krullen die tot op haar brutaal vooruitstekende borsten vielen, en ze keek de wereld in alsof ze de woeste golven uitdaagde. De sierlijke letters die samen de naam 'Magdalena' vormden waren eveneens uit hout gesneden. Het was jammer dat het schip in opdracht van Cornelis Duyff gemaakt was, ze had het liever aan een ander gegund.

Er werd hard gewerkt op de werf, hoewel men af en toe pauzeerde om in zijn handen te blazen vanwege de kou. De zon stond zo laag dat iedereen een lange schaduw aan zijn zijde had. Jacob, de opzichter, onderwierp de tuigage van het schip aan een laatste controle. Hij had zijn wollen muts zo ver over zijn hoofd getrokken dat zijn ogen nauwelijks te zien waren. Ze liep in zijn richting en riep: 'Hoe laat zetten we de masten vanmiddag?'

'Duyff komt om twee uur.'

Kenau knikte en besloot even in de loods te kijken of er genoeg bierpullen waren. Haar hoofd stond helemaal niet naar een feestelijke dronk. Ze keek om toen ze het geluid van paardenhoeven hoorde in de straat. Ze zag een donkerbruin paard en een ruiter met een vilten hoed, in de schaduw waarvan zijn ogen extra donker leken. Toen hij dichterbij gekomen was zag ze met een schok wie het was. Ze verstrakte.

'Mevrouw Simons Hasselaer?' vroeg hij, de teugels inhoudend.

'Jawel,' zei ze wantrouwend.

'Wigbolt Ripperda, afgevaardigde van de Prins van Oranje.'

Kenau deed een stap naar achteren. Het beviel haar niet dat hij, comfortabel op zijn paard gezeten in zijn fraaie lakense mantel, hoog boven haar uittorende. Zelfs de wulpse veer op zijn hoed irriteerde haar.

'Er is mij ter ore gekomen dat u een goedlopende scheepswerf heeft en bovendien handeldrijft in hout met de landen in het noorden.'

'Ja, is daar soms iets mis mee?' Het kwam er lomp uit, maar ze kon niet anders.

'We hebben hout nodig, veel hout, om de stadspoorten te versterken. Zou u een deel van het hout ter beschikking willen stellen om de veiligheid van de burgers, uzelf incluis, te waarborgen? De Prins heeft al veel van zijn persoonlijke kapitaal ingezet voor de verdediging van diverse steden en...'

'Wilt u mijn mening weten? Of doet de mening van een vrouw er niet toe in deze kwestie?'

Het bleef even stil. Toen nam Ripperda met een zwierig gebaar zijn hoed af en antwoordde met een innemende lach, die een gaaf gebit ontblootte: 'De mening van een knappe vrouw als u gaat mij zeer ter harte. Ik smeek u, zeg me wat u op het hart heeft.'

Kenau bloosde. Aan zo'n charmante benadering was ze niet gewend. De mannen in haar omgeving waren ruwer en stierven liever dan dat ze zich te buiten gingen aan een dergelijk sierlijk en omslachtig taalgebruik. Ook kregen ze een compliment voor het andere geslacht nauwelijks over hun lippen. Hoezeer ze ook op haar hoede was, ze voelde zich gestreeld. Het was zo lang geleden dat iemand haar zei dat ze mooi was.

'Die opstand is een waanidee!' hoorde ze zichzelf roepen. 'Een kind kan zien dat onze stadswallen zwaar verwaarloosd zijn en de stadspoorten vermolmd. Daar is geen redden meer aan. Waarom onderhandelen we niet met de Spanjaarden? We kunnen de vrede toch afkopen met een behoorlijke som geld? Er is geen Haarlemmer die zin heeft om te sterven. We willen doorgaan met ons leven, en werken voor ons dagelijks brood. Waarom zouden we ons leven in de war laten sturen door een koning die duizenden mijlen hiervandaan woont en niet eens weet wie wij zijn?'

Hij lachte. 'Daarvoor is het veel te laat, mevrouw, met alle respect, maar het is naïef van u te denken dat de stad door middel van onderhandelingen nog te redden zou zijn. Het spijt me.'

Kenau staarde hem een ogenblik vijandig aan en keerde hem toen abrupt de rug toe. 'Jacob...!' riep ze met luide stem. 'Kun je even hier komen? Deze heer wil een bestelling plaatsen voor hout, voor rekening van de Prins! Die van Oranje, weet je wel, met zijn geuzenleger.' Toen beende ze weg, zonder goedendag te zeggen, zonder om te kijken. Mannen met mooie praatjes, ze lustte ze rauw.

4

Omdat Claes de hele ochtend al in het vuur zat te staren, besloot Cathelijne hem 's middags mee naar buiten te nemen naar de rivier om toe te kijken hoe de masten gezet werden. Dat was altijd een feestelijke gebeurtenis. De werklui waren trots en opgelucht, het was de bekroning van maandenlange noeste arbeid en het bier vloeide rijkelijk. Als het even kon was degene die het schip besteld had ook aanwezig en klonken ze samen op een lang leven, voor zowel het schip als de eigenaar en de toekomstige bemanning.

Na de broodmaaltijd was haar moeder vertrokken en Geertruide was haastig weggeglipt, zonder te zeggen waar ze heen ging. Niemand scheen tijd te hebben voor Claes en dat bevreemdde Cathelijne. Haar moeder was duidelijk elders met haar gedachten gezien de diepe frons in haar voorhoofd. In groot contrast met haar moeder leek Geertruide juist in een voortdurende staat van opwinding te verkeren, die kleur gaf aan haar wangen en haar onrustig maakte. Ze kon niet lang op een stoel blijven zitten, vermeed de blikken van de anderen en ging elke vorm van gesprek uit de weg. Cathelijne had een sterk vermoeden wat haar mankeerde. Ze had een opvallende rode plek in haar hals gezien, die haar zuster voortdurend probeerde te bedekken door de kanten kraag van haar jurk wat omhoog te trekken. Vergeefs. Toen ze aan tafel zaten en Geertruide merkte dat Cathelijne ernaar staarde, werd ze rood tot achter haar oren.

Cathelijne ontfermde zich over Claes. Ze vond in een kist een winterse mantel die nog van haar vader was geweest en gaf hem die, samen met een zelfgebreide wollen das en muts. 'Kom, dan gaan we even naar de werf. Het zal je goed doen in het zonnetje te lopen.'

Claes gehoorzaamde als een kind. Zijn ogen waren gezwollen en zijn lippen, die ook bevroren waren geweest, begonnen te vervellen. Hij zag er niet uit, maar hij was er nog, dat was het voornaamste.

Het was vlakbij. Je liep een zijstraatje in, daarna rechtsaf en je was er al. Meestal glinsterde het water van het Spaarne je tegemoet zodra je de hoek omsloeg, maar nu trokken er schaatsers overheen en paarden die volgeladen sleden trokken. Ter hoogte van de werven lagen pasgebouwde schepen in het ijs te wachten tot de dooi intrad. Hier en daar had men een wak opengehouden ten behoeve van de eenden, die bij elkaar dromden alsof ze in vergadering waren. De scheepsbouwers wierpen ze af en toe een stuk brood toe, waarop onder de eenden meteen een strijd op leven en dood losbarstte.

Er stond een bankje op de werf en Cathelijne beduidde Claes te gaan zitten. Zonder iets te zeggen sloegen ze samen de mannen gade, die druk in de weer waren met de tuigage van de Magdalena. De meesterknecht, Jacob van der Does, riep korte bevelen. Zijn grote gestalte gaf iedereen het gevoel dat er in zijn nabijheid weinig mis kon gaan. De zon glinsterde in zijn warrige bos grijs haar en af en toe blies hij een wolkje tabaksrook uit. Sinds de dood van hun vader was hij de steun en toeverlaat van haar moeder. Zonder deze door en door betrouwbare voorman was de werf misschien wel voortijdig ter ziele gegaan.

Cathelijne keek steels opzij. Het gezicht van Claes verraadde geen spoor van emotie. Hij leek niet geboeid door wat hij zag, eerder afgesloten voor alle indrukken van buitenaf. Ze had het gevoel dat ze haar hand voor zijn ogen heen en weer zou kunnen bewegen, zonder dat hij het zou merken. Hoe zou ze er in zijn plaats zelf aan toe zijn geweest, vroeg ze zich af. Als alles wat ze hier voor zich zag binnen enkele uren zou verdwijnen, in een grote werveling van ongekende wreedheden. Als uit het vertrouwde silhouet van de stad vlammen en zwarte rookpluimen zouden opstijgen. Als de lucht gevuld zou worden met geweerschoten en doodskreten. Als begerig grijnzende soldaten op je afkwamen om je te verkrachten. Als de vogels dood uit de lucht vielen en de zon verduisterd werd door kruitdamp en rokende puinhopen.

Ze rilde. Hoe het echt zou zijn kon ze zich niet voorstellen en het was pure zelfkwelling om het te proberen. Ze keek om zich heen en zag vanuit haar linkerooghoek iets waardoor ze met een schok in het hier en nu terugkeerde.

Achter de loods, tussen de kale takken van twee struiken, stond Geertuide met een jongeman. Ze waren in een stevige omhelzing verwikkeld en kusten elkaar gepassioneerd. Zo'n kus waaraan geen einde leek te komen. Je kon de takken horen kraken; erbovenuit zag Cathelijne de rode krullen van haar zuster en de bruine van een onbekende geliefde.

Op hetzelfde moment kwam Kenau van de andere kant de werf op lopen. Haar gezicht stond strak. Cathelijne was erg gevoelig voor de stemmingen van haar moeder, al zolang ze zich kon herinneren deed ze haar uiterste best haar niet te ontrieven. Haar moeder had de pijnlijke gewoonte naar haar te kijken alsof ze boos op haar was, of geërgerd door iets waarvan ze zich niet bewust was. Vroeger was ze een echte flapuit geweest, maar in de loop der jaren was ze spaarzamer geworden met woorden. Want voor ze het wist kwam er een ontstemde blik haar kant uit. Dan kromp ze innerlijk in elkaar, hoewel ze daar aan de buitenkant niets van liet merken.

De takken kraakten hevig en Cathelijne zag hoe haar zuster de jongeman in paniek van zich af duwde, schuin op haar moeder wijzend. Hij knikte en rende haastig weg. Geertruide fatsoeneerde haar kleren, zette haar kapje weer op en kwam met rode wangen de werf op. Toen ze Cathelijne en Claes ontdekte schoof ze bij hen op de bank.

'Het ging er pittig aan toe daar in het struweel,' zei Cathelijne met een schalks lachje.

'Zíj heeft ons toch niet gezien, hoop ik?' Geertruide wees met haar hoofd in de richting van haar moeder.

Cathelijne schudde haar hoofd. 'Wie is het?'

Geertruide keek haar aan met lichte ongerustheid in haar ogen. 'Focko Ripperda...'

'De zoon van?'

'Ja.'

'Heilige Maria, dat zal ma leuk vinden. Sinds die protestantse vader van hem gouverneur werd van Haarlem, is hij de grote boosdoener voor haar.'

'Ik weet 't,' zuchtte Geertruide, 'maar de liefde overwint alles, dat zul je zien. Ik had nooit gedacht dat het zo overweldigend kan zijn. Ik ben stapelgek op hem, kan alleen nog maar aan hem denken. Het lijkt wel of hij me betoverd heeft. Vind je hem niet vreselijk knap?'

'Zo goed heb ik hem nu ook weer niet gezien, alleen een bos donkere krullen.'

'Moeder draait nog wel bij – Focko komt uit een oud Gronings geslacht, daar kan ze toch niets op tegen hebben. O jee, daar komt ze aan!'

Hun moeder was met ferme stappen onderweg naar het schip, om iets tegen Jacob te zeggen. Cathelijne verstond niet waar het over ging, want op hetzelfde moment begonnen de werklieden met het zetten van de masten.

'Daar gaat ie!' bulderde de stem van Jacob, 'een, twee, drie...'

De mannen liepen rood aan van de inspanning. Ze trokken uit alle macht aan het zware gevaarte.

'Hou hem in het lood, toe maar.'

De werf stroomde vol met timmerlieden, touwslagers, zeilmakers, smeden – ook van de andere werven kwamen ze aanlopen om het tafereel gade te slaan, het grootse moment waarop een pasgebouwd zeilschip zijn voltooiing bereikte en, op het hijsen van de zeilen na, gereed was om alle denkbare winden te trotseren. Zodra de dooi intrad zou het schip jubelend uitvaren, via het Spaarne naar het IJ en met volle zeilen de Noordzee op verder naar het noorden, of het oosten, om graan in te slaan in de Baltische staten en volgeladen terug te keren naar Duyffs pakhuizen aan het Spaarne.

Maar Cathelijne was nuchter: de mannen kwamen vooral voor het bier. Zo meteen moest ze in actie komen en volle pullen uitdelen. Haar moeder stond erop bier van goede kwaliteit te schenken en dat wisten ze, tot ver in de omtrek. Ze zou Claes vragen haar te helpen, dat gaf hem iets omhanden.

Er steeg gejuich op, de grote mast stond. Terwijl de mannen op het schip zich verplaatsten om de kleinere mast te zetten, kwam Geertruide ineens overeind, bukte zich, trok haar rode onderrok naar beneden, stapte eruit en baande zich een weg tussen de mannen door naar het schip, de rok als een trofee omhoog houdend. Ze rende de loopplank over, liep naar de mast toe en klauterde voor de verbaasde ogen van alle aanwezigen razendsnel naar boven, als een kat die hoog in een boom een vogel ziet. Vervolgens knoopte ze de band van de rok, waaraan een lint zat, vast aan de top van de mast. Die begon meteen te wapperen in de koude oostenwind, als een echte vlag.

'Zo brengt het schip geluk!' riep Geertruide.

Er werd geapplaudisseerd en gefloten, en Geertruide nam de ovatie breed lachend en buigend in ontvangst. Haar rode krullen schitterden in de zon en voor heel even leek de tijd stil te staan in een tableau vivant vol schoonheid en uitgelaten vrolijkheid.

Zelfs het gezicht van haar moeder klaarde op, zag Cathelijne. Ze sloeg het tafereel verteder d gade, het was alsof de uitbundigheid van haar jongste dochter haar gezicht verlichtte. Zo kijkt ze nooit naar mij, schoot het door Cathelijne heen, maar ze moffelde die gedachte snel weg. Het laatste wat ze wilde was jaloers zijn. Ze stond op om bier te gaan schenken en trok Claes aan haar hand mee. 'Kom, ik heb je hulp nodig om bier uit te delen, dat hoort erbij.'

Claes volgde als een willoos hondje. De biertonnen stonden in de loods en al gauw meldden de eerste mannen zich voor een koele dronk. Ze schonken de pullen zo haastig vol dat het schuim over de rand droop. Sommigen dronken hun pul meteen leeg, zodat ze een minuut later weer voor hun neus stonden. Toen Geertruide de gelederen kwam versterken ging er een vlaag van algehele opwinding door de loods heen. Ze stak iedereen aan met haar ontwapenende uitgelatenheid. Zelfs Claes leefde ervan op en scheen voor even zijn misère te vergeten. Kenau kwam erbij staan en leegde de ene pul na de andere, met iedereen toostend op een lang en voorspoedig leven van het schip.

'Ik heb een raadseltje voor u,' zei een van de werklieden tegen Geertruide, met een schuine knipoog naar zijn maten, 'weet u waaraan u kunt zien dat u een timmerman voor u heeft, mejuffrouw?'

'Als hij zijn gereedschap niet bij zich heeft, dan kun je het onmogelijk weten,' zei ze met een weifelend lachje.

'U moet zijn vingers tellen!' riep de man, triomfantelijk zijn linkerhand opstekend waaraan twee vingers ontbraken.

Een bulderend gelach barstte los. Overal gingen handen omhoog, er was er niet een bij die nog het aantal vingers had dat hij bij zijn geboorte had meegekregen. Cathelijne wist wel dat er in dit beroep veel vingers sneuvelden, maar ze kon er moeilijk om lachen. Ook haar zuster keek bedremmeld, wat de lachlust van de mannen nog verhoogde. Alleen haar moeder bleef stoïcijns. Daar stond ze tussen de mannen en leegde de ene pul na de andere zonder te verblikken of verblozen. Sinds ze weduwe geworden was moest ze vader en moeder tegelijk zijn, kostwinner, baas van de werf en houthandelaar. Er bestonden geen vrouwen die broeken droegen, anders zou ze er zeker een aanhebben. En ze zou een hoed dragen, in plaats van het witte kapje.

Ineens hoorde Cathelijne het geluid van paardenhoeven en het geratel van wielen. Er verscheen een wagen met twee paarden voor de wijd openstaande poort van de werf.

'Daar is Duyff,' zei Kenau, met een pul in de hand naar buiten lopend, gevolgd door Jacob en andere werklieden.

Cathelijne zag op de bok een kleine kale man met een enorme witte knevel, die waarschijnlijk diende om het gebrek aan haar op zijn hoofd te compenseren. Dat was dus Duyff, een vooraanstaande burger uit de vroedschap, een van de grootste graanhandelaren van de stad. Er zat een onwaarschijnlijk mooie vrouw aan zijn zijde, die wel een hoofd groter was dan hij. Haar diepzwarte haar, donkere ogen en enigszins getinte huid deden vermoeden dat ze geen Hollandse was van origine. Hoewel ze fier rechtop zat, was haar gezicht in de greep van een oneindige treurigheid. Die blik deed weliswaar geen afbreuk aan haar schoonheid, maar wekte toch eerder medelijden op dan bewondering.

'Zo zo, mevrouw Hasselaer, de mast staat zie ik,' zei Duyff neerbuigend, 'is mijn schip nu eindelijk zeilklaar?'

'Om te kunnen zeilen is er meer nodig dan een staande mast, mijnheer Duyff.'

De mannen, die door de overdadige consumptie van bier in een verhoogde feestroes verkeerden, moesten onbedaarlijk lachen om de dubbelzinnigheid. Duyff liep rood aan. De vrouw naast hem boog haar hoofd vol schaamte.

'Die letters op de boeg wil ik in goud!' beval Duyff om zijn gezicht te redden.

'Toe maar! En wil mijnheer het dek soms ook van goud, het beslag van zilver en de zeilen van zijde?' grijnsde Kenau, met haar rechterarm een uitnodigend gebaar in de richting van het schip makend.

Om haar heen werd gegniffeld. Duyff beantwoordde haar sarcasme met een hooghartige blik. Cathelijne, die erbij was gaan staan, wist dat hij een omhooggevallen klerk was, die de wind mee had gehad in de graanhandel en dat haar moeder daarop zinspeelde.

'Zolang we de tweede aanbetaling niet hebben ontvangen, kunnen we niets voor u doen. Leeft u misschien iets te veel boven uw stand?' Kenau keek schuin naar de vrouw op de bok. Lag er minachting in haar blik, of was het deernis? Cathelijne wist het niet. Zelf voelde ze vooral verwondering. Hoe was het mogelijk dat zo'n knappe jonge vrouw aan de zijde van zo'n opgeblazen minkukel terecht was gekomen? Ze huiverde bij de gedachte aangeraakt te worden door zijn mollige vingertjes.

'Dat zijn uw zaken niet, mevrouw Hasselaer,' zei Duyff.

Zonder nog iets te zeggen draaide Kenau zich om naar Jacob, die een paar meter van haar af stond, en zei: 'Er wordt geen nagel meer in dit schip geslagen voordat mijnheer betaald heeft.'

Jacob nam zijn pijp uit zijn mond en knikte. Kenau liep demonstratief de loods in. Duyff perste zijn lippen op elkaar en liet de zweep op de ruggen van de paarden neerkomen. Vol ingehouden woede dwong hij ze rechtsomkeert te maken, in een onhandige manoeuvre schampte zijn kar langs een stapel grenen stammen uit de Baltische staten. Duyff knalde nog eens driftig met zijn zweep.

Doordat het evenwicht in de houtstapel verstoord was, raakten de stammen aan het rollen. Een dikke stam kwam recht voor de hoeven van de paarden terecht, waarop deze hinnikend steigerden. De hele stapel kwam nu in beweging en gleed naar beneden. Duyff wist nog net op tijd weg te komen met zijn wagen, maar een van de mannen van de werf, Harm van Aken, werd onderuitgehaald door een dikke stam en tuimelde achterover in het wak tussen de eenden, gevolgd door een aantal stammen. De eenden fladderden verschrikt op om iets verderop weer neer te strijken, beduusd door de verstoring van hun rust.

Van al die potige scheepsbouwers die kort daarvoor nog hadden staan lachen en bier hijsen, kwam er niet een in beweging. Het leek wel of een algehele verlamming hen in haar greep had. Het was angstaanjagend stil, totdat er plotseling een paar tegelijkertijd begonnen te roepen om iemand die kon zwemmen. Het naar adem happende hoofd van Harm kwam boven, maar verdween meteen weer onder water. Duyff, die de werf al bijna verlaten had, hield de teugels in om te zien waar al die consternatie voor was.

Kenau kwam vanwege het lawaai terug uit de loods. In één oogopslag zag ze wat er aan de hand was. Zonder zich te bedenken liep ze naar de kade. Ze wierp haar omslagdoek van zich af en voordat iemand haar kon tegenhouden was ze in het water gesprongen, om meteen onder de boomstammen te verdwijnen.

Geertruide gilde, maar Cathelijne dacht koortsachtig na. Ze wist dat haar moeder kon zwemmen, wat heel uitzonderlijk was voor een vrouw. Zij en haar broers hadden het in hun jeugd geleerd op aandringen van hun vader. Omdat ze een scheepsbouwbedrijf hadden vond hij het belangrijk dat ze leerden zwemmen. 'Wij zijn een volk van het water,' scheen hij gezegd te hebben, 'maar niemand kan zwemmen. Zelfs een hond kan zwemmen.' Zelf had hij op de werf een jongere broer verloren, die in het water gevallen was en afgedreven met de stroming.

De stammen bemoeilijkten haar moeder het zwemmen, zag Cathelijne. Ze rende naar Jacob en vroeg hem om een touw. Tegelijkertijd ontwaakte Claes uit zijn lethargie. Hij rukte het touw uit de handen van de man die ermee kwam aanlopen en holde naar de oever. Kenaus hoofd kwam boven water, gevolgd door dat van een bewusteloze Harm, die ze stevig in haar armen knelde. Claes maakte een lus in het touw en gooide dat naar haar toe. Ze slaagde erin het met een hand te grijpen, zonder dat de greep van haar andere arm waarmee ze Harm vasthield verslapte. Zo werden ze langzaam naar de oever getrokken, waarna ze met behulp van vele handen uit het water werden gehesen.

Gejoel steeg op, de mannen waren verbijsterd van bewondering terwijl ze uiteenweken om een druipnatte Kenau door te laten, die over de werf waggelde, haar gezicht blauw van de kou. Haar ogen stonden glazig. Haar zwijgen was bars en nadrukkelijk – het werd gerespecteerd, ze werd door niemand lastig gevallen met vragen of loftuitingen. Pas toen Geertruide haar huilend om de hals viel leek ze tot leven te komen. Ze streek haar dochter, die maar bleef snikken van opluchting, sussend over het haar.

Cathelijne had graag hetzelfde willen doen als haar jongere zus, maar ze kneep haar handen samen en liep naar de oever, waar enkele mannen bezig waren Harm tot leven te wekken. Een van hen was Claes, die een kreet van vreugde slaakte toen de drenkeling zijn ogen opendeed. Cathelijne keek over haar schouder, om te zien of haar moeder hier getuige van was, maar zag alleen Duyff op zijn kar aan de ingang van de werf. Had die het tafereel vanaf de bok al die tijd op zijn gemak gade geslagen? Het zag er niet naar uit dat hij zich schuldig voelde over de gevolgen van zijn onbesuisde gedrag. Alleen zijn vrouw zat met neergeslagen ogen naast hem, alsof de aanblik van de ontreddering op de werf haar te veel geworden was. Toen Duyff constateerde dat de geschiedenis met een sisser afliep, liet hij de zweep knallen en verdween met opeengeklemde kaken om de hoek.

Nu Cathelijne hem kort en profil zag, kwam er een vage herinnering bij haar boven. Dat profiel met de korte neus, daaronder de smalle lippen en de iets vooruitstekende kin, waar had ze het eerder gezien? Ze rilde. Dat profiel was op de een of andere manier verbonden geweest met dreiging, maar in welk verband?

Harm was weer op de been. Ondersteund door de anderen strompelde hij in de richting van de loods, bleek en bibberend maar levend. De feestvreugde om het hijsen van de mast was verdwenen. De werklieden dropen af en even later klonk om haar heen het vertrouwde geluid van hamers. Enkele mannen waren bezig de boomstammen uit het wak te vissen. Woorden van haar stiefvader schoten haar te binnen: Weet je wel kind, dat er meer dan drieduizend bomen nodig zijn om een middelgroot schip te bouwen? Drieduizend bomen, dat is een heel bos, hou dat maar in gedachten...

Ineens wist ze het weer. Ze had het gezicht in haar droom gezien, de droom waaruit ze zwetend wakker was geschrokken.

5

De vorige avond was de stadsomroeper met zijn ratel door de ijzig koude straten van Haarlem getrokken. Hij was gehuld in een bruine cape tegen de kou en droeg een rafelige vilten hoed. Cathelijne zag hem in de schemering lopen, terwijl hij luid zijn oproep verkondigde. Ze zag ineens de eenzaamheid die om de man en zijn beroep heen hing. Men zei dat omroepers het nieuws dat ze rondbazuinden soms met de dood moesten bekopen, wanneer dat het volk niet prettig in de oren klonk. Omroepers waren bemiddelaars tussen de hoge heren die het voor het zeggen hadden en de burgers, en die laatsten stelden de boodschapper nogal eens gelijk aan zijn boodschap. Deze keer was het zijn taak om te roepen dat alle burgers, inclusief hun jonge zonen en dochters, indien gezond van lijf en leden, de volgende dag vanaf acht uur 's morgens moesten helpen aarde op de wallen te brengen, tussen de Grote en de Kleine Houtpoort.

Er werd ruim gehoor gegeven aan de oproep. De mensen dromden al vroeg samen ter hoogte van de wallen. Mannen van de schutterij hadden er een grote berg verse aarde heen laten brengen. Ze deelden emmers en spaden uit en wezen ieder zijn plek, opdat men elkaar niet voor de voeten zou lopen. Er werd weinig gesproken. Het was te koud om te kletsen, en iedereen voelde de dreiging die schuilging achter de noodzaak de wallen te verstevigen.

Cathelijne en Geertruide werkten zij aan zij. Hun moeder was verderop bezig, samen met een aantal mannen van de werf.

'Pffff,' Geertruide leunde op de handgreep van haar schop en veegde zich het zweet van haar voorhoofd. 'Ik weet wel wat ik liever doe.'

'Ja ja, aardewerk is paardenwerk,' grijnsde haar buurman, een potige kerel die de schop hanteerde alsof het een lepel erwten was. 'Ik weet ook wel wat jij liever doet, lekker ding.'

'Als jij je waffel niet houdt sla ik je met dit ding op je brutale kop,' Geertruide hief quasidreigend haar schop.

'Hé hé, praatjes vullen geen gaatjes!' Een van de schutters die de leiding had kwam aanlopen.

Beiden gingen vlug verder met het werk, niemand wilde voor lui versleten worden nu het om de verdedigingswerken van hun stad ging. Cathelijne zag in de verte hoe haar moeder in hoog tempo aarde opbracht. Die werkte als een kerel, en dat verbaasde haar niets. Dat haar moeder over een ongelooflijke fysieke kracht beschikte wist ze allang, en dat ze toegewijd was bij alles wat ze deed ook. Maar nu had ze een andere drijfveer, vermoedde ze. Het was haar niet ontgaan dat haar moeder gespannen was en het kon niet anders of het had met de voorspelling van Claes te maken, dat de Spanjaarden naar Haarlem zouden komen. In de stad gonsde het van de geruchten en het feit dat ze de vestingwerken moesten verstevigen, wees erop dat de gevreesde belegering er echt aan zat te komen. Hier en daar zag je gezinnen met volgeladen karren door de stadspoorten verdwijnen, dat was een veeg teken. Waarom was haar moeder zo zwijgzaam, als het om de dingen ging die echt belangrijk waren?

Om half vijf in de namiddag werd het sein gegeven dat het werk er voor die dag op zat. Geertruide stak met een zucht van verlichting haar spade in de grond en voordat Cathelijne er erg in had was ze verdwenen.

Met haar handen naar haar onderrug grijpend kwam ze overeind. Ze voelde een brandende pijn en schaamde zich dat haar lichaam protesteerde tegen een klus die zo hard nodig was. Ze liet de schop achter en liep naar haar moeder. Die stond naast Jacob te praten met een van de opzichters van de werkzaamheden.

'We doen wat we kunnen,' zei hij, 'we zijn al dagenlang bezig het schootsveld rondom de stad vrij te maken. Alles waarachter de vijand zich zou kunnen verschuilen wordt verwijderd: molens, boerderijen, schuren en alle bomen en struiken. De stadsgrachten worden uitgediept, op de bruggen worden versperringen aangebracht, en tientallen metselaars zijn bezig de muren te herstellen en schietgaten te maken.

De huizen die tegen de stadsmuur aan staan worden ontruimd of afgebroken en de bewoners elders ondergebracht. Er zijn ook enkele flinke schansen gegraven, vooral aan de kant van het Meer. We zijn al wekenlang bezig...'

Haar moeder knikte. 'Maar het is toch niet zeker dat we belegerd worden? Er is een delegatie raadsleden in Amsterdam om te onderhandelen over uitstel. Om tijd te winnen en misschien een schikking te treffen.'

De man schudde meewarig zijn hoofd. 'Mevrouw, dat gelooft u toch niet? Haarlem heeft zich in april aan de kant van Oranje geschaard en dat zal de Spaanse koning ons nooit vergeven. Geloof me, binnenkort zullen de kogels ons hier om de oren vliegen, het enige wat we kunnen doen is zo goed mogelijk weerstand bieden.'

'En omdat onze stadsmuren zo ongeveer de zwakste zijn van het hele land,' voegde Jacob eraan toe, 'zullen we met zijn allen een waar wonder moeten verrichten om ons de spanjolen van het lijf te houden.'

Kenau zuchtte. 'Jullie mannen... zijn hopeloos. Jullie praten alsof oorlog onvermijdelijk is.' Hoofdschuddend liep ze weg. Cathelijne versnelde haar pas, totdat ze naast haar moeder liep. Die keek vluchtig opzij en mopperde toen: 'Je zou bijna denken dat ze er zin in hebben.'

Ze bereikten Claes, die nog steeds fanatiek bezig was aarde op te brengen.

'Jongen toch, je mag er nu mee ophouden hoor,' zei Kenau, 'we gaan naar huis.'

Claes keek verwilderd om zich heen en ontdekte dat hij de enige was die zich nog uitsloofde. Hij had rode wangen van het harde werken. 'Het doet me goed, tante, om flink aan te pakken. Dan denk ik tenminste niet zoveel...'

'Maar je moet het niet overdrijven,' zei Cathelijne. Ze nam de schop uit zijn handen en plantte hem in de verse aarde. Ze liepen verder langs de vestingwal, op weg naar huis.

'Waar is Geertruide?' vroeg Kenau. 'Die was toch al die tijd bij jou?' Haar moeder keek haar koel onderzoekend aan, bijna beschuldigend, alsof ze de oudste dochter verantwoordelijk hield voor het gaan en staan van de jongste.

'Ze ging er ineens vandoor,' antwoordde Cathelijne. Het klonk ongewild alsof ze zich verdedigde. 'Ik heb geen idee waar ze uithangt.'

'Ze is vast naar d'r liefje,' flapte Claes eruit.

Cathelijne wierp hem een waarschuwende blik toe, maar hij merkte het niet. Wist hij veel.

'Liefje?' riep Kenau schril. 'Wat voor liefje, waarom weet ik daar niets van?'

'Dat moet ze u zelf maar vertellen,' zei Cathelijne korzelig. Ineens had ze er genoeg van verantwoordelijk te worden gehouden voor de grillen van Geertruide.

De doorgang werd ineens bemoeilijkt door een opstootje. Halverwege een trap die omhoogvoerde naar het pad op een van de wallen, stond een jongeman die een vurige redevoering hield. Er had zich een behoorlijke groep mensen verzameld rond de voet van de trap. Het merendeel was jong en besmeurd met het vuil van het geploeter in de aarde. Velen droegen een lantaarn of olielampje met zich mee, waardoor er net genoeg licht was om de gezichten te kunnen onderscheiden.

'De katholieke kerk heeft zich eeuwenlang verrijkt, ten koste van ons. De kerk beschikt over enorme rijkdommen: landerijen, kerkgebouwen, kloosters en kathedralen vol kunst, noem het maar op, terwijl het volk in armoede leeft! Moeten wij nog langer te biecht gaan bij priesters die hun buik volvreten? Het zijn gewone mensen zoals u en ik, die niets te maken hebben met onze zogenaamde zonden. Zij kunnen die niet vergeven, dat kan God alleen!'

'Zo is het, dat kan alleen God zelf!' viel iemand hem geestdriftig bij.

'Er moet dus een einde komen aan de handel in aflaten. We kunnen onze zonden niet zomaar afkopen.'

Een traptrede lager dan de spreker stond Geertruide. Ze keek stralend naar hem op, haar wangen bedekt met een blos van verafgoding. Nu pas herkende Cathelijne de jongen aan zijn donkere krullen.

'Wie is dat?' siste Kenau, zo hard dat iedereen het kon horen. 'Wie is die praatjesmaker?'

'Ssst,' maande een van de toehoorders haar tot stilte.

'Het is de zoon van Ripperda,' mompelde een ander.

'Alleen echt berouw heeft waarde in Gods ogen,' vulde Geertruide aan, 'het is een belachelijk idee dat je je zonden kunt afkopen en dan vrolijk verder leven alsof er niets aan de hand is! De aflaten zijn gewoon een manier van de katholieke kerk om zich te verrijken!'

Kenau begon zich met driftige bewegingen een weg te banen tussen de toehoorders, die verschrikt terugweken. Ze beklom enkele traptreden, totdat ze zo hoog stond dat ze haar dochter bij de arm kon pakken.

'Ma, laat me los!' riep Geertruide, met een gezicht vol afweer.

'Mevrouw Hasselaer...' De jongen die de toespraak hield probeerde sussend tussenbeide te komen.

Kenau keek omhoog, recht in zijn ogen. Hij deinsde verschrikt terug.

'Nu moet jij eens even goed luisteren,' zei Kenau met luide stem, 'het geloof dat jij zo geestdriftig staat te verkondigen is door de Spanjaarden verboden en bovendien levensgevaarlijk! Er zijn al heel wat mensen terechtgesteld, omdat ze dit soort taal uitsloegen. Voor mijn part doe je wat je niet laten kunt, als je mijn dochter maar met rust laat.' Om haar woorden kracht bij te zetten trok Kenau zo hard aan Geertruides arm, dat die half naar beneden tuimelde en ternauwernood haar evenwicht wist te bewaren.

'Ma, nee!' Vergeefs probeerde ze zich los te rukken uit de greep van haar moeder.

'Uw dochter is oud en wijs genoeg om zelf te beslissen,' riep haar vriend. In zijn stem klonken woede en wanhoop.

'Ze is blijkbaar net zo dwaas als jij, je bent zelf ook nog nat achter je oren. Blijf uit haar buurt of je krijgt met mij te maken!' Kenau sleurde haar tegenstribbelende dochter mee. Zodra die iets wilde zeggen legde Kenau haar het zwijgen op.

Cathelijne liep er vol tegenstrijdige gevoelens achteraan. Het was pijnlijk te zien dat haar zus als een klein kind werd meegevoerd naar huis. Aan de andere kant voelde zij ook hoe gevaarlijk Geertruides ideeën over het geloof waren, juist in een tijd als deze, nu de Spanjaarden de stad naderden.

Claes liep stil achter hen aan. Zijn ouders waren vrome katholieken geweest, herinnerde Cathelijne zich. Achter hen zette de zoon van

Ripperda ongebroken zijn toespraak voort. 'We moeten ons niet door de angst laten leiden, maar vechten voor het nieuwe geloof!' hoorde ze hem roepen.

Vanuit de verte hoorde Cathelijne het gejuich van de menigte, het klonk haar eerder als hoongelach in de oren. Zo gek was die indruk niet, omdat er tegelijkertijd flink de spot werd gedreven met het katholieke geloof. Ze keek tersluiks opzij naar haar zus, die met een grimmig gezicht voor zich uit staarde, en datzelfde gold voor hun moeder. Het was de eerste keer in hun leven dat ze zo kwaad op elkaar waren. Meestal waren ze als twee handen op een buik en voelde Cathelijne zich een buitenstaander.

Zo stapten ze gezamenlijk verder, hun voetstappen klonken hol tussen de vestingwal en de afwerende gevels van de huizen ertegenover. Het leek wel of alles om hen heen ineens vijandigheid uitstraalde. Wie had ooit gedacht dat zoiets onwezenlijks als het geloof een tweespalt teweeg zou kunnen brengen in hun familie?

'Ik wil je niet meer met de zoon van die hopman zien,' verbrak Kenau de stilte.

'Wigbolt Ripperda is geen hopman, hij is gouverneur van Haarlem,' zei Geertruide bits, 'zijn zoon heet Focko en ik hou van hem.' Haar woorden klonken als een oorlogsverklaring.

Kenau bleef stokstijf staan. 'Je hebt geen idee waar je het over hebt, die jongen evenmin. Jullie zijn nog kinderen,' beet ze haar dochter toe.

'Ma, Geertruide wil alleen...' kwam Cathelijne tussenbeide.

'Je hoeft me niet te helpen,' snauwde Geertruide. 'Ik kan het wel alleen af. Ik laat me officieel bekeren tot het nieuwe geloof en er is niemand die me kan tegenhouden!'

'Ben je helemaal gek geworden! Wij zijn katholiek, altijd geweest. Dat nieuwe geloof van jullie is vragen om moeilijkheden. Er is een grote kans dat de Spanjaarden hier binnenkort de lakens uitdelen en dan hebben we ons maar te voegen naar hun wensen. Dan wordt de Raad van Beroerten hier ook ingevoerd en je weet net zo goed als ik wat dan het lot van ketters is.'

'Dat geloof je toch zelf niet, moeder? We gaan de strijd aan met die lui en we gaan winnen. Waarom denk je dat we vandaag zo hard geploeterd hebben? Je hebt nota bene zelf meegewerkt, als een paard nog wel!'

'Tegen beter weten in. Er wordt in Amsterdam druk onderhandeld en we mogen in dit stadium de hoop niet verliezen dat daar iets goeds uit komt.'

'Zullen we in ieder geval doorlopen?' stelde Cathelijne voor, 'ik krijg het koud van dat stilstaan.'

'Loop jij maar door als je zo'n haast hebt,' zei Geertruide.

Toch kwam ze in beweging en de anderen liepen vanzelf mee. Cathelijne keek naar de hemel. Was er wel een God? En zo ja, aan wiens kant stond Hij dan? Vond Hij het goed dat sommigen hun leven offerden in Zijn Naam? Het was voor het eerst dat zulke gewaagde gedachten door haar hoofd gingen.

'De vader van Focko zegt dat...' begon Geertruide.

'Ik wil niets over die man horen!' riep Kenau fel. 'Die is totaal verblind door een prins met onhaalbare idealen. Wij leven hier en nu. Je had er misschien nog niet bij stilgestaan, maar we moeten gewoon ons brood verdienen. Als wij geen hout meer kunnen verkopen en geen schepen meer kunnen bouwen, raken we aan de bedelstaf, en slepen we al onze werklieden mee. Een bezetting is het laatste wat we hier kunnen gebruiken.'

'U hebt helemaal geen idealen!' riep Geertruide verontwaardigd. 'Het enige waar u in gelooft is een gevulde beurs. Pa zei altijd: elke daad in het leven galmt na in de eeuwigheid. Dat bent u zeker vergeten.'

Ze staken nu het Spaarne over. Cathelijne rilde. Het ijs in de rivier glinsterde in het maanlicht. Aan de overkant lagen de werven op een rij. Pasgebouwde schepen lagen ingevroren te wachten tot het zou gaan dooien.

'Alsjeblieft, laat je vader hier buiten,' zei Kenau zacht.

'Pa zou zich achter de Prins geschaard hebben, dat weet ik zeker. Hij zou zijn leven geven als het moest,' zei Geertruide.

'Hoe kun jij nou weten wat pa zou doen?' zei Cathelijne, in een halfslachtige poging het voor haar moeder op te nemen.

'Hou je erbuiten, hij was niet eens jouw vader!' riep Geertruide.

Cathelijne kromp ineen.

'Schaam je,' Kenau keerde zich naar Geertruide, 'zoiets mag je niet zeggen.'

Het was waar. Ze hadden niet dezelfde vader. Hun moeder was eerst getrouwd geweest met Aernout van Dalsum. Het huwelijk was tussen hun ouders bedisseld toen ze nog kleuters waren, en ze waren er met open ogen ingestapt, jong, onschuldig en nieuwsgierig. Van beide zijden was hun ingeprent dat de liefde vanzelf zou komen, met de jaren. Maar de liefde liet op zich wachten en zelfs de geboorte van een dochter bracht daar geen verbetering in. Alle potentiële passie die Aernout in zich had, kwam eerder ten goede aan het kaartspel dan aan zijn vrouw. Aanvankelijk vertrok hij 's avonds naar taveernes waar illegaal gekaart werd, en schoof hij in het holst van de nacht in de bedstee, waar Kenau dan al uren lag te slapen. Op den duur zocht hij ook overdag het gezelschap van andere kaartspelers en gokkers. Als een boerenpummel struinde hij de jaarmarkten en kermissen in de streek af. Na uitvoerige studie van Franse, Chinese en Perzische kaartspelen uit vervlogen eeuwen, was hij ervan overtuigd een systeem te hebben ontdekt waarmee hij altijd kon winnen. Het werd een verslaving, en hij verloor meer geld dan hij won. Keer op keer bezwoer hij zijn jonge vrouw dat zijn unieke uitvinding hem in staat zou stellen zijn bescheiden fortuin in een keer terug te winnen. Dat kon morgen al zijn of overmorgen. Misschien volgende week pas, mits ze maar even geduld had. Zijn humeur ging in golfbewegingen, afhankelijk van zijn geluk of ongeluk bij het spel. Af en toe raakte hij betrokken bij een vechtpartij. De emoties liepen hoog op bij het spel en een kleine belediging was genoeg om de vlam in de pan te doen slaan.

Het was in die tijd dat Kenau zich noodgedwongen steeds meer om de houthandel en de werf bekommerde. Iemand moest de leiding nemen, de administratie beheren met hulp van een klerk, nieuwe afnemers zoeken en de bestaande te vriend houden, ondanks de verslechterende reputatie van de eigenaar.

Dit alles had ze jaren later een keer aan haar dochters verteld. Aernout was toen allang overleden. Aan zijn leven was een einde gekomen toen iemand hem van vals spel betichtte. De tegenpartij had tijdens het geschil een mes getrokken, waarvan het lemmet ongelukkig in zijn borstkas terechtkwam. Daarna was de moordenaar op de vlucht geslagen en Kenaus schoonouders hadden de zaak zo snel mogelijk in de doofpot gestopt, omdat een dergelijke vulgaire dood in hun milieu niet paste. Kaartspelen en gokken trouwens ook niet.

Voor Kenau veranderde er aanvankelijk niet veel. De houthandel werd al grotendeels door haar bestierd en dat gold ook voor het grootbrengen van hun dochter. De andere helft in de bedstee bleef voorlopig leeg. Dat was eigenlijk een grote opluchting en al snel beving haar een verlossend gevoel van vrijheid en onafhankelijkheid.

Dit was alles wat Cathelijne van haar vader wist. Ze was twee jaar geweest toen hij stierf en ze had geen herinnering aan hem. Het scheen dat ze uiterlijk op hem leek en uit angst voor een innerlijke gelijkenis probeerde ze zo rechtschapen als mogelijk was te leven. Toch ving ze af en toe een blik op van haar moeder waar ze van schrok. Het leek alsof louter haar fysieke aanwezigheid haar moeder op zo'n moment aan die eerste grote desillusie deed denken.

6

Don Frederik keek op van de landkaart die hij bestudeerde. Wat een land, niets dan levensgevaarlijke moerassen, rivieren, vaarten en sloten – overal zompige bodem waarin de kanonnen wegzakten en het moreel van je mannen langzaam ondermijnd werd door gure winden uit het oosten en zeenevel uit het westen. Wat was dit voor vreemd volk, dat het uitgerekend hier was neergestreken, in deze onmogelijke biotoop. Bleke mensen met lichte haren en ogen, die wekenlang zonder de zon konden, en liters gerstenat achteroversloegen uit grote, grove kruiken.

'Capitán, de delegatie uit Haarlem is zojuist aangekomen.'

Hij huiverde. 'Laat ze maar binnen, ayudante.'

De adjudant knikte kort en opende de deur. Drie gestalten schreden binnen, allen gehuld in een zwarte mantel, met een dito baret op het hoofd. Hun hoofden, gevat in een witte kraag, hielden ze lichtelijk gebogen, wat een nederige aanblik bood. Allemaal theater, dacht Don Frederik, dit volk is verre van nederig. De adjudant, die de Hollandse taal redelijk machtig was, stelde ze een voor een voor. Het duurde hem wat te lang, maar het was een onontkoombaar beleefdheidsritueel.

'Diederick de Vries, oud-burgemeester van Haarlem. Adriaen van Assendelft, pensionaris. Cornelis Duyff, lid van de vroedschap.'

De drie heren knikten bevestigend, zodra ze in het gebrabbel van de adjudant hun naam meenden te herkennen.

Don Frederik gebaarde dat ze konden gaan zitten.

Ze bevonden zich in de grootste gastenkamer waarover herberg De Kroon beschikte, vlakbij de Haarlemmerpoort in Amsterdam. In het midden stond een zware eikenhouten tafel, Don Frederik zat aan het hoofd hiervan, geflankeerd door twee gedienstige lakeien in een donkerrood fluwelen kostuum met kanten kraag. Een van hen schonk hem een glas flonkerende donkerrode wijn in, waarna Don Frederik aan zijn adjudant vroeg of hij het bezoek ook iets kon aanbieden. Die accepteerden een glas, nadat ze elkaar vragend hadden aangekeken. Ja, het was wel zo beleefd het te accepteren en een goed glas Spaanse wijn was nooit weg – dat was wat hun blikken elkaar meedeelden.

Een moeizaam gesprek volgde. Moeizaam, omdat de adjudant in beide richtingen moest tolken. Vooral zijn talent om vanuit het Nederlands in het Spaans te vertalen was gebrekkig, waardoor Don Frederik telkens moest wachten. Het maakte hem ongeduldig, hij probeerde de neiging te bedwingen met zijn vingers op het blad van de tafel te trommelen. Hij was meer een man van de daad, van actie en beweging.

Zijn adjudant, Pascual de Cordobá, liet weten dat de heren door de stad Haarlem gezonden waren om te bemiddelen, nu het nieuws was doorgedrongen dat het Spaanse leger ter hoogte van Amsterdam gestationeerd was en de legerleiding overwoog nog verder naar het westen te trekken, richting Haarlem. Kortom, een laf eufemisme voor het feit dat hij Haarlem de oorlog had aangezegd.

Don Frederik sloot even zijn ogen. Waarom leende hij dit stelletje nog een luisterend oor? Haarlem was aan beurt om de rekening te betalen voor het heulen met de vijand, zo eenvoudig was het.

Voorts, vertaalde zijn adjudant moeizaam, zwoeren de heren met de hand op het hart, dat een groot deel van de burgers nooit de kant van de Prins van Oranje had gekozen en bovendien katholiek was, zonder zich met ketterse ideeën te hebben ingelaten. Helaas waren er in de stad ook mensen die er anders over dachten. Zij steunden de Opstand en waren niet bereid te onderhandelen over een eventuele overgave. Zij bereidden zich, onder de gedreven leiding van gouverneur Ripperda, voor op een heftig en langdurig verzet, in het geval de Spanjaarden ertoe zouden overgaan de stad te belegeren.

De afgevaardigde die deze woorden gesproken had, zette zijn glas met trillende hand aan zijn mond. Wat was dit voor slappeling, dat hij zijn zenuwen niet kon bedwingen, vroeg Don Frederik zich af. Als al zijn tegenstanders zo waren, zou hij de stad zo onder de voet kunnen lopen.

Er viel een korte, gedragen stilte, nadat Pascual de vertaling had voltooid.

'Continué...' gebood Don Frederik.

Een andere afgevaardigde nam het woord. Het merendeel van de burgers hoopte op clementie en was bereid opnieuw de eed van trouw aan de koning in Spanje af te leggen, mits Don Frederik de garantie kon geven dat de stad niet geplunderd zou worden en dat de ingezetenen van de stad niets zou overkomen.

Toen hij de vertaling van deze belofte hoorde, ontsnapte Don Frederik een kort en spottend lachje. Wat een kwezels, te denken dat ze hem zo makkelijk konden overreden!

De laatste van het drietal, een kleine pafferige man die tot nu toe gezwegen had, maar wel zijn glas opvallend snel leegde, voegde er op licht dreigende toon iets aan toe. Mocht Don Frederik toch tot een belegering overgaan, dan zou hij een tot de tanden bewapende stad tegenover zich treffen. Haarlem ontving veel steun van de Prins van Oranje, die er al verschillende vaandels had ondergebracht. Met financiële hulp van een fors aantal edelen, enkele Duitse vorsten en zijn eigen kapitaal investeerde hij in de verdedigingswerken van de stad, die in rap tempo werden opgeknapt. De mogelijkheid van een uitputtende belegering zat er dik in, met vervelende gevolgen voor de belegeraars: kou, honger, ziektes, gewonden en doden, om nog maar te zwijgen van het geld dat een langdurige belegering kostte.

Hier kon de kleine man wel eens gelijk in hebben, moest Don Frederik zichzelf toegeven. Maar hij had uit andere bronnen gehoord dat Haarlems vestingmuren de zwakste waren van alle steden in de Lage Landen. Was het mogelijk die in zo'n korte tijd te herstellen? Zelfs zijn spionnen konden hierover niet echt klaarheid verschaffen. Elke belegering was een gok op zich, maar de opdracht van zijn vader, die in Nijmegen met zijn gezondheid kwakkelde, was duidelijk: Haarlem is de poort naar het noordelijke gedeelte van het gewest Holland. Als ze die stad in handen kregen, verdreven ze met gemak de rest van de opstandelingen uit deze gewesten. Hij had er maar voor te zorgen dat het voor elkaar kwam.

De drie heren zaten er ongemakkelijk bij. Don Frederik had nog nooit te maken gehad met zo'n nerveuze, onzekere delegatie. Vertolkten zij wel de opinie van hun regering, of waren ze bezig hun hachje te redden? Er klopte iets niet, zoveel was zeker. 'Ayudante, vraag de heren wat ze nu eigenlijk willen,' zei hij geïrriteerd. Hij kon niet langer verhinderen dat zijn vingers begonnen te trommelen op het ritme van 'Fuego lento', een gepassioneerd lied uit zijn geboortestreek.

Pascual vertaalde de vraag en wachtte met opgetrokken wenkbrauwen op antwoord.

De kleine corpulente man opende zijn mantel en trok iets tevoorschijn uit de binnenzak. 'Wij komen niet met lege handen. Mocht u onze welgemeende raad om de stad in eer en vrede met rust te laten niet opvolgen en toch tot een aanval overgaan, dan lijkt het ons in ieders belang dat dit zo geweldloos mogelijk gebeurt. Wij bieden u, voor een prijs die wij in gedachten hebben, deze plattegrond van Haarlem aan, waarop met een kruis alle zwakke plekken zijn aangegeven. Behalve een bescheiden geldelijke beloning, waardoor u de gigantische kosten van een langdurig beleg bespaard blijven, vragen wij u in ruil voor de kaart een schriftelijke garantie dat onze families, huizen en bedrijven gespaard zullen blijven, mochten zich toch ongeregeldheden voordoen.'

'Wij willen nogmaals benadrukken,' voegde een ander eraan toe, 'dat er veel Spaansgezinden in de stad wonen, zij zullen u vol vreugde binnenhalen. We verzoeken u dan ook met klem uitsluitend de opstandelingen ter verantwoording te roepen en te straffen, mocht u dat noodzakelijk vinden.'

De drie heren knikten tegelijkertijd, alsof ze het ingestudeerd hadden. Er viel een geladen stilte, nadat de adjudant dit voorstel had vertaald.

'Schenk de heren nog eens in,' gebood Don Frederik. Er kwam een kriebelige vrolijkheid bij hem naar boven. Die kaart was een buitenkans! Die zou hem in staat stellen het bevel van zijn vader vrijwel kosteloos ten uitvoer te brengen. Hij had een stel ordinaire verraders tegenover zich! Hij probeerde zijn minachting te verbergen en vroeg zoetsappig: 'En wat voor bedrag hadden de heren in hun hoofd?'

Er werd een bedrag in daalders genoemd. Het was aan de hoge kant, maar nog altijd veel voordeliger dan een belegering. Die Hollanders, altijd op de penning!

'Kun jij dit verder afhandelen?' vroeg hij aan Pascual. 'Kijk wat hun bodemprijs is en doe hen dan beleefd uitgeleide. En maak maar een soort contract op, zogenaamd om de veiligheid van hun families te waarborgen. We jagen ze over de kling, als het zover is. Zeg maar dat ik me terugtrek, om mijn vader een brief te schrijven over het voorstel.' Don Frederik kwam overeind, nam zijn fluwelen muts met wulps meedeinende vogelveer af en knikte stijfjes naar de leden van de delegatie.

'We jagen ze over de kling...' gromde hij nog eens in het Spaans, terwijl hij het vertrek verliet.

7

Een nieuwe decemberdag brak aan. Toen Kenau de luiken opendeed scheen een waterig winterzonnetje naar binnen. Ze greep naar haar rug en kreunde zachtjes. Er was een scherpe pijnscheut doorheen getrokken, die zich van de ene plek naar de andere leek te verplaatsen. Ze had urenlang wakker gelegen, piekerend over de kwetsende en provocerende woorden van Geertruide. Van de ene op de andere dag kende ze haar doorgaans zo lieve en meegaande dochter niet meer terug. Het was of een boze geest bezit van haar had genomen en haar aanzette tot een schaamteloze opstandigheid, die ze ook nog eens hardop rondbazuinde.

Hoe zou Nanning hierop gereageerd hebben? Het was niet de eerste keer dat ze hem zo erg miste, dat het haast fysiek pijn deed. Hij zou zijn dochter beslist tot de orde geroepen hebben, zelfs als hij het diep in zijn hart met haar eens was geweest. Haar veiligheid zou hij vooropstellen. Hij zou de juiste woorden weten te vinden om haar tot kalmte te manen, al was het misschien puur omdat hij een man was en louter daarom meer overwicht had.

Wat moest ze met die dwaze verliefdheid op een jonge praatjesmaker? Waarom moest Geertruide uitgerekend hém kiezen? De stad was vol aantrekkelijke, veelbelovende jongemannen, Kenau had de blikken wel gezien die ze op haar dochter wierpen wanneer die met haar dansende rode krullen passeerde.

Ze geeuwde en strekte haar rug. Vermoeid opende ze de deur naar de trap en riep Mechteld. Een zacht gegrom was het antwoord. Dat betekende in ieder geval dat mevrouw wakker was. Kenau zuchtte. Langzamerhand werd de meid steeds meer tot een last. Toch had ze het hart niet haar na zoveel jaren trouwe dienst aan de zorg van de Heilige Geestmeesters over te dragen, die haar zo snel mogelijk bij de zieken en bejaarden in het gasthuis aan de Botermarkt zouden lozen.

Ze huiverde. Het vuur in de schouw was helemaal uitgegaan. Er zat niets anders op dan zelf een nieuw vuur maken. Ongeduldig klopte ze op de deur van de bedstee waarin haar dochters sliepen. Geen enkel teken van leven. Ook Claes, die boven sliep, liet niets horen. Wat konden die jonge mensen toch lang slapen. Moest ze dan alles zelf doen?

Toen ze die ochtend naar de werf liep had ze nog steeds last van haar rug. Waarschijnlijk was het een straf voor haar ijver van de vorige dag bij het verstevigen van de wallen. Een verspilling van moeite, omdat ze er nog steeds niet in geloofde dat het echt tot een aanval zou komen. Ze had al haar hoop gevestigd op de delegatie die naar Amsterdam gestuurd was om bij Don Frederik uitstel te bepleiten, al maakte dat onderkruipsel van een Duyff er helaas ook deel van uit. Maar als lid van de vroedschap was hij wel verplicht zijn beste beentje voor te zetten. Bovendien waren de oud-burgemeester en de pensionaris er ook bij, hun aanwezigheid en ervaring zouden beslist gewicht in de schaal leggen.

Het leek wel of de duvel ermee speelde, want juist toen ze aan hem dacht zag ze Duyff staan, druk in gesprek met Jacob. Zijn bolle buik en zijn koboldachtige profiel herkende ze van verre. Iets terzijde stond de mooie Magdalena, van wie niemand wist of ze zijn wettige vrouw was of zijn lichtekooi. Een ding was duidelijk: ze was zijn slavin, en zo werd ze dan ook door hem behandeld. Ze stond met gebogen hoofd te luisteren in haar zware lakense mantel, die zo te zien was afgezet met konijnenbont. Zwarte krullen ontsnapten op enkele plaatsen vanonder het witte kapje op haar hoofd en deden prachtig haar vermoeden. Een vrouw die een koning waardig was, hoe was ze in godsnaam in de vette grijphandjes van Duyff beland?

Toen Kenau hen tot vlakbij genaderd was, overhandigde Duyff juist een met een lint dichtgeknoopte zak aan Jacob.

'Wat gebeurt hier?' vroeg ze, met strijdbaar geheven kin.

'De heer Duyff doet zijn laatste betaling,' zei Jacob.

'Dat is mooi,' zei Kenau, 'maar wel erg onverwacht. Ik mag zeker niet vragen hoe u zo snel aan dat geld gekomen bent?'

'Nee, dat mag u niet,' zei Duyff resoluut. 'Dat zijn uw zaken niet. Ik betaal en daarmee is de waar van mij. Zaken zijn zaken.'

'U bent overigens snel terug uit Amsterdam, zijn de onderhandelingen met de Spanjaarden geslaagd?'

Er viel een vreemde stilte. Magdalena keek schichtig op, haar blik ontmoette die van Kenau. Er leek een waarschuwing in te liggen, of was het een smeekbede?

Duyff keek even weg, alsof het antwoord op haar vraag ergens aan de horizon te vinden was. Toen schraapte hij zijn keel en zei gewichtig: 'Het was een moeilijk politiek spel, we moesten onze woorden zorgvuldig wegen. Deze man laat niet met zich spotten, zoveel is zeker. Maar ik geloof dat we tevreden kunnen zijn met de voorlopige uitkomst. Wij hebben Ripperda een door Don Frederik ondertekend contract overhandigd, waarin hij nog eens benadrukt de voorkeur te geven aan onderhandelen.'

'U bedoelt dat onze stad in dat geval tegen betaling van een afkoopsom gespaard zal worden, en dat de veiligheid van de burgers dan gewaarborgd is?' vroeg Kenau hoopvol.

Duyff knikte haastig, overdreven bijna. Maar zijn gezichtsuitdrukking vertelde Kenau iets anders. Ze voelde onraad en keek naar Magdalena, zoekend naar bevestiging.

Die bezag Duyff met een blik waarin angst en woede om voorrang streden, slikte, en zei toen snel: 'Het is Spaans geld...' Ze wees met haar hoofd naar de zak met het lint erom, die nog steeds aan Jacobs hand bungelde alsof het een pas geslachte kip was.

Duyff onderging een gedaanteverwisseling. Eerst was hij verbluft, zijn mond viel open terwijl hij naar Magdalena keek. Daarna drongen de consequenties van haar woorden pas echt tot hem door. Hij hief zijn hand om krachtig uit te halen. Maar toen hij zich realiseerde dat ze niet alleen waren, viel zijn arm terug langs zijn lichaam.

'Het is Spaans geld,' herhaalde ze nu fel, hem met ogen vol haat en afkeer aankijkend. 'De heren van de delegatie,' er klonk spot in haar stem, 'hebben Don Frederik een kaart van de stad gegeven, waarop alle zwakke punten in de vesting staan aangegeven. Hij heeft het me zelf verteld. En ze hebben een schriftelijke verklaring van Don Frederik dat zijzelf, hun families en bezittingen gespaard zullen worden, wanneer de Spanjaarden de stad hebben ingenomen.'

Kenau keek verbijsterd naar Jacob, en die keek vol ongeloof terug. Duyff had, samen met de oud-burgemeester en de pensionaris, de stad en al zijn inwoners uitgeleverd aan de Spanjaarden? Het was nauwelijks te bevatten en de gevolgen waren niet te overzien. En daar kwam nog eens bij dat Magdalena, onderdanige, slaafse Magdalena, hém had verraden. Omdat het twee soorten verraad van verschillende dimensies betrof, waren Kenau en haar meesterknecht sprakeloos. Het was Jacob die het eerst bij zinnen kwam. Met zijn ene gespierde hand greep hij Duyff bij zijn kraag en met de andere duwde hij hem de zak met bloedgeld in het gezicht. Duyff probeerde zich los te worstelen, maar zag al gauw dat hij kansloos was. Bovendien pakte Kenau hem bij zijn bovenarm. Ze kneep zo hard dat hij het bijna had uitgeroepen van pijn.

'Naar Ripperda met dit stuk schorem,' snauwde Jacob.

Kenau aarzelde. Ze had Duyff liever aan een schout overgedragen, maar het was een onontkoombaar feit dat Ripperda nu eenmaal de gouverneur was. Ze vertrokken meteen, nog half confuus omdat alles zo snel ging. Magdalena bleef achter en werd omringd door nieuwsgierig werkvolk.

Duyff zei geen woord meer. Hij had hoog spel gespeeld en verloren, dat drong tot hem door. Hij deed zelfs geen poging iets voor zijn eigen verdediging aan te voeren. In de stad stond hij bekend als een pientere, maar ook sluwe graankoopman. Als zodanig werd hij alom gerespecteerd en had hij het tot lid van de vroedschap gebracht, al was er niemand die hem mocht. Voor haar dood had zijn vrouw, dankzij haar vriendelijke natuur, een verzachtende invloed op hem en hun gemeenschappelijk aanzien gehad. Sinds hij weduwnaar was en in onkuisheid leefde met Magdalena, lukte het hem niet meer zijn ware aard te verhullen.

Zwijgend staken ze de brug over. Er was veel bedrijvigheid op het ijs. Tonnen bier en zakken graan werden per slede vervoerd en daartussendoor trokken schaatsende boeren kleinere sledes met kool, pastinaken, uien en andere producten van hun land achter zich aan. Ook turf, waar door de kou grote vraag naar was, werd in forse hoeveelheden aangevoerd.

Via de Groenmarkt en de Spekstraat kwamen ze op de Markt. Een keer hadden ze moeten stoppen, toen Duyff een hoestaanval kreeg en zo rood aanliep, dat het even leek of hij erin zou blijven. Maar toen het tot hen doordrong dat het een manoeuvre was om te kunnen ontsnappen, liepen Kenau en Jacob zonder pardon door tot ze voor de ingang van het stadhuis stonden.

'Een vrachtje voor de gouverneur,' zei Jacob tegen de wachten bij de ingang. Zonder commentaar werden ze binnengelaten. Een gewapende geus voerde hen de grote zaal in, waar Ripperda juist een vergadering voorzat.

De ogen van alle aanwezigen richtten zich op het vreemde drietal.

'Wat stelt dit voor?' vroeg Ripperda met gefronste wenkbrauwen.

Ten overstaan van zoveel prominenten wist Jacob even niet de juiste woorden te vinden. Maar Kenau, oog in oog met de man aan wie ze vanaf hun eerste ontmoeting al een hekel had, nam het van hem over.

'Onze verontschuldigingen voor het verstoren van de vergadering, die in een tijd als deze ongetwijfeld zaken van het hoogste belang betreft. Maar we zijn er zeker van dat de zaak die wij hier onder uw aandacht willen brengen onze interruptie meer dan rechtvaardigt.' Ze wierp een vluchtige blik op Duyff, die naar het hoge plafond staarde alsof de dingen hem niet aangingen. Ze pauzeerde even om diep adem te halen en zich niet te laten meeslepen door haar verontwaardiging. Toen liet ze haar ogen langs de leden van de vergadering gaan, alsof ze tot ieder van hen persoonlijk het woord ging richten. 'De heer Duyff is bij u allen bekend als hooggewaardeerd lid van de vroedschap, zo hooggewaardeerd dat u hem samen met een voormalige burgemeester en de pensionaris op een belangrijke missie hebt uitgezonden. Hij kwam vanochtend in gezelschap van zijn... gezellin Magdalena naar onze werf om de laatste betaling te doen voor een door hem besteld schip dat zijn voltooiing nadert. Wetende dat de heer Duyff er de laatste tijd financieel gezien niet zo goed voorstond, namen wij de vrijheid voorzichtig naar de herkomst van het geld te vragen. Terwijl hij eromheen draaide bekende Magdalena ineens dat het judasgeld was, afkomstig van de Spanjaarden.'

'Judasgeld?' Ripperda verstrakte.

Kenau knikte. 'Het hooggewaardeerde lid van de vroedschap, in gezelschap van de twee andere leden van de delegatie, op wie wij al onze hoop gevestigd hadden, heeft Don Frederik een kaart van Haarlem gegeven, waarop alle zwakke plekken in onze vestingmuren staan aangegeven. Op die manier zal het Spaanse leger de stad zonder slag of stoot kunnen innemen, zonder dat er ook maar enige garantie is voor de veiligheid van onze burgers en hun bezittingen. Alleen de leden van de delegatie en hun familie zullen ontzien worden, dat hebben ze weten af te dwingen. U begrijpt dat Don Frederik deze buitenkans met beide handen heeft aangegrepen en ook gretig bereid was er een geldelijke vergoeding tegenover te stellen...'

Ze nam de zak met geld van Jacob over en hield hem omhoog.

Het was even stil. Duyff keek schichtig naar de heren aan de vergadertafel. Zijn blik haakte net iets te lang in die van sommigen van hen. Het ontging Kenau niet, ze stond op scherp.

'Cornelis Duyff...' zei Ripperda, onheilspellend langzaam diens naam uitsprekend, 'stap eens naar voren en kijk me recht in de ogen.'

Schoorvoetend deed Duyff wat hem gevraagd werd.

'Kunt u iets ter verdediging aanvoeren? Kunt u aantonen dat de zojuist naar voren gebrachte beschuldigingen op onwaarheid berusten? We hebben jullie drieën op een zeer, zeer belangrijke missie uitgezonden. Toen jullie hier gisteren verslag uitbrachten, vonden we het door jullie bereikte resultaat al pover. Don Frederik beloofde Alva een brief te schrijven over de omvang van een afkoopprijs bij eventuele onderhandelingen, dat was alles wat jullie bezoek aan Amsterdam had opgeleverd. We waren er niet gerust op, maar we vertrouwden jullie. Er rustte immers veel verantwoordelijkheid op jullie schouders. Het ging om het welzijn van Haarlem en van alle ingezetenen. Hebben jullie die verantwoordelijkheid werkelijk beschaamd? Hebben jullie het op een akkoordje gegooid met onze aartsvijand?'

'Haarlem is sowieso verloren...' mompelde Duyff.

'Wát zeg je?'

'Dat Haarlem sowieso verloren is!' riep Duyff nu heel hard, Ripperda uitdagend aankijkend. 'Het is nu redden wie zich redden kan!'

Er brak tumult los rond de vergadertafel. De aanwezigen begonnen opgewonden door elkaar heen te praten. De een verhief zijn stem nog meer dan de ander.

Duyff begon te lachen. Hij moest zijn buik erbij vasthouden, zijn gezicht liep rood aan en de tranen stroomden over zijn wangen. Het leek wel of hij de hele wereld uitlachte. De wereld zoals die er op dat moment voorstond, vol zelfzucht, religieuze dwalingen, ongekende wreedheden, angst en verraad. Maar hij lachte vooral om zichzelf. Hij wist dat zijn spel uit was, dat het afgelopen was met hem, dat er in de zaal weliswaar nog meer waren die er net zo over dachten als hij, maar dat hij de pech had in de schijnwerpers te staan.

'Stilte!' riep Ripperda met zijn zware Groningse bas. Hij liet de voorzittershamer enkele keren ferm op de tafel neerkomen.

Het rumoer verstomde.

'Mevrouw Hasselaer en mijnheer Van der Does, mag ik u uit naam van ons allen danken voor uw snelle ingrijpen? Ik overdrijf niet wanneer ik zeg dat u de stad gered heeft van de ondergang. Deze kwestie zal ik zo snel mogelijk met de Prins bespreken en ik neem aan dat er over de heer Duyff en de andere twee leden van de delegatie zo snel mogelijk recht zal worden gesproken. Verraders worden hard gestraft, dat verzeker ik u. Zij worden ten voorbeeld gesteld aan anderen, die eventueel dezelfde plannen zouden koesteren.' Ripperda liet zijn ogen veelbetekenend langs zijn tafelgenoten gaan.

Hij weet het, dacht Kenau, hij weet dat er hier nog meer Spaansgezinden zijn.

'Voer hem af!' gebaarde Ripperda naar een van de wachters bij de deur, op Duyff wijzend. Die was het lachen inmiddels vergaan. Zijn schouders hingen en zijn ogen hadden hun vervaarlijke schittering verloren.

Nadat Duyff vertrokken was stond Ripperda op om Kenau en Jacob de hand te schudden. Die van Kenau hield hij iets langer vast dan nodig was. Hij keek haar recht in de ogen. Ze kon er niets aan doen, maar ze meende er bewondering in te zien.

8

De kou had hen vroeg in bed gedreven. Ze moesten zuinig zijn met hout en turf, de tijden waren onzeker en je wist niet of er de hele winter voldoende bevoorrading zou zijn. Daarbij was de sfeer tijdens het avondeten om te snijden geweest. Vanwege de aanwezigheid van Mechteld en Claes hielden Kenau en Geertruide zich in, maar Cathelijne las op beider gezichten de innerlijke spanning en wederzijdse irritatie. Het was onmogelijk partij te kiezen, ze kon zich in beiden verplaatsen. Geertruides verliefdheid en vrijheidsdrang begreep ze even goed als haar moeders bezorgdheid en gekwetstheid.

Het vuur in de haard gloeide nog na, toen de twee zussen onder de dekens waren gekropen. Ze hadden ieder hun eigen bedstede in de keuken, die tegelijkertijd woonkamer was. Kenau had een kleine slaapkamer in het achterhuis, die tevens als opslagruimte diende, en Claes en Mechteld sliepen boven op zolder.

Cathelijne kon de slaap niet vatten. Ze sloot haar ogen en probeerde hardnekkig aan iets anders te denken, maar telkens kwamen haar gedachten weer op Geertruides snerende verwijzing naar hun verschillende vaders. Daarmee dreef ze bewust een wig tussen hen tweeën en dat deed pijn. Het was al moeilijk genoeg het kind te zijn van een man, die hun moeder het leven enkele jaren tot een hel had gemaakt. Ze voelde het aan de manier waarop haar moeder naar haar keek, zonder trots, zelfs met een licht, haast onmerkbaar wantrouwen, alsof ze half verwachtte dat Cathelijne op een dag dezelfde onverdraaglijke karaktertrekjes zou vertonen als haar vader. Maar als ze haar moeder erop aan zou spreken, zou die het beslist ontkennen, ze was zich er niet van bewust.

'Slaap je al?' klonk ineens, zacht, de stem van Geertruide.

'Nee,' fluisterde Cathelijne.

'Vergeef me, dat ik zo over je vader sprak. Ik wilde je niet kwetsen, ik was zo kwaad op ma, dat ik er van alles uitgooide. Ik word gek van haar, ze zou me het liefst in huis opsluiten totdat ze een saaie, brave man voor me heeft gevonden, door en door katholiek natuurlijk.'

'Ma is ongerust, ze is bang omdat de Spanjaarden nu zo dichtbij zijn. Die houden niet van mensen die het protestantse geloof zo openlijk propageren als die vriend van jou.'

'Angst is een slechte raadgever,' zei Geertruide.

Cathelijne hoorde haar uit bed glijden. In de streep maanlicht die door het raam naar binnen viel zag ze het silhouet van haar zus, die haar kleren van een stoel tilde.

'Wat doe je?' vroeg ze geschrokken.

'Sssst. Ma mag ons niet horen! Ik heb een afspraak met Focko.'

'Zo laat nog?'

'Ja, we gaan proberen afgodsbeelden en andere katholieke prullaria uit de Sint-Bavokathedraal te verwijderen. De hagenpredikers die tot nu toe de protestantse diensten buiten de stad in de natuur hielden, willen vanwege de kou een fatsoenlijk dak boven hun hoofd en dat van hun toehoorders. Ripperda heeft zijn luitenant Groeningen opdracht gegeven de Sint-Bavo geschikt te maken voor de protestantse eredienst en wij gaan hem een handje helpen, samen met andere vrijwilligers. Het moet in het geheim gebeuren, omdat er in de stad nog steeds een behoorlijk aantal Spaansgezinde, vurige katholieken zijn dat onze actie zou willen voorkomen.'

'Maar dat is bloedlink!' Cathelijne sprong verontwaardigd uit de bedstee en greep haar zuster bij haar pols. 'Als hij echt om je geeft, snap ik niet dat die jongen je hierbij betrekt. Verliefd zijn is één ding, maar je laten meeslepen in zo'n gewelddadige actie, dat gaat veel te ver. Je weet toch wat de Spanjaarden doen met beeldenstormers? Ze worden verbannen, of voor jaren opgesloten, of levend verbrand. Alsjeblieft, denk na, dit is wel een heel groot offer, vanwege een dwaze verliefdheid.'

'Au... je doet me pijn!' Geertruide maakte zich los uit de greep. 'Het is niet alleen uit verliefdheid! Jullie begrijpen nog steeds niet dat ik me echt bekeerd heb tot het nieuwe geloof. En dat ik daar alles voor over heb.'

'Zelfs je leven?'

'Doe niet zo dramatisch, we gaan een paar beelden van hun sokkel halen, meer niet. Daar zal de kerk van opknappen.'

Cathelijne zuchtte. Waarom was haar zus toch zo naïef, zo lichtzinnig? Ze stond daar zo frêle in het maanlicht in haar witte nachthemd, dat het bijna leek of ze transparant geworden was. Wat moest ze doen? Meer druk uitoefenen? Haar moeder erbij roepen? Het hele huis wakker maken, zodat ze Geertruide met zijn allen tegen konden houden, om te voorkomen dat ze ging doen wat ze wilde doen? Maar ze deed niets van dat alles, het moment ging voorbij.

Geertruide keek om zich heen om te zien of ze niets vergeten had.

'Neem mijn jas,' zei Cathelijne met samengeknepen stem, 'die is warmer dan de jouwe.' Ze haalde hem op blote voeten uit het voorhuis en hielp haar zus erin. De mantel was nieuw en gevoerd met konijnenbont.

'Zie jij jezelf nog steeds als katholiek?' vroeg Geertruide ineens.

'Ik weet niet,' zei Cathelijne, overrompeld door de onverwachte vraag, 'ik geloof van wel, al die nieuwe ideeën trekken me niet aan.'

'Hier...' Geertruide boog haar hoofd, deed haar gouden kettinkje met het kruisje af en reikte het aan. 'Ik heb het niet meer nodig, ik geloof er niet meer in...'

'Maar dat brengt ongeluk,' stamelde Cathelijne, 'het beschermt je, je moet het nooit afdoen.'

'Het werkt alleen als je erin gelooft. Voor mij is het allemaal bijgeloof, ik wil zoiets niet meer dragen. Alsjeblieft, doe het om, ik weet dat je er altijd al een wilde hebben.'

Dat was waar. Cathelijne had er nooit een gekregen. Haar moeder had het vaak beloofd, maar even vaak weer vergeten. 'Nou, dank je wel...' Met een tweeslachtig gevoel sloeg ze haar armen om Geertruide heen en gaf haar een kus.

'Niks tegen ma zeggen hoor,' fluisterde Geertruide, 'ik ben over een paar uur terug. Doe de deur niet op slot achter me, dan kan ik straks zo weer naar binnen glippen.'

'Ik zal blij zijn als je weer terug bent,' zei Cathelijne.

'Je zult zien, voor het licht ben ik weer terug. Beloof dat je niets aan ma vertelt, zweer het.'

Cathelijne aarzelde. 'Waarbij moet ik zweren? Bij de katholieke God, bij Maria, Jezus? Ik kan toch niet op zijn protestants zweren'

'Zweer bij God,' zei Geertruide haastig, 'God is van iedereen.'

'Ik zweer bij God dat ik je niet zal verraden...' zei Cathelijne met tegenzin.

'Goed, ik moet nu gaan.'

Een tweede omhelzing volgde, vluchtig. Toen liep Geertruide op haar tenen naar de voordeur, opende hem half en glipte naar buiten, de kou in.

9

'Alweer,' mopperde Kenau, terwijl ze aanmaakhout in de stookplaats stapelde, 'alweer moet ik het vuur aanmaken.'

Ze moest maar eens met Claes praten, dacht ze bij zichzelf, nu Mechteld het steeds liet afweten. Hij moest toch vroeg op, nu hij op de werf werd opgeleid tot scheepstimmerman. Ze had dit met Jacob geregeld, om de jongen uit zijn neerslachtigheid te halen en af te leiden van zijn verdriet. Het leek te helpen en hij had er nog aanleg voor ook.

Niet veel later stond ook Cathelijne op. Bijna tegelijkertijd stommelde Claes de trap af. Kenau had een aardewerken pot met havermoutpap op de tafel gezet, met kommen en tinnen lepels eromheen. Pas toen dat gebeurd was stiefelde ook Mechteld naar beneden, gapend kwam ze de keuken in.

'Ik voel me helemaal niet goed,' klaagde ze, om haar verzuim te rechtvaardigen.

'Ben je ziek?' informeerde Kenau zakelijk.

'Nou nee, dat niet, mijn botten knarsen en kraken, dat is het.'

'Ik dacht al, wat hoor ik toch,' zei Claes.

Kenau lachte in zichzelf. Het ging de goede kant op met die jongen.

'Wacht maar tot je zelf zo oud bent als ik, je zult nog aan me denken!' riep Mechteld beledigd.

'Waar blijft Geertruide toch, die houdt het vandaag wel uit zeg.' Kenau liep naar haar bedstee en deed voorzichtig de deurtjes open. 'Hè? Waar is ze?' Met een diepe frons tussen haar wenkbrauwen keek ze naar de anderen. 'Weten jullie waar Geertruide is?'

Niemand antwoordde. Ze aten hun pap en keken Kenau vragend aan.

'Cathelijne?'

Ze was opgehouden met eten en keek haar moeder sprakeloos aan, zo te zien even verbaasd als zij.

'Heb jij haar niet horen opstaan?'

'N... nee, ik moet heel vast geslapen hebben. Ik heb niets gemerkt.'

'Ze heeft je ook niets verteld?'

Cathelijne schudde haar hoofd.

'Die duvelse meid, waar kan ze in godsnaam naartoe zijn?'

'Misschien had ze een afspraakje,' probeerde Claes.

Deze keer lachte Kenau niet. 'Ze zal toch niet met de jonge Ripperda...' Ze slaagde er niet in haar zin af te maken.

'Wacht nou maar af,' zei Mechteld, in een poging haar bazin gerust te stellen, 'we zijn allemaal jong geweest. Uw dochter weet heel goed hoe ver ze kan gaan.'

'Geertruide weet niks,' snauwde Kenau in paniek, 'ze is zo onschuldig en dwaas als een klein kind.' Wat moest ze doen? Rustig afwachten tot het haar dochter beliefde weer thuis te komen? Dat kon ze niet, alles in haar kwam in opstand tegen dat idee. Mechteld had makkelijk praten, die had geen kinderen. Zonder te weten waar ze moest zoeken greep ze haar omslagdoek en liep naar de deur.

'U heeft nog niet eens gegeten!' protesteerde Mechteld vanaf de tafel.

'Ik heb geen honger,' zei Kenau nors. Ze wilde de sleutel omdraaien om de deur te openen en merkte dat die niet op slot was. 'Die duvelse meid,' herhaalde ze bij zichzelf. Ze trok de deur open en deinsde achteruit. De lange gestalte van Ripperda stond op de stoep. Ze zag aan de strakke uitdrukking op zijn gezicht en aan de ernst in zijn ogen dat er iets mis was, heel erg mis.

'Mevrouw Hasselaer, mag ik binnenkomen?'

Sprakeloos hield ze de deur voor hem open.

Hij liep met ferme pas langs haar heen naar binnen. 'Mag ik gaan zitten?'

Kenau trok een stoel voor hem bij. Ze dacht aan de troonachtige eikenhouten stoel waarop hij in de raadszaal had gezeten en schaamde zich een kort moment voor de simpele keukenstoel die ze hem aanbood. Die schaamte trok meteen weer weg om plaats te maken voor ongerustheid.

'Kan ik hier vrijuit spreken?' zei hij zacht.

'Het is allemaal familie,' zei Kenau, Mechteld voor het gemak meerekenend. Terecht, in zekere zin, want de meid had nog voor de ouders van Nanning gewerkt, in haar jonge jaren.

'Het zit zo,' begon Ripperda, langs Kenau heen door het achterraam naar buiten kijkend, alsof daar de woorden lagen te wachten tot hij ze zou uitspreken. 'Onze kinderen zijn vannacht opgepakt, mijn zoon Focko en uw dochter, ze heet toch Geertruida?'

Kenau knikte snel en vroeg met een half dichtgeknepen keel: 'Opgepakt? Hoe bedoelt u? Door wie?'

'Door een stelletje overijverige katholieken dat met de Spanjaarden heult. Mijn luitenant Groeningen had besloten de Sint-Bavo gereed te maken voor de protestantse dienst. Had hij zich eerst tot mij gewend; ik zou het hem verboden hebben, want zo'n actie gaat regelrecht in tegen ons verdrag met de Prins, waarin respect voor elkaars godsdienst gewaarborgd wordt. Groeningen heeft me ook niet verteld dat mijn eigen zoon mee zou doen, die op zijn beurt waarschijnlijk uw dochter erbij heeft betrokken. Ik zou er onmiddellijk een stokje voor hebben gestoken, gelooft u me.'

Zijn stem haperde en hij wreef over zijn voorhoofd.

'Maar hoe...?' begon Kenau. 'Wat bedoelt u met "de Sint-Bavo gereed maken voor de protestantse dienst"?'

Ripperda schraapte zijn keel. 'De kerk ontdoen van heiligenbeelden en andere elementen die aan afgoderij doen denken.'

'Een beeldenstorm? En onze kinderen hebben daaraan meegedaan? O mijn God...' Ze sloeg een hand voor haar mond en keek hem vol ontzetting aan. 'Maar... hoe kan het dat ik daar niets van weet? Cathelijne, heb jij niets gemerkt, heeft ze jou niets verteld?' Met een ruk draaide ze haar hoofd in de richting van haar oudste dochter.

Cathelijne, die bleek was weggetrokken, schudde haar hoofd. 'Ik snap het ook niet, ma...'

'Maria heilige moeder,' jammerde Mechteld, haastig een kruis slaand, 'breng de dwalenden terug naar de kudde.'

'Wat doen we nu?' vroeg Kenau met overslaande stem. Ze kon niet meer helder nadenken. Haar handen beefden. Een stemmetje zei haar juist nu rustig te blijven, zich niet door paniek te laten meevoeren. Dat stemmetje had ze vaker gehoord. Toen Nanning gestorven was, en toen haar jongste als kind hoge koorts had. Datzelfde stemmetje droeg haar toen op de noodzakelijke handelingen te verrichten.

'Een getuige, die aanvankelijk meedeed en tijdens de plotselinge inval van de katholieken wist te ontkomen, heeft opgevangen dat ze naar Amsterdam zijn gebracht. Zoals u weet hebben de Spanjaarden het daar voor het zeggen en onder de bevolking schijnen ze nog veel aanhang te hebben. De Amsterdamse rechters van de Raad van Beroerten zijn berucht om hun strenge vonnissen. Bovendien hebben ze daar een katholieke schout, Cornelis van Doornbosch, die bekend staat als een fanatieke ketterjager. Hij is de zwager van Hendrik ten Bosch, de Haarlemse bankier. Op initiatief van die laatste schijnen onze kinderen en vier andere beeldenstormers gevangen te zijn genomen. Hoe hij aan voorkennis over de beeldenstorm in de Sint Bavo is gekomen weten wij niet, er moet een lek geweest zijn. Zoals u weet is bijna niemand te vertrouwen hier in de stad, er zijn ondanks ons verdrag met de Prins nog steeds veel Spaansgezinden.'

'Amsterdam...' zei Kenau, overeind komend van haar stoel, 'waar wachten we nog op.'

'Bent u in het bezit van een goede slee?'

'Op de werf hebben we twee grote sleeën, voor het vervoer van hout over het ijs. En we hebben vier trekpaarden.'

'We kunnen het beste via de bevroren waterwegen gaan. Over land is het riskant, Don Frederik is met zijn troepen misschien al onderweg naar Haarlem, we zouden ze regelrecht in de armen lopen. Kunt u meteen vertrekken?'

'Geeft u me een half uur om wat warme spullen in te pakken, voedsel voor onderweg en een beetje handgeld.'

'Ik ga ook mee,' zei Cathelijne, 'ik wil hier niet achterblijven.'

'Ik ook,' viel Claes haar bij.

Kenau knikte verstrooid. In gedachten was ze al onderweg.

'Goed,' zei Ripperda, 'dan zie ik u allen over een half uur bij de werf. Oh, en als u schaatsen heeft, neemt u die dan ook mee.'

Kenau droeg Mechteld op een mand met proviand te vullen. Die kweet zich lamenterend van haar taak. 'O mijn God, o dat arme kind, moeder Maria, hoe zal dat aflopen...' In moeilijke tijden bleek ze over een rijke voorraad klaagzangen te beschikken.

Intussen graaiden de anderen hun warmste kleren bij elkaar. Voor Claes vond Kenau een schipperstrui die nog van Nanning was geweest en een wollen muts die ook de oren bedekte. Verder nam ze wat schapenhuiden mee, en enkele dikke wollen omslagdoeken. Schaatsen waren er ook in alle maten, in een kist onder een van de bedsteden. Ze waren niet allemaal even goed geslepen, maar ze vond enkele paren die ermee door konden. Alles werd in rieten manden geladen en naar de werf gebracht. De aanwezigheid van Claes bleek een ware zegen, hij was snel en sterk en praktisch ingesteld.

Op de werf werd de grootste slede tevoorschijn gehaald en bespannen met twee bruine trekpaarden. Als voer werden enkele balen hooi ingeladen en de paarden kregen een kleed op de rug tegen de kou. Zodra Jacob het bericht hoorde stond hij erop hen te vergezellen. Hij droeg de verantwoordelijkheid voor de werf op aan zijn voorman en verdeelde de taken voor de komende dagen onder de werklieden. Toen Ripperda verscheen waren ze klaar en vol ongeduld om te vertrekken.

Het was een grauwe dag, het zag er niet naar uit dat de zon zich zou laten zien. De stad bood een sombere aanblik onder de laaghangende wolken. Voor Kenau was het alsof met de verdwijning van Geertruide ook alle vrolijkheid uit de stad verdwenen was.

'Er zit sneeuw in de lucht,' voorspelde een van de werklieden.

Ripperda hield de leidsels in de hand, Kenau en Jacob zaten achter hem, terwijl Cathelijne en Claes de schaatsen hadden ondergebonden en, om de slee te ontlasten, met lange slagen ernaast reden. Was er niet zo'n dreigende reden geweest voor hun tocht dan had het een uitstapje op het ijs kunnen zijn, een dagje vertier, in olieverf voor altijd voor het nageslacht bewaard door de grote Vlaamse schilder Pieter Breughel. Maar het was bittere ernst. Ze spraken nauwelijks met elkaar. Niemand had behoefte om te speculeren over wat hun in Amsterdam te wachten stond en of ze invloed zouden kunnen uitoefenen op het lot van de ontvoerden.

Kenau dacht aan Geertruide, die deze reis ook gemaakt had, in de nacht nog wel, in gezelschap van onbekende mannen die weinig goeds met haar voor hadden. Hoe zou haar dochter zich gevoeld hebben? En was ze wel warm genoeg gekleed voor zo'n barre tocht?

Voor zich zag ze de kaarsrechte rug van Ripperda. Wie had ooit gedacht dat ze nog eens met die man in een slee zou zitten. Werd hij door dezelfde gedachtes gekweld als zij? Men zei dat hij een stugge, onkreukbare weduwnaar was uit een oud, Gronings geslacht. De Prins had hem een hoge functie gegeven – een blijk van diens vertrouwen, maar wel ver van huis. Ripperda had zijn zoon even weinig in de hand gehad als zij haar dochter. Een kind van die leeftijd was net een kruitvat. Boordevol naïeve ideeën, die nog niet waren bijgeslepen door ervaring of door confrontatie met de werkelijkheid. De mond vol liefde, zonder te weten dat liefde vooral opoffering en verdraagzaamheid betekende. Maar het ergste was dat ze er geen benul van hadden hoe kwetsbaar ze waren...

Ergens halverwege maande Ripperda de paarden te stoppen. Hij draaide zich om en zei: 'Even pauzeren, iets eten en drinken.'

'Waarom?' zei Kenau, 'onze kinderen hebben vannacht vast ook niets te eten of drinken gekregen.'

'Niet zo streng, mevrouw, we moeten goed in vorm blijven, willen we iets voor ze kunnen doen.'

Kenau hield zich in.

De beide schaatsers hesen zich op uitnodiging van Ripperda in de slee om even uit te blazen, hun gezichten rood van de kou. Kenau opende de mand en deelde bier uit met wafels. Niemand had de innerlijke kalmte om echt uit te rusten en al gauw zetten ze de tocht voort.

Ineens begon het te sneeuwen. Eerst waren het kleine, natte vlokken, die meteen wegsmolten zodra ze de aarde raakten. Maar allengs werden ze groter en bedekten ze het ijs en de omringende weilanden met een witte deken. De sneeuw bleef ook op de takken van knotwilgen en iepen liggen. Een prachtig lijnenspel was het gevolg, maar niemand van het gehaaste reisgezelschap had er oog voor.

'We zijn er bijna,' klonk Ripperda's diepe stem onverwacht in de stille wereld van neerdwarrelende sneeuw, 'nog even.'

Het silhouet van de stad doemde schimmig op. Kenau zag in de verte een stadspoort, toen Ripperda de paarden plotseling naar rechts stuurde.

'We gaan eerst naar herberg De Drie Olmen, die ligt net buiten de stadsmuren. Daar kunnen we de paarden te eten geven en achterlaten, en de slee kan er op het ijs blijven liggen tot we terugkomen.'

Een klein halfuur later stonden ze voor de poort. Er stond al een groepje wachtenden te dringen. De twee poortwachters hadden het druk. Niet iedereen werd in de stad toegelaten. Er was veel rondzwervend gespuis dat men liever weerde: marskramers, ketellappers, kwakzalvers, bedelaars, zwervers, schoenlappers, kuipers. Ook was men bedacht op spionnen van de Prins, maar die waren moeilijker te herkennen. Toen Ripperda aan de beurt was, trok hij een brief uit zijn binnenzak tevoorschijn en overhandigde hem met een uitdrukkingsloos gezicht aan de poortwachter. 'En dit is mijn gezin,' hij wees kort met zijn hoofd naar zijn gevolg, 'met mijn broer.'

De poortwachter liet zijn ogen snel over de tekst gaan, gaf de brief met een hoofdknik terug en liet hen door.

'Hoe kreeg u dat zo snel voor elkaar?' vroeg Claes vol bewondering, toen ze buiten gehoorsafstand van de poortwachter waren.

'Het is een aanbevelingsbrief van de bisschop van Groningen,' zei Ripperda, 'hij was altijd een vriend van onze familie, en is dat nog steeds, ondanks onze verschillen in geloofsopvatting.'

Kenau was onder de indruk, maar zei niets. In stilte moest ze zich gewonnen geven, deze man had werkelijk overal aan gedacht, hoe had ze deze tocht ooit zonder hem kunnen ondernemen? Ook nu ze binnen de stadsmuren waren zou ze niet geweten hebben wat te doen. Ze kende de stad nauwelijks en kon zich moeilijk oriënteren. Helemaal nu het sneeuwde en je niet veel verder kon kijken dan zo'n twintig meter. In een spontane opwelling je dochter achternareizen was één ding, maar weten hoe je haar daadwerkelijk zou kunnen helpen was een tweede.

'En nu eerst naar de Warmoesstraat,' zei Ripperda zacht, 'daar woont mijn neef. Hij kent iedereen hier in de stad, van hoog tot laag.'

Kenau knikte sprakeloos. Het was lang geleden dat ze de leiding uit handen had gegeven aan een man, het voelde onwennig aan. Meestal was zij degene die wist wat er gedaan moest worden, onder wat voor omstandigheid dan ook.

Ze kwamen traag vooruit door de sneeuw. De luiken voor de meeste kramen en werkplaatsen waren gesloten, het werd steeds leger op straat. Ripperda stond plots stil voor een hoog stenen huis en zei: 'Hier is het.'

‘Gaan wij dáár naar binnen?’ vroeg Cathelijne ongelovig; haar ogen gleden langs de trotse façade waarop een indrukwekkend uithangbord prijkte. Er was een roodbruin paard met vleugels op afgebeeld tegen een felblauwe hemel, en eronder stond in gouden letters ‘Het vliegent paerdt’.

In plaats van te antwoorden liet Ripperda de zware klopper op de deur vallen. Die werd geopend door een dienstmeid met een witte boezelaar en een smetteloos kapje op het hoofd. Ze herkende Ripperda meteen en deed de deur verder open om hen binnen te laten. Hij stampte op de stoep de sneeuw van zijn laarzen, streek het van zijn schouders en schudde het van zijn hoed. De anderen volgden zijn voorbeeld en liepen daarna het huis binnen. Het meisje beduidde hun in de hal te wachten, maar al gauw verscheen de heer des huizes met een brede lach op zijn gezicht. Het was een man van middelbare leeftijd, met een gezet postuur en vriendelijke blauwe ogen.

‘Wigbolt, wat een verrassing, wat voert jou hierheen met zulk weer!’

‘Onno, slecht nieuws, vrees ik.’

De mannen omhelsden elkaar. Daarna stelde Ripperda Kenau en de anderen voor. Onno Ripperda gebaarde hun te volgen naar de woonkamer. Er hingen fraaie familieportretten aan de muren, de plavuizen gingen half schuil onder dikke, oosterse tapijten en er stonden tinnen kannen en kruiken op de gebeeldhouwde schoorsteenmantel, waaronder een groot haardvuur brandde. Nu pas voelde Kenau hoezeer ze was afgekoeld tijdens de reis.

‘Gaat u zitten,’ gebaarde de gastheer, ‘ik zal de meid vragen een warme drank voor u klaar te maken. Mijn vrouw is er helaas niet, zij verblijft bij haar ouders in Groningen.’

De meid nam hun jassen aan en verdween. Voor ieder van hen was er een eikenhouten stoel, gedecoreerd met verfijnd houtsnijwerk. Zo kon je dus ook wonen, dacht Kenau, het interieur vergelijkend met dat bij haar thuis. Al was ze beslist niet arm, het was sober en doelmatig, daar was alles mee gezegd. Ripperda legde uit wat hen hierheen voerde. Er vormde zich een diepe frons op het voorhoofd van zijn neef, af en toe streek hij peinzend over zijn snor. Een enkele keer keek hij vluchtig naar Kenau of naar Cathelijne. Kenau voelde zich ongemakkelijk. Het leek van levensbelang dat ze een goede indruk op hem maakten. Toen Ripperda was uitgesproken, wendde zijn neef zich tot haar en zei vol medeleven: 'Ik leef met u mee, mevrouw, dit is een zeer ernstige zaak, gezien de omstandigheden.'

Kenau knikte. 'Dank u, u begrijpt dat er maar één vraag op mijn lippen brandt: wat kunnen we doen? Hoe kunnen we onze kinderen redden?'

Hij tuitte zijn lippen en nam de tijd voordat hij antwoordde. Het leek wel of hij heel diep naar een geschikte formulering zocht. Kenau schoof onrustig heen en weer op haar stoel. De meid kwam binnen en deelde tinnen bekers rond met een warme drank, waar de damp van afsloeg.

'Kijk mevrouw,' begon Onno Ripperda, 'ik wil de zaken niet mooier voorstellen dan ze zijn. Deze geschiedenis ziet er niet goed uit. Jullie kinderen zijn gevangen genomen terwijl ze zich schuldig maakten aan een beeldenstorm. Dat is voor de Raad van Beroerten een vorm van hoogverraad. De rechters hier zijn meedogenloos als het om ketters gaat. Ze voeren Alva's orders met veel ijver uit en zijn niet omkoopbaar. Maar ik zal mijn licht eens gaan opsteken, heel voorzichtig, misschien zie ik het te somber in.'

'Kan ik met u mee, ik wil mijn dochters zaak graag zelf bepleiten bij de instanties.'

'Ze zullen u niet toelaten, mevrouw, u wordt direct weggestuurd.'

'Maar ik wil weten waar ze is!' riep Kenau verontwaardigd, 'ze mag haar familie toch wel zien, daar waar ze gevangen wordt gehouden?'

'Maakt u zich geen illusies. Ketters worden meestal in de kerkers onder het raadhuis opgesloten, wie het ongeluk heeft daar te belanden wordt in strenge afzondering van de buitenwereld gehouden.'

'Dus ik kan niets doen!' Kenau keek wanhopig naar Ripperda, die haar aanstaarde, met doffe ogen. Het was voor het eerst dat ze hem zo zag. Waar was de zelfverzekerde, daadkrachtige gouverneur van Haarlem gebleven?

'Mevrouw Hasselaer,' zei hij op zachte toon, 'we moeten het nu aan Onno overlaten. Hij heeft contacten met hooggeplaatsten en gaat proberen zo veel mogelijk informatie los te krijgen. Wij brengen in afwachting daarvan de nacht door in De Drie Olmen, er zit niets anders op.'

'Maar kunnen we dan in ieder geval warme kleren en eten aan u meegeven voor Geertruide?' vroeg Cathelijne opstandig.

'Later misschien,' zei Onno Ripperda, 'eerst zullen er enkele deuren open moeten. Ik vraag u geduld te hebben, ik zal uiterst diplomatiek te werk moeten gaan.'

Zwijgend dronken ze hun bekers leeg, daarna stond Wigbolt Ripperda als eerste op. 'Kom, het wordt al donker. Morgenochtend weten we meer.'

'Zeker,' vulde zijn neef aan, 'en laten we bidden dat het er voor jullie kinderen minder slecht uit zal zien dan het nu lijkt.'

10

Opnieuw werd het een korte nacht. Cathelijne had overal jeuk. Zaten er vlooien in de herberg? Het zou haar niet verbazen. Bovendien hielden het gerochel en gesnurk om haar heen haar uit haar slaap, naast de verstikkende geur van zwetende mensen. Mannen en vrouwen sliepen kriskras door elkaar. Haar moeder lag ergens verderop in een bed en in een hoek lagen Ripperda en Jacob. En al die mensen wasemden hun lichaamsdampen uit. Maar vergeleken bij de kerker onder het stadhuis waarin Geertruide waarschijnlijk was ondergebracht, waren het maar lichte ongemakken, besefte ze. Een onheilspellende zin, die ze achter zich had opgevangen toen ze op het punt stonden het fraaie huis aan de Warmoesstraat te verlaten, resoneerde voortdurend door haar hoofd. Onno Ripperda had op fluistertoon tegen zijn neef gezegd: 'in dat gehate rattennest'.

De woorden waren beslist niet voor haar en haar moeder bestemd geweest, ze rilde bij de gedachte dat het wemelde van de ratten in de kelders onder het raadhuis en te midden daarvan haar zus, met haar smetteloze huid en haar hang naar schoonheid en properheid. Vaag herinnerde ze zich een gerucht over een rat, die aan de oortjes van een slapende baby geknaagd had. Zou Geertruide bidden? Tot haar nieuwe protestantse God, of tot de oude vertrouwde met wie ze was opgegroeid? Zou ze 'Here, red mij' bidden? Zou ze zich herinneren dat Jezus onze Redder wil zijn en wacht op het moment dat we Zijn hulp inroepen?

Cathelijne tastte naar het kettinkje en vond het kruisje. Het gaf haar een gevoel van verbondenheid met haar zus. Waarom had ze het zo luchtig afgestaan? Die gedachte vergrootte haar onheilspellende voorgevoel. Het zweet brak haar uit, ze veegde met haar hand over haar voorhoofd en kreunde zacht.

'Wat is er?' vroeg Claes vanuit het bed naast haar.

Ze liet het kruisje los en kwam half overeind. 'Een droom, geloof ik,' loog ze. Want hoe zou ze Claes kunnen uitleggen dat ze soms vreemde 'voorgevoelens' had? Diep in haar hart was ze er bang voor. Misschien was het wel ketters, want alleen God kende de toekomst. De stervelingen op aarde werden geacht onwetend te zijn van wat hun te wachten stond.

'Wat een varkensstal is het hier hè?' fluisterde Claes. 'Naast me ligt een stel te vozen onder de dekens.'

'Wat denk jij Claes, dat er met Geertruide gaat gebeuren?'

Claes geeuwde en zei zacht, opdat alleen zij het kon verstaan: 'Ik denk er liever niet over na, het loopt toch anders. Als ik van tevoren geweten had wat mijn familie te wachten stond... Zodra ik begin na te denken over die dingen word ik gek. Er gebeurt zoveel wat ons te boven gaat. Mijn vader zei altijd: "Het is allemaal in Gods hand en Hij heeft een reden voor alles, al kunnen wij die niet doorgronden." Die woorden gonzen vaak door mijn hoofd, maar ik kan er eigenlijk niks mee. Ik vraag me zelfs af of die God waar iedereen zich zo druk over maakt wel bestaat. Dus als je mij vraagt wat ik denk, ik weet het gewoon niet. Je zus heeft meegeholpen een paar heiligenbeelden naar beneden te trekken. Die zogenaamde heiligen zijn al honderden jaren dood, het zijn maar beelden, levenloze dingen. Dus als ik de rechter was en Geertruide zou voor me staan, dan zou ik haar een kleine geldboete opleggen en laten beloven dat ze het nooit meer zou doen. Maar zo zit de wereld op dit moment niet in elkaar.'

Claes boog zich verder naar haar toe en fluisterde: 'De spanjolen zijn er niet alleen op uit ons land te vernietigen, ook onze geest. Die willen ze koste wat het kost breken, totdat wij als brave, zielloze onderdanen precies doen wat zij zeggen. Totdat we braaf hun belastingen ophoesten en tot dezelfde God bidden als zij.' Hij geeuwde opnieuw. 'Je moet niet piekeren, maar slapen. Je kunt nu toch niets voor haar doen.' Claes trok de dekens over zich heen en keerde haar zijn andere zijde toe.

Net als de voorgaande nacht viel Cathelijne tegen de ochtend pas in slaap. Toen ze door Claes gewekt werd, was ze even de kluts kwijt. In plaats van haar vertrouwde bedstee zag ze een hoog, houten plafond met hanenbalken boven zich en om haar heen een grote, bedompte ruimte vol vreemden, waarvan velen nog sliepen.

'Sst,' Claes hield een vinger op zijn lippen. 'Kom, de anderen zitten al in de gelagkamer.'

Snel vlocht ze haar haren, deed haar kapje op en volgde Claes door een smalle donkere gang, waar het naar spek rook en naar pasgebakken brood. Ze zaten in een hoek bij het raam, aan een ruwe houten tafel. Haar moeder, met een nerveus trekje op haar bleke gezicht, Jacob en Ripperda. Achter de kleine vensters sneeuwde het nog steeds, maar nu waren het fijne, droge vlokjes. Ze schoof bedeesd aan. Er stond een pan broodpap op tafel naast een baardmankruik met tafelbier. In de schouw brandde een flink vuur, dat af en toe met enkele houtblokken gevoed werd door de waard.

Hoewel Cathelijne weinig trek had nam ze toch van alles een beetje. Ze wist niet wanneer ze weer iets te eten zouden krijgen. Maar bij iedere hap die ze in haar mond stak, dacht ze aan Geertruide, die misschien niets te eten had.

Griezelige verhalen van vertellers uit hun jeugd schoten haar te binnen. Wanneer er kermis of een jaarmarkt was kwamen ook de rondreizende vertellers mee. Als ze goed waren werden ze al gauw omringd door een gretig publiek. Zowel kinderen als volwassenen luisterden ademloos naar de avontuurlijke sagen en sprookjes. Vaak figureerde daarin een wrede vorst, die er een genoegen in schiep jonge maagden gevangen te houden in zijn burcht en hen aan allerlei kwellingen te onderwerpen. In andere verhalen was sprake van een gruwelijke onderwereld vol monsters en tirannen, voor wie het een leuke vorm van amusement was ongelukkige slachtoffers aan de meest geraffineerde torturen te onderwerpen. Als kind hadden die verhalen haar lekkere rillingen van angst en opwinding over haar rug bezorgd, ze hield ervan om te griezelen. Maar nu ze het vermoeden had dat die verhalen van toen verwezen naar de realiteit waarin ze nu leefden, was er niets opwindends meer aan.

Ze keek om. De deur van de gelagkamer ging wijd open en Onno Ripperda kwam binnen. Behoedzaam sloot hij de deur achter zich, waarna hij op hun tafel afstevende, zijn mantel bedekt met sneeuw.

Zonder daar acht op te slaan schoof hij bij hen aan tafel. Hij nam alleen zijn baret af en legde hem in de diepe vensterbank. Een paar keer schudde hij zijn hoofd heen en weer, alsof hij een hinderlijke gedachte wilde verjagen. Toen nam hij zachtjes het woord, maar pas nadat hij wantrouwend om zich heen had gekeken om te zien of er vanaf andere tafels werd meegeluisterd. 'Als jullie eens wisten hoe graag ik de brenger van goed nieuws zou zijn, zodat jullie, herenigd met de gevangenen, opgelucht huiswaarts hadden kunnen keren. Maar helaas, het lot wil het anders...'

'Ik smeek je, Onno, kom ter zake,' zei Ripperda.

'Welnu, gisteren heeft men een spoedzitting van de Raad van Beroerten georganiseerd. Dat is zeldzaam, want meestal moeten gevangenen weken of zelfs maanden wachten op hun proces. Maar een van de rechters, de Spanjaard Diego Gonçalvez, gaat zich vanwege ziekte terugtrekken uit de Raad en wilde nog eenmaal zijn faam van grootinquisiteur bevestigen. Toen hem ter ore kwam dat er zes beeldenstormers gevangen waren genomen, stond hij erop de Raad direct bijeen te roepen en de arrestanten nog diezelfde dag te berechten. Dat is dus gisteren gebeurd.' Hij schraapte zijn keel, greep zijn baret en verfrommelde die met zijn grote hand.

'Ga door man,' zei Ripperda, 'draai er niet omheen.'

'Eh...' zijn neef keek wanhopig naar buiten, alsof van daaruit steun zou opdagen, 'eh... het vonnis luidt: de brandstapel.'

Er klonk een diepe, donkere kreet, als van een dier in nood. Hij resoneerde tegen de muren op en de aanwezigen in de gelagkamer keken geschrokken hun kant uit. Het was Kenau. Ze staarde Onno Ripperda met open mond aan. Even was Cathelijne bang dat haar moeder flauw zou vallen, hoewel zoiets niet in haar karakter lag.

'O mijn God, o mijn God,' riep Kenau, met haar handen naar haar wangen grijpend, 'dit is een vreselijke vergissing! Mijn dochter is helemaal geen ketter, ze is goed katholiek opgevoed, ze heeft haar eerste communie afgelegd. Het enige wat haar verweten kan worden is dat ze jong en dwaas is.'

Cathelijne barstte in tranen uit. Het was te erg om te bevatten, haar uitgelaten, verliefde zus die nietsvermoedend zo'n wreed, absurd lot tegemoet was gegaan. Ze had haar tegen moeten houden! Ze had naar haar voorgevoel moeten luisteren! Ze had haar moeder moeten alarmeren! Ze haatte zichzelf. Wat was ze gemakzuchtig, slap en goedgelovig geweest toen ze Geertruide zomaar liet gaan, haar ondergang tegemoet.

Claes legde een arm om haar schouders en trok haar naar zich toe. Maar ze was niet te troosten. Haar moeders wanhopige, protestvolle stem ging haar door merg en been. Ertussendoor klonk de zware, ongelukkige bas van de gouverneur, vol machteloosheid. Dat was misschien wel het allerergste. Wanneer Wigbolt Ripperda nu al machteloos stond tegenover de beslissing dat het korte leven van zijn zoon op de brandstapel zou eindigen, was er waarschijnlijk geen enkele hoop meer dat de zaken nog een andere wending konden nemen. Hij was een man van de wereld, van de politiek, hij kon de situatie goed inschatten.

'Mevrouw,' hoorde ze Onno Ripperda zeggen, 'het vonnis wordt vanochtend om tien uur voltrokken. Wilt u erbij aanwezig zijn?'

'Ik... ik kan haar toch nog wel zien?' stamelde Kenau. 'Ik kan haar toch niet zomaar laten... laten...'

'Ik ben bang dat daar geen gelegenheid voor zal zijn, althans, niet officieel,' zei Ripperda's broer, 'maar misschien krijgt u vlak voor de voltrekking van het vonnis de kans om haar te bereiken.'

'Natuurlijk willen we juist nu bij onze kinderen zijn,' zei de gouverneur. Je kon zien dat het hem veel moeite kostte zich te beheersen.

Kenau knikte sprakeloos, ze zag er uitgeput uit. Het was ook te absurd om waar te kunnen zijn, dacht Cathelijne, de straf stond in geen enkele verhouding tot het zogenaamde vergrijp. Het duizelde haar, vanaf Geertruides verdwijning gebeurde alles in een versneld tempo, er was geen tijd voor overleg, voor troostende woorden, zelfs niet voor een smeekbede tot God, die dit allemaal liet gebeuren.

'Dan moeten we nu vertrekken,' zei Onno Ripperda.

Nagestaard door de overige gasten verlieten ze de gelagkamer. In de ogen van buitenstaanders moesten ze een vreemd groepje zijn, zoals ze zich gehaast in de richting van het Damplein begaven, zwijgend en de jassen tot boven toe dichtgeknoopt. Op een brug waren kinderen een sneeuwpop aan het maken. Hun gezichten waren rood van de kou, maar hun ogen twinkelden van opwinding omdat de eerste sneeuw gevallen was. Ooit waren wij ook zo, dacht Cathelijne bitter, zo zorgeloos en uitgelaten. Het was een wrange gedachte en dat werd nog erger toen ze de vreugde van de kinderen voor zichzelf vergeleek met de verschrikking die zo meteen, maar een paar honderd meter bij de sneeuwpop vandaan, op de Dam zou plaats vinden. Zo was dus het leven: de hemel en de hel waren elkaars buren, hier op aarde.

Onno Ripperda sloeg een smalle, donkere steeg in. Er hing een zware rookgeur tussen de dicht opeenstaande huizen en de sneeuw was er vol gele pisvlekken. Al gauw bereikten ze het einde van de steeg, die uitkwam op het brede Damrak. Daar was ondanks de sneeuw heel wat volk op de been dat zich in de richting van de Dam begaf.

'Op weg naar het volksvermaak,' zei Onno Ripperda cynisch.

Cathelijne trok Claes aan zijn mouw. 'Ik kan dit niet,' fluisterde ze.

'Natuurlijk kun je het, denk maar aan je zus, haar wordt ook niet gevraagd of ze het kan.'

Claes had gelijk. Ze schaamde zich voor haar aanval van zwakte. Haar moeder stapte ook koppig voort, er was geen weg terug, ze liepen rechtstreeks naar het hart van de stad die Cathelijne nu al haatte, omdat hij haar in zijn hardnekkige Spaansgezindheid haar zuster af ging nemen.

Het eerste wat haar opviel toen ze de Dam op liepen was de vierkante toren van het raadhuis. Die stak overal bovenuit, alsof hij zich een plaats op de eerste rang had weten te verwerven om niets van de aanstaande gebeurtenissen te hoeven missen. Ervoor was een houten tribune gebouwd met zetels voor de hoogwaardigheidsbekleders. De sneeuw had op het plein zijn maagdelijkheid verloren en was overal platgetrapt door de toegestroomde menigte. In het midden van het plein was een verhoogd schavot, waarop zes houten palen stonden. Cathelijnes maag trok samen toen ze ernaar keek. Wat een gruwelijke theatervoorstelling werd hier voorbereid, ze voelde een golf van misselijkheid opkomen. Ze greep Claes' arm en hield hem stevig vast.

De twee Ripperda's wrongen zich met hun grote Groningse gestaltes een weg tussen de mensen door tot dicht bij het schavot, de anderen volgden in hun kielzog. Cathelijne keek om zich heen. Tussen het publiek stonden ordebewaarders. Comfortabel gezeten op paarden, volgden ze vanuit hun hoge positie de voorbereidingen op het podium, terwijl ze tegelijkertijd de toeschouwers in de gaten hielden. Hier en daar stonden ook priesters, soms alleen, soms in groepjes, hun ogen al gespannen gericht op het podium. Er liepen ook Spaanse musketiers rond, het geweer op de schouder, gekleed in een zwart-geelgestreepte wambuis en met zware laarzen aan hun voeten. Je kon zien dat ze het koud hadden, hun donkere ogen gleden rusteloos over de menigte alsof ze het liefst hadden willen vluchten, terug naar hun eigen land waar sinaasappels aan de bomen hingen. Verder waren er heel wat gewone burgers uit alle geledingen van de stadse samenleving, die in afwachting van de voorstelling met elkaar stonden te babbelen, alsof ze elkaar toevallig op de markt troffen. Er waren zelfs kinderen bij, die uitgelaten rondrenden en door hun ouders tot stilte gemaand moesten worden.

Het was opgehouden met sneeuwen, hoewel de grijze hemel nog heel wat vlokken in voorraad leek te hebben. Cathelijne had liever gehad dat er juist nu een hevige sneeuwstorm was opgestoken, zodat je geen hand voor ogen zou kunnen zien, en de beul genoodzaakt zou zijn de voltrekking van het vonnis af te gelasten.

Er kwam beweging op het schavot. Enkele mannen beklommen de kleine trap en voerden blokken hout en stro aan. Anderen stapelden het brandhout op aan de voet van drie palen. Je kon zien dat ze het vaker hadden gedaan, ze gingen ernstig en nauwkeurig te werk, alsof ze een doodgewoon beroep uitoefenden. De hulpjes van de beul, zei Cathelijne vol minachting bij zichzelf. Nadat zij verdwenen waren beklom een man in een wijde zwarte mantel het schavot. Hij droeg een vilten hoed met een brede rand, waarop een rode veer zat. Hij posteerde zich wijdbeens tussen de derde en de vierde paal, hief zijn kin met goed onderhouden bruine sik, liet zijn blik over de menigte gaan als een veldheer die zijn troepen inspecteert en nam met luide stem het woord.

'Beste poorters van Amsterdam, laat ik mij aan u voorstellen. Mijn naam is Cornelis van Doornbosch en ik heb de eer schout van deze stad te zijn. Onze stadsomroeper heeft u allen uitgenodigd de executie van zes Haarlemse ketters bij te wonen, allen door de Raad van Beroerten schuldig bevonden en veroordeeld wegens deelname aan een beeldenstorm in de Sint-Bavo aldaar. Hebt geen medelijden wanneer u hen zo meteen ziet sterven in het vuur. Deze zondaars hebben vol haat beelden van onze heiligen vernield, zij hebben geen spijt betuigd van hun daad en bij herhaling verklaard te strijden tegen de – ik zeg het nu in hun eigen woorden – hoogmoed der wereld, tegen allen die in de duisternis heersen, ja, tegen keizers, koningen en vorsten! Maar zij lijden zelf aan hoogmoed! Ze beweren de roomse kerk te willen zuiveren en stellen daarvoor in de plaats hun eigen duivelse geloof. Wij hebben hier maar één antwoord op: de zuivering van het vuur zal hun deel zijn! U zult zo meteen getuige zijn hoe wij in onze prachtige stad, uit naam van de Heilige Moederkerk, alsmede onze vorst Filips de Tweede en diens landvoogd de hertog van Alva, afrekenen met eenieder die onze kerk en ons geloof belastert en versmaadt. Daarbij heb ik de eer hierbij Zijne Edelheid Don Frederik te verwelkomen, de zoon van de hertog en belast met de oorlogsvoering tegen allen die de verraderlijke kant van de Prins van Oranje hebben gekozen.'

Hij maakte een gebaar in de richting van de tribune. Cathelijne draaide haar hoofd en zag dat die inmiddels volgestroomd was met hoge heren. Hoewel ze niemand kende, kon ze wel zo'n beetje raden wie daar in de comfortabele beschutting van het raadhuis hadden plaatsgenomen. De rechters van de Raad waren er waarschijnlijk allemaal, de burgemeesters, de rijken en de patriciërs, priesters, ja, ze meende zelfs een bisschop in hun midden te zien. Ook Don Frederik was meteen herkenbaar. Hij droeg een donkergroene, met bont afgezette fluwelen mantel met een rode sjerp eroverheen.

Als een van de weinigen was hij blootshoofds, alsof hij vanwege zijn afkomst boven alle hoeden- en barettendragers verheven was. Hij had een smalle, gebogen neus en donkere, haast zwarte ogen. Zijn gezichtsuitdrukking was er een van lichte verveling, alsof hij liever midden in een veldslag had gezeten dan op een tribune in Amsterdam. Hij werd geflankeerd door andere Spanjaarden, die waarschijnlijk zijn veldheren, adjudanten en raadgevers waren. Zij vertegenwoordigden dus het grote gevaar dat Haarlem bedreigde! En nu kwamen ze genieten van het spektakel waarin haar zus een van de hoofdrolspeelsters zou zijn. Voor het eerst sinds ze die morgen het rampzalige nieuws vernomen had, voelde ze zich volstromen met haat. Een felle, allesverterende haat jegens de zogenaamde hoogwaardigheidsbekleders op de tribune, maar ook jegens de samengestroomde Amsterdammers die zich verheugden op het wrede schouwspel. Maar het ergst van allen haatte ze de arrogante schout met zijn sikje en zijn hoed met flamboyante veer.

Die nodigde nu met een weids armgebaar een priester uit op het schavot te komen. Aan zijn soutane zag Cathelijne dat hij tot de orde der franciscanen behoorde. De knoopjes spanden om zijn dikke buik en zijn bolle gezicht zag rood. Bovengekomen moest hij uithijgen. Hij zag eruit als de ware belichaming van wellust en gulzigheid van de katholieke kerk, zoals ze uit de leer die Geertruide en Focko aanhingen had begrepen. De schout zei iets tegen hem, waarop hij instemmend knikte. Daarop koos de priester een plek van waaruit hij voor iedereen goed zichtbaar was. Hij vouwde zijn handen, keek eerbiedig naar de hemel alsof hij meende dat God van daaruit goedkeurend op hem neerkeek, en bad met luide stem: *Libera nos, quaesumus, Domine, ab omnibus malis...*

Het gebed galmde over het plein als een donderpreek. De man moest speciaal om het volume van zijn stem zijn uitgekozen. Wat het betekende wisten waarschijnlijk weinigen, maar het klonk als een dreigende, absolute waarheid. God sprak, via hem. Aan de eerbied op de gezichten zag Cathelijne de weerspiegeling van die illusie. Was zij dan de enige die zag dat het een goed geregisseerd theaterspel was, een Griekse tragedie, met de dramatische dood van de hoofdrolspelers aan het slot? Ze schrok van haar gedachte. Was het zondig om kritisch te oordelen over een priester, een dienaar Gods?

Na de laatste woorden van het gebed bleef de priester nog enige tijd zo staan, zijn hoofd smekend hemelwaarts geheven. Daarna hief hij zijn handen, alsof hij de toeschouwers zegende. Terwijl hij daar zo stond, in de ban van zijn optreden, werd een kleine stoet zichtbaar onder de bogen van het raadhuis. Alle hoofden draaiden in die richting.

Zes jonge mensen, aan elkaar gebonden met touwen, kwamen het plein op, geflankeerd door twee beulen. Ze waren bleek en vuil en hun kleren waren tijdens hun korte gevangenschap gekreukt en uit model geraakt. Ze knipperden tegen het daglicht en de witheid van de sneeuw. De rode krullen van Geertruide lichtten op als een vuur, Cathelijne kromp ineen. Het was dus allemaal echt waar. Tot nu toe had het nog een boze droom kunnen zijn, waaruit ze ieder moment kon ontwaken. Maar daar liep haar zus, rechtop en ongebroken, zo te zien. Haar moeder slaakte een kreet van ontzetting. De gouverneur legde troostend een arm om Kenaus schouders, maar zij schudde hem van zich af.

De veroordeelden werden door de bars kijkende beulen naar het schavot geleid. Ze beklommen het trapje en bleven toen staan, als een groepje verdwaalde kinderen bevreemd om zich heen kijkend. De overijverige schout was in twee passen bij hen, duidelijk in de ban van zijn overwinningsroes.

'Zo,' hoorde Cathelijne hem zeggen, 'er is voor ieder van jullie een paal met een bos hout en stro eronder. Het zuivere geloof zal zegevieren.'

De kleine stoet kwam weer in beweging.

'Die verwaande schout heeft wel heel erg de pest aan ketters,' merkte een oudere man op, naast Cathelijne. Hij hield een korte houten pijp in de hand waarmee hij gebaarde. 'Het lijkt wel of ze hem persoonlijk iets hebben aangedaan,' beaamde zijn buurman.

'Of het is om bij de spanjolen in het gevlei te komen,' opperde de pijproker. 'Vorig jaar maakte hij het wel heel bont. Toen werd hier een wederdoopster uit Friesland in het openbaar verbrand. Anneke Hendriks, een gewone huisvrouw van middelbare leeftijd. Ze hadden haar op een ladder gebonden met de bedoeling die rechtop in het vuur te zetten. Dat mens toonde geen berouw en bleef maar roepen dat haar God de enige God was. Toen kreeg deze schout er zo de pest in, dat hij de beul opdroeg haar mond waaruit die blasfemische woorden kwamen, vol te stoppen met buskruit. Dat veroorzaakte nog aardig wat oponthoud, want de beul moest dat spul eerst ergens vandaan zien te halen. Maar uiteindelijk is het gelukt en is het arme mens met ladder en al in het vuur gezet.'

'Dat zal me een mooie explosie gegeven hebben...,' lachte de ander.

'Dat kun je wel zeggen ja.'

Cathelijne had haar oren wel dicht willen stoppen. Maar er was geen ontkomen aan, ze moest vervolgens toezien hoe de veroordeelden een voor een aan een paal werden gebonden. Focko en Geertruide stonden naast elkaar. Geertruide liet haar ogen over de menigte gaan zonder iemand te herkennen. Ze was de enige vrouw in het groepje en zag er uitgeput, maar vastberaden uit.

Ineens hief Focko een lied aan, zijn stem luid en ongebroken. De anderen vielen hem bij:

'O broeders wilt ons gedenken
Altijd in uw gebed
Wij groeten u met sangen
Wij gevangen uit ghemeyn
Wij hebben seer groot verlangen
Om te zijn int hemels plein...'

De menigte leek onder de indruk van de moed der veroordeelden, men keek zwijgend toe. Cathelijne wierp een steelse blik op haar moeder. Die leek verlamd van ontzetting en wanhoop, ze staarde versteend naar haar dochter en beet tot bloedens toe op haar onderlip zonder het te merken. Ook Wigbolt Ripperda kon zijn ogen niet afhouden van zijn luid zingende zoon, die zelfs een soort triomf uitstraalde. Was het de triomf van een dwaze fanatiekeling, vroeg Cathelijne zich af, of was het de zekerheid die voortsproot uit de overtuiging het ware geloof te vertegenwoordigen, te midden van ernstig dwalenden?

Maar de schout voelde zich voor gek gezet door het gezang. Heel even keek hij verwilderd om zich heen, alsof hij zich afvroeg of hij de enige was die hier de heilige wetten nastreefde. Hij knikte kort naar de priester. 'Vraag of iemand van hen berouw heeft!' gebood hij bars.

De priester liep naar de eerste in de rij, naar een jongeman die Cathelijne alleen van gezicht kende. De twee spraken kort met elkaar, zonder dat ze kon verstaan wat er gezegd werd. De jongen schudde zijn hoofd, waarop de priester met andere argumenten leek te komen. Opnieuw schudde de veroordeelde vastbesloten zijn hoofd. De priester keek verongelijkt om naar de schout en haalde zijn schouders op.

De schout, wiens geduld nu op was, schreeuwde naar de beulen, met een grimmig gebaar op het hooi onder de eerste paal wijzend. De rode veer op zijn hoed trilde mee met zijn opwinding terwijl hij riep: 'Aansteken dat vuur!'

II

Don Frederik verveelde zich. Hij zat hier alleen uit beleefdheid jegens de stad Amsterdam en jegens de oude Diego Gonçalvez, die de openbare verbranding waarschijnlijk alleen zo snel had georganiseerd om hem (maar indirect zijn vader) van zijn geloofsijver en onmisbaarheid te overtuigen. Dat verhaal van zijn zogenaamde ziekte overtuigde hem niet, die ouwe was taai en ambitieus.

Eigenlijk had hij met zijn troepen al op weg naar Haarlem willen zijn. Gezien de vroege inval van de winter was een snelle inname van de stad geboden en dankzij de kaart waarover hij door een gelukkig toeval beschikte moest dat niet al te moeilijk zijn. Haast was geboden, elke dag die hij wachtte werd door de Haarlemmers gebruikt om hun vestingmuren en poorten te versterken, en volgens geruchten wilde de Prins versterkingen sturen om de stad weerbaarder te maken.

Nu zat hij hier, en hoopte dat het schouwspel snel voorbij zou zijn. Hij hield niet van ketterverbrandingen. Zijn vader had hem er als kind herhaaldelijk mee naartoe genomen, om hem te harden en te stichten. Toen had hij het al een laffe en onappetijtelijke vertoning gevonden. Er was geen sprake van een eerlijk man-tot-mangevecht, zoals in de ridderromans die men hem voorlas. Daarin hadden beide partijen tenminste evenveel kans. Het slachtoffer van een ketterverbranding had geen enkele mogelijkheid om het te overleven. Anderzijds begreep hij niets van diens religieuze hardnekkigheid. Hoe kon het dat iemand liever stierf in de vlammen, dan zich aan te passen aan de rooms-katholieke tradities? Ketters dachten te veel na, dat was hun probleem. Wat hem betrof hadden ze hun gedachten beter kunnen wijden aan het leven en de liefde. Of de strijd en de liefde, de mooiste dingen die het leven te bieden had.

Hij gaapte, terwijl de priester de spanning opvoerde met zijn onbegrijpelijke gebed. Pas toen de kleine stoet zichtbaar werd en zich in de richting van het schavot bewoog ging Don Frederik rechtop zitten. Er was een verdomd mooie meid bij! Mierda! Die gingen ze toch niet op de brandstapel zetten? Wat zonde! Een prachtige blanke huid, schitterend haar, een volle boezem. Het was een vrouw voor in bed, niet voor het vuur.

Vol spijt zag hij haar de houten traptreden beklimmen. Daarna greep die overijverige schout haar bij de arm en voerde haar naar de voor haar bestemde paal.

'Por favor, kijk één keer mijn kant op,' prevelde hij zacht, 'ik wil je ogen zien, ik wil de uitwerking ervan voelen.'

Maar ze staarde recht voor zich uit, terwijl ze uit volle borst met de anderen meezong, en gunde niemand het voorrecht van haar blik. Ze weet niet wat ze allemaal achterlaat, hier op aarde, dacht hij gefrustreerd, wat een waanzinnig genot ze deelachtig had kunnen worden... wat een verspilling...

Nu was de priester bij haar aangekomen. Het vuur onder de eerste jongeman brandde al, maar hij zong nog steeds. De beul was bezig het vuur onder de tweede paal aan te maken. Het zat hem blijkbaar niet mee, want er kwam alleen rook uit. Het meisje was de volgende die aan de beurt zou zijn. Ineens wist Don Frederik het zeker: dit meisje mocht niet lijden. Hij wist dat hij onmogelijk tegen het oordeel van de rechters in kon gaan, maar een beetje invloed had hij wel. Hij stootte zijn adjudant aan.

'Hé, je moet iets voor me doen. Ga naar die vreselijke schout en zeg hem dat het meisje niet levend verbrand mag worden. Ze moeten haar...' hij dacht koortsachtig na, 'eerst wurgen. Zeg maar dat het in opdracht van mij is en als hij niet gehoorzaamt mag hij onze martelkamers vanbinnen komen bekijken.'

De adjudant haastte zich de tribune af, in de richting van het schavot. Hij was in enkele stappen bij de schout, Don Frederik zag ze samen praten. De schout keek schuin omhoog naar de tribune, zag hem, stak ietwat angstig zijn hand op en knikte onderdanig. De Don knikte hooghartig terug.

Toen gebeurde er iets vreemds. Terwijl de adjudant al op de terugweg was naar zijn plaats op de tribune, bestormde een vrouw het schavot. Ze ging regelrecht naar de priester, die ijverig probeerde het meisje tot inkeer te brengen.

'Maaaa...!' riep het meisje. Het was een kreet die door merg en been ging. Was dat haar moeder? Don Frederik had, ongeacht de omstandigheden, de gewoonte vrouwen eerst op hun uiterlijk schoon te beoordelen. Daarna kwam er een hele tijd niets en dan pas kreeg hij, als ze geluk hadden, een beetje belangstelling voor hun karakter. In het geval van onaantrekkelijke vrouwen kwam het niet eens zo ver. Maar zijn oog was scherp genoeg om te zien dat de moeder ook de moeite waard was. Ze had dik, donker haar als een Spaanse, dat weerbarstig onder het dwaze witte kapje dat de vrouwen hier droegen uit krulde. Ze was ook net zo fel. Een gepassioneerd vrouwtje, oordeelde hij bij zichzelf, maar de dochter is mooier.

De vrouw nam de priester in een stevige greep bij zijn arm en praatte intens op hem in, af en toe angstig naar haar dochter kijkend. Die barstte in tranen uit, Madre de Dios, niet om zichzelf waarschijnlijk, maar om haar moeder. De priester schudde steeds zijn hoofd, waardoor de moeder nog vuriger scheen te worden in haar betoog. Er kwam pas een eind aan toen de schout ingreep en haar samen met een van de beulen beetpakte. Tegenstribbelend werd ze het schavot afgevoerd en de trap afgeduwd.

'Wat een heisa,' dacht Don Frederik. Daarna zag hij hoe het meisje gewurgd werd door een van de potige beulen. Die maakte niet eens gebruik van een touw, maar deed het met zijn blote handen. Het was geen prettige aanblik, dus richtte de Don zich tot zijn adjudant met de vraag: 'Mag ik mijn pijp?'

Even later stak hij het vuur in de tabak en voelde de weldadige uitwerking van de rook in zijn longen. Daarna dwaalde zijn blik naar het schavot. Van het meisje was niet veel meer te zien. Rook en vlammen onttrokken haar aan het oog.

'Jammer,' zei hij bij zichzelf, 'jammer van zo'n mooie meid. Hermosa chica!'

II

12

Alles waar ze zich ooit druk over gemaakt had liet haar koud, het temperament waaruit dat soort energie was voortgekomen was uitgedoofd. Ze was voorbij alle denkbare vormen van hoop, geloof of genegenheid. De wereld was leeg geworden. Daarboven was er niemand die de rechtvaardigen beloonde en de zondaars strafte. God was niet meer dan een banale graanhandelaar zoals Duyff, die zonder wroeging zijn naasten verried als hij er goed voor betaald werd. Er was alleen een onmenselijke kringloop van leven en dood, zonder reden, zonder doel.

Kenau was uitgeput. 's Morgens bleef ze lang in bed liggen. Het liefst zou ze slapen zonder ooit wakker te worden. Zou ze, als ze stierf, in het hiernamaals met haar dochter herenigd worden? De conceptie van een hemel en een hel kwam haar nu belachelijk voor. Het was niet meer dan een goedkope, valse belofte om de simpele zielen van de gelovigen eronder te houden. Er was geen hiernamaals, er was alleen dit korte leven op aarde, je moest dag in dag uit knokken om het gaande te houden en ook nog eens verdomd goed opletten. Er kon zomaar besloten worden dat je je recht om te leven verspeeld had, omdat je niet meer in het plaatje paste. Omdat je in een andere God geloofde, of trouw beloofde aan een andere vorst, of omdat je bier dronk in plaats van wijn.

De werkelijkheid vervulde haar met walging, met een diep, weerzinwekkend gevoel dat alles bitter en verwerpelijk maakte. Ook Cathelijne zag ze in een wrang licht. Ze had alarm kunnen slaan toen het nog kon. Alleen een soort domme trouw aan haar overmoedige zus had haar ervan weerhouden. Wanneer je jongere zus op het punt staat met een stel vandalen heiligenbeelden van hun sokkels te trekken, dan hou je haar toch tegen? En als dat niet lukt schreeuw je toch net zo hard, totdat iedereen in huis klaarwakker is en toesnelt om je bij te staan? Ze was net als haar vader, die zou het ook allemaal hebben laten gebeuren, uit pure gemakzucht. Dat was een soort slapte, die uiteindelijk terug te voeren was tot onverschilligheid. Het was onvergeeflijk, absoluut onvergeeflijk.

Nauwelijks was Kenau opgestaan of ze hield het al niet meer uit in huis. Ze verdroeg de aanwezigheid van de anderen eenvoudig niet. Gehuld in haar zwarte wollen omslagdoek verliet ze het huis. De werf mijdend stak ze het Spaarne over, doorkruiste de stad met grote, boze stappen en liep door de Zijlpoort naar het westen, de duinen in. Daar kwam ze in een witte wereld terecht, die glinsterde in de zon. De kou deerde haar niet. Ze liep door totdat ze vanaf een met helmgras begroeide duintop de zee kon zien.

Voor het eerst sinds haar terugkeer uit Amsterdam kon ze iets lichter ademhalen. Het beeld van Geertruide, vlak voordat ze stierf en luidkeels 'Máaa...' had geroepen, verdween even naar de achtergrond bij de aanblik van de verre einder en de zee. De eindeloos aanrollende en zich terugtrekkende golven hadden altijd een kalmerende werking op haar gehad, ook vlak na de dood van Nanning. Toen had ze met de gedachte gespeeld de golven in te lopen en zich te laten opnemen door het troostrijke water, maar de gedachte aan haar dochters had haar ervan weerhouden. Nu kwam die gedachte niet eens bij haar op, zelfs daarvoor was ze te leeg en krachteloos.

Haar gedachten dreven af naar Wigbolt Ripperda. Wat ging er nu in hem om? Hij had tenslotte ook een kind verloren. De jongen had zelfs toen het vuur zijn middel bereikte nog triomfantelijk staan zingen. Zelfs de toeschouwers op het plein waren er stil van geworden. Vreemd dat ze zich ieder detail herinnerde, ondanks de gruwelijkheid van alles. Toen Geertruides kleren vlam vatten had Ripperda, die vlak naast haar stond, zijn arm om haar heen geslagen en geprobeerd met zijn rechterhand haar hoofd van het schouwspel af te wenden. Heel even had ze hem laten begaan, ondanks zichzelf. Ze had de geur van zijn kleren geroken en zijn standvastigheid gevoeld, zelfs de vluchtige verleiding om in zijn koestering de werkelijkheid te ontkennen. Het was een vluchtig moment van gezamenlijke ontreddering en verdriet geweest. Maar al gauw had ze zich losgemaakt en zichzelf gedwongen tot het einde toe te blijven kijken naar de beelden die elkaar in oneindig kwellende traagheid opvolgden en nooit meer van haar netvlies zouden verdwijnen. Er was iets in haar gestorven, haar hart was in minuten die uren leken te duren gekrompen en verdord, als een plant die wordt blootgesteld aan een verzengende zon.

Een scherpe oostenwind verdreef haar van de duintop. Ze rilde. Er zat niets anders op dan terug te keren naar huis, waar de nadrukkelijke afwezigheid van Geertruide haar benauwde.

In de straten van Haarlem was het inmiddels druk geworden. Het leek wel of het platteland integraal de stad in trok, op karren vol huisraad, nageslacht, kooien met kippen en manden met voedsel. Koeien, varkens en honden sjokten onwillig mee in hun kielzog. Kenau begreep het niet, wat deden al die boeren hier? De straten werden gevuld met een plattelandsgeur, uitwerpselen van vee lagen te dampen in de sneeuw. Maar ze haalde haar schouders op, wat kon het haar schelen? Voor haar part vulden ze de kerststallen ermee.

Toen ze haar huis naderde werd ze door zoveel tegenzin overmand dat ze de dichtstbijzijnde kerk binnenschoot. Daar stond haar lievelingsbeeld van de Heilige Moeder met kind. Er brandden veel kaarsjes. Ze wierpen een warm, flakkerend licht op Maria, die met een devote, liefdevolle glimlach op haar kind neerkeek. Gewoontegetrouw knielde Kenau neer om te bidden. 'Heilige Maria, de Heer is met U, Gij zijt de gezegende onder de vrouwen en gezegend is Jezus de vrucht van Uw schoot. Heilige Maria, Moeder van God, bid voor ons...' De rest van het gebed bleef in haar keel steken. Tegen wie had ze het eigenlijk? Deze vrouw, met haar zoetsappige glimlach, was de moeder van dezelfde God die had toegestaan dat Geertruide vermoord werd, in naam van Hem.

Toen dat in volle betekenis tot haar doordrong kwam Kenau schielijk overeind uit haar onderdanige houding, om voor het eerst in haar leven sceptisch naar het Mariabeeld te kijken. Dat had haar vroeger veel troost en liefdevolle gevoelens geschonken. Moeder zijn betekende soms lijden, daarvan was Maria het beroemdste voorbeeld. Haar Zoon was bewust gestorven om de mensheid te verlossen van haar zonden. Hij kreeg miljoenen navolgers, werd de stichter van een religie en werd alom aanbeden. Maar Geertruide stierf een zinloze dood en zou spoedig vergeten zijn, en dat allemaal uit naam van diezelfde Zoon. Hoe kon die toestaan dat Zijn naam en Zijn leer door mensen misbruikt werd om gruwelijkheden te begaan? En wat deed Maria eraan om Hem ervan te weerhouden? Ze was toch niet voor niets Zijn moeder?

Kenau merkte dat ze steeds bozer werd. Het hele verhaal over God in de hemel, die zijn gelovigen zo liefhad dat Hij voor hen gestorven was, klopte niet. Het was allemaal bedrog. Het katholieke geloof was niet meer dan een instrument in de handen van een onbeminde koning, die ver weg in Spanje zat. Hij was zogenaamd de plaatsvervanger op aarde van God, en wie niet langer katholiek wilde zijn was daardoor vanzelf ontrouw aan hem. Die beeldenstormers en andersoortige ketters zaagden aan de poten van zijn troon, zo zag hij dat. Maria, de moeder van God, zat in het complot. Haar taak was al die vrouwen en moeders te troosten die onrecht was aangedaan, omdat haar Zoon ernstig verstek had laten gaan toen zij Hem nodig hadden. Zij troostte hen met haar zogenaamde moederliefde, opdat ze niet in opstand zouden komen. Het was allemaal doorgestoken kaart en de Heilige Maagd deed er vrolijk aan mee.

Koortsachtig keek Kenau om zich heen. Er was niemand in de kerk, ze was helemaal alleen. Alleen met dit onverwacht heldere inzicht, met haar verontwaardiging, met haar woede als een brandende stad. Ze kon die grijns niet langer verdragen, evenmin als de onschuldige baby met zijn mollige beentjes. Het beeld stond op een verhoging, geflankeerd door twee marmeren pilaren met een stenen timpaan erboven. Als ze op een bidstoeltje ging staan kon ze erbij. Ze liep met grote passen naar het altaar en pakte een van de gigantische, zilveren kandelaren die daar stonden. Daarna trok ze een bidstoeltje uit de dichtstbijzijnde rij en klom erop. Het was een beetje wankel, maar het ging. Ze ademde diep in en haalde uit, met alle kracht die de woede haar gaf. Ze richtte op het smalste stuk, tussen de onderkant van het gewaad van Maria en de sokkel. Er sloeg een stuk uit het beeld, meer niet. Ze sloeg nog eens, en nog eens. De Maagd bleef suikerzoet lachend op haar neerzien, Kenau kreeg sterk het gevoel dat ze werd uitgelachen. Nu werd ze echt razend. Ze verzamelde alle felheid die ze in zich had en sloeg, maar door de dynamiek van de zwaai verloor ze haar evenwicht. Het stoeltje onder haar kantelde en ze viel schuin achterover.

Ze verwachtte een harde landing op de stenen vloer van de kerk, op een van die stenen waaronder een belangrijke ingezetene van de stad, begraven lag. In plaats daarvan werd ze opgevangen. Even dacht ze dat het een priester was in wiens armen ze hing, die haar zo meteen zou aangeven bij een ketterjager. Ergens hoopte ze het zelfs. Maar ze hoorde een bekende basstem ter hoogte van haar oor die zei: 'Heeft u misschien hulp nodig, mevrouw Hasselaer?'

Ze belandde op haar benen en draaide haar hoofd.

Er lag een diepe frons op Ripperda's voorhoofd.

'Twee kunnen meer dan één. Wacht even, waar heeft u die kandelaar vandaan?'

Kenau wees met een bibberende vinger, verbluft over de aanwezigheid van de man met wie ze zo kort geleden hetzelfde lot had gedeeld. Wat deed hij hier? Zijn inmiddels vertrouwde, lange gestalte was als een spotlach in de kerk. Dat deed haar goed, het viel niet te ontkennen. Ineens had ze een medestander, die niet alleen door hetzelfde verdriet verscheurd werd als zij, maar ook door dezelfde gevoelens van onrechtvaardigheid, machteloosheid en opstandigheid.

Even later stonden ze aan weerszijden van het beeld, elk een kandelaar in de hand. Hij wierp haar een blik van verstandhouding toe en begon te tellen.

'Een... twee... en ja!'

Hun slagen kwamen met perfecte timing op de zwakke plek neer. Maria begon te kantelen en Kenau zag nog eenmaal de glimlach waarvoor ze steeds weer teruggekomen was, juist bij deze madonna. Toen kieperde het beeld ineens als een log, onbezield ding voorover, en als Ripperda Kenau niet op het nippertje had weggetrokken, zou ze slachtoffer zijn geworden van de door haarzelf ontketende beeldenstorm. De knal waarmee het Mariabeeld neerkwam en in honderden brokstukken uiteensprong was oorverdovend.

'Kom...' Ripperda trok haar aan haar arm de kerk uit, de straat uit en een hoek om. Pas toen kwam hij hijgend tot stilstand.

Kenau was hem willoos gevolgd, nog bevend van haar eigen onverwachte actie en de haast miraculeuze hulp, die uit het niets was opgedoken. 'Hoe wist u dat ik in die kerk was?' hijgde ze.

'Uw meid vertelde me dat u daar waarschijnlijk te vinden zou zijn...' Na enige aarzeling voegde hij eraan toe: 'Gezien de omstandigheden.'

'En wat wilde u van me?'

Het klonk botter dan ze wilde. Dat kwam doordat hij haar zo strak aankeek, bijna dwingend, waardoor ze gedwongen was haar ogen neer te slaan. Het gaf haar een ongemakkelijk gevoel, ze was gewend mannen recht in de ogen te kijken, om te laten zien dat ze gewapend was. Gewapend met scepsis en wantrouwen, en om te laten weten dat ze niet met zich liet sollen.

'Ik wilde met u praten...'

Een verveloze boerenkar met een blond paard ervoor, volgeladen met spullen en dik ingepakte kinderen, kwam met knarsende wielen op hen af. De ouders zaten op de bok, vuil en verwilderd, met grauwe gezichten. Een broodmagere hond sjokte mee met de kar, zo te zien hield alleen de trouw aan zijn baas hem nog gaande.

Ripperda hief zijn hand op om hen tegen te houden. 'Welkom in de stad,' zei hij, 'binnen onze vestingmuren bent u veilig. Heeft men u al onderdak toegewezen?'

'Wie mag u wel wezen?' zei de boer korzelig.

'De gouverneur, namens de Prins van Oranje.'

De man kneep zijn lippen samen. Hij leek niet erg onder de indruk. 'Dat komt dan mooi uit,' bromde hij, 'jullie hebben mijn boerderij verbrand en mijn grond afgepakt. We zijn alles kwijt, we hebben niets meer. Geen brood om te eten, geen bedden om in te slapen. De kinderen hebben het koud, straks worden ze ziek.'

Zijn vrouw knikte heftig bij zijn woorden. 'Vergeef mijn man zijn boosheid,' zei ze, 'maar we zijn ten einde raad.'

'Ik begrijp het,' zei Ripperda,' en ik beloof u dat we er alles aan doen om uw lijden te verzachten.' Hij wendde zich weer tot Kenau, legde een hand op haar arm en zei: 'Daarom was ik op zoek naar u'

'Naar mij? Wat heb ik hier mee te maken?'

'U heeft zo'n mooie, ruime loods op de werf. Zou u deze familie daarin kunnen huisvesten?'

Kenau deinsde terug. 'In onze loods?'

'Alle gebouwen en boerderijen in het schootsveld rond de stad worden platgebrand, opdat de vijand geen enkele dekking heeft als het zover is.'

'Als het zover is?' zei ze schril.

'U weet toch wel dat het leger van Don Frederik in aantocht is, binnen enkele dagen zal de stad omsingeld zijn.'

Kenau keek hem verbijsterd aan. Ze was zo bezig geweest met haar eigen verdriet, dat de militaire ontwikkelingen haar totaal waren ontgaan. Niets had haar geïnteresseerd.

'De stad stroomt vol met vluchtelingen, die verdreven zijn van hun land en uit hun huizen. Iedere Haarlemmer wordt verplicht onderdak te bieden aan deze ontheemden.'

Kenau keek naar Ripperda, en daarna naar de getroffen familie. Die hadden elkaar tenminste nog.

Ineens begon er een baby te huilen. De vrouw op de bok tilde haar omslagdoek op en een hoofdje met pluizig nesthaar werd zichtbaar. Ze begon het huilende kind te wiegen. 'Sst... stil maar, alles komt goed, mama is hier.'

'De loods is groot genoeg,' aarzelde Kenau.

'Zo mag ik het horen,' zei Ripperda, dankbaar zijn hand op haar wang leggend. 'Ik wist wel dat ik op u kon rekenen.'

'Laten we dan meteen gaan,' zei Kenau. Toen ze die ochtend op de top van een duin stond dacht ze dat haar leven voorbij was. Maar ze had zich vergist, het leven trok zich niets aan van haar wanhoop, het ging gewoon door, in een tempo dat haast niet bij te houden was.

'Wilt u ons volgen?' riep Ripperda, 'Deze dame heeft onderdak voor u.'

De wagen zette zich krakend in beweging, de hond blafte kort alsof hij instemde met de loop der dingen en de baby hield op met huilen. Ripperda en Kenau liepen voorop, het leek wel marcheren, want Kenau zette er flink de pas in.

Bij de werf aangekomen liet ze Jacob roepen. Die keek verbaasd naar het ongewone gezelschap dat ze meebracht. Ripperda legde uit wat de bedoeling was. Kenau vulde hem aan en ze liepen gezamenlijk naar de loods, om te overleggen waar ze het beste een plek voor het gezin konden inrichten. De loods was groot en omdat de scheepsbouw lichtelijk stagneerde sinds Haarlem zich achter de Opstand had geschaard, lagen er weinig boten in aanbouw. Ze vonden een geschikte ruimte in een hoek en Jacob kreeg opdracht slaapplaatsen te improviseren en een tafel met banken.

Ripperda gebaarde haar hem te volgen en stevende af op de romp van een aak die op voltooiing lag te wachten. 'Kunt u nog even tijd voor me maken?' zei hij op een toon die eerder een bevel dan een verzoek was. 'Hier is het rustig.' Hij stapte in de boot, draaide zich om en reikte haar hoffelijk de hand. Even later zaten ze tegenover elkaar, hun voeten rustend op een houten vlonder.

Ze keek hem afwachtend aan. De bevrediging die het vernielde Mariabeeld haar gegeven had was alweer weggeëbd en het gevoel van innerlijke leegte teruggekeerd. Het kon haar niet veel schelen wat hij te zeggen had. Als hij soms de perverse gedachte koesterde dat er tussen hen beiden, vanwege het gedeelde leed of het van zijn sokkel getrokken beeld, een band bestond dan vergiste hij zich. Ze hief haar kin en keek hem tartend aan.

'Mevrouw Hasselaer, u denkt natuurlijk: laat die kerel zijn zegje doen en me met rust laten.'

'En als dat inderdaad zo zou zijn,' zei ze uitdagend.

'Dan heeft u daar groot gelijk in. Maar ik denk dat het belangrijk is wat ik u te zeggen heb. Gisteren heeft Lumey, de bekende, ik mag wel zeggen beruchte geuzenhopman, in opdracht van de Prins, een serieuze poging ondernomen om met zijn leger een bres te slaan in de belegeringsring die de vijand rond onze stad aan het leggen is. Helaas schuilt er overal verraad. Een of andere boer heeft Don Frederik van het plan op de hoogte gesteld, waardoor het tussen Hillegom en Bennebroek tijdens een onverwachte sneeuwstorm tot een vroegtijdig treffen is gekomen en het verraste leger van Lumey totaal in de pan is gehakt. Het schijnt dat ze door het verraad niet eens de tijd hebben gehad zich ordentelijk in hun harnassen te hijsen. De arme drommels hebben zich met de moed der wanhoop geweerd, velen zijn gehuld in de vlag van hun vaandel gestorven. U begrijpt dat Don Frederik na deze overwinning een hoge borst opzet. Hij heeft al een boodschapper naar onze stad gezonden om de overgave op te eisen.'

'Dat nooit!' onderbrak Kenau hem fel.

Ze schrok van haar eigen stem. Hoor wie het zegt, dacht ze, hoor wie het zegt! Het leek oneindig lang geleden dat ze nog geloofde in eerlijk onderhandelen over overgave, opdat er geen bloed zou vloeien en de Haarlemmers ongestoord hun leven konden voortzetten. Wat was ze naïef geweest. Nooit, maar dan ook nooit, mochten ze zich overgeven! Aan de afgezanten van een koning die hen wilde breken, totdat hij aan de noordelijke grenzen van zijn rijk een onderdanig paaps volk overhield, dat hem in slaafse trouw diende en braaf de hoge belastingen ophoestte die hij van hen eiste. Weg was het gevoel van zinloosheid, het werd zomaar verdreven door een gigantische, diep gemeende verontwaardiging.

'Zo mag ik het horen, u bent een vrouw naar mijn hart!' riep Ripperda uit, en even had ze spijt van haar uitroep, omdat ze hem zijn gelijk nog steeds niet helemaal gunde. 'Heeft u de schimpzang nog niet gehoord?'

'Wat voor schimpzang?'

'Zoals u waarschijnlijk wel weet heeft Don Frederik niet alleen Spanjaarden in zijn legers. Er zitten behoorlijk wat Duitse en Waalse huurlingen bij. Sommige Walen zijn tweetalig, ze spreken Frans en Vlaams. 's Avonds staat er steeds een te zingen, ongeveer ter hoogte van de Kruispoort, heel hard zodat wij het goed kunnen horen. Het lied gaat ongeveer zo,' Ripperda zong zacht:

'Christus is opgestanden
Te Haarlem is een buit voorhanden
Dus willen wij allemaal vrolijk zijn
Morgen zal die stad van ons zijn...'

Kenau staarde naar hem en dacht: de wonderen zijn de wereld nog niet uit. Ik zit in een half afgemaakte aak met een zingende gouverneur tegenover me en na de onverschilligheid van daarnet voel ik iets wat dicht bij vertedering komt, al is het gemengd met ergernis. Die ergernis ligt voor de hand, omdat hij een lied van de vijand aan het vertolken is, een lied met een provocerende, angstaanjagende boodschap. Maar die vertedering, als het dat is wat ik voel, vergeef ik mezelf niet.

'Zo proberen ze ons te intimideren,' hervatte Ripperda, 'nu al, voordat de belegering helemaal rond is. Het zijn kleine prikjes in ons zenuwstelsel en we trekken ons er niets van aan, maar toch, de vijand begint op de poort te roffelen. Van onze kant wordt er met man en macht aan de versteviging van de bolwerken, torens en stadspoorten gewerkt. De stad stroomt vol vluchtelingen en daarbij komen ook nog eens de extra manschappen die de Prins ons gestuurd heeft. Daar zijn naast Vlamingen, ook Walen en Duitsers bij. Die moeten allemaal te eten en te drinken hebben en ze moeten ergens slapen. Het kan dus zijn dat we nog veel vaker een beroep op u doen om mensen in te kwartieren, omdat u hier op de werf, aan deze kant van de rivier, zoveel ruimte heeft. Daarbij moet er ook voor ze gekookt worden, de kosten voor die maaltijden zullen natuurlijk vergoed worden door het stadsbestuur.'

'U vraagt nogal wat,' zei Kenau, hoewel ze al wist dat ze tot alles bereid zou zijn om de stad te redden. Het was niet alleen een overweldigend gevoel van opofferingsgezindheid, maar ook een uitlaatklep van jewelste voor de razernij die binnen in haar kolkte. Een razernij, die tot nu toe overheerst was door peilloze, verlammende rouw.

'Weet u, Kenau, u en ik worden verteerd door verdriet, en misschien ook door spijt, of schuldgevoelens... Maar dit zijn geen tijden om eraan toe te geven. De dood staat voor de poorten van Haarlem en het enige wat we kunnen doen is alles op alles zetten om hem de toegang onmogelijk te maken. Daarom ben ik naar u toe gekomen, omdat ik weet dat u een vrouw uit één stuk bent. We hebben sterke mensen nodig, die we kunnen vertrouwen.'

'Wat is er met Duyff gebeurd?' onderbrak Kenau hem.

'Ik heb hem samen met de anderen naar Delft laten brengen. Daar zijn ze ter dood veroordeeld. Die hele geschiedenis heeft nog een staartje gehad. Toen de Prins ter ore kwam dat er verraders in ons stadsbestuur zaten, heeft hij besloten Marnix van Sint-Aldegonde naar Haarlem te sturen. Die is nu bezig een nieuwe magistratuur samen te stellen, daarbij puttend uit leden van de schutterij. Uit hun midden worden vier burgemeesters gekozen, zeven schepenen en tien gemeenteraadsleden, die allen samen onze stad gaan besturen in deze hachelijke tijden.'

'Dat is goed nieuws,' zei Kenau, 'ik hoop dat Hendrik Bastiaensz daar ook deel van zal uitmaken. Die is voor honderd procent betrouwbaar en heeft echt hart voor de stad.'

'Ik geloof dat hij inderdaad een van de burgemeesters wordt. Kent u hem?'

'Hij was een goede vriend van Nanning, mijn man.'

Ripperda keek haar onderzoekend aan. 'Bent u al lang weduwe?'

Kenau aarzelde. 'Vijf jaar...'

'Was hij ziek?'

Ze schoof ongemakkelijk heen en weer op de plank. 'Hij kreeg een klap van een giek tijdens een proefvaart, op zijn slaap. Daardoor is hij bewusteloos in het water terechtgekomen en verdronken.'

'En toen hebt u de touwtjes in handen genomen, ik bedoel, wat de werf betreft...'

Kenau knikte. Wat kon ze eraan toevoegen? Niets. Dit was wat er gebeurd was, zo snel kon een mens sterven. Van de ene minuut op de andere veranderde een ijzersterke man vol leven, plannen, ideeën, tederheid, humor, in een dode.

'Mijn vrouw is twee jaar geleden gestorven,' zei Ripperda, naar zijn handen kijkend, 'ze werd verkouden, kreeg hoge koorts en stierf in enkele dagen aan een influenza die de ronde deed in het noorden. Ze was een gezonde vrouw, sprankelend van levenslust.'

Er viel een vreemde stilte tussen hen. Heel even was de dood weer levensgroot aanwezig.

Ripperda schraapte zijn keel. 'Laat ik u iets leuks vertellen, om u op te beuren voordat ik vertrek.'

Er volgde een anekdote over een Haarlemmer, die vijftien vergiftigde kazen aan de Spanjaarden had weten te verkopen. Ze hadden gretig toegetast, met als gevolg een flink aantal doden in hun vaandel. De commandant was in alle staten en stuurde zeven soldaten eropuit om de arme drommel te pakken. Toen ze hem vroegen waar die kazen vandaan kwamen, zei hij dat hij ze bij een koopman in Amsterdam had gekocht. Ze wilden dat hij hen naar deze koopman zou toe brengen, hij zou ervan lusten, die moordenaar! De Haarlemmer nam hen mee op zijn kar. Het was al donker en de spanjolen hadden er natuurlijk geen idee van waar ze zich bevonden. De beschuldigde zat op de bok en reed een paar mijlen in het rond, waarna hij kalm Haarlem binnenreed, hun op de mouw speldend dat het Amsterdam was. Hij droeg het stel over aan de schout en de volgende morgen hadden ze voor dag en dauw al aan de galg gehangen.

Ripperda lachte en Kenau lachte mee. Het was een minimaal lachje, nauwelijks een lachje te noemen, het lachje van iemand die dwars door zijn wanhoop heen lacht. Niet lang daarvoor meende ze nog dat je je over iemands dood, ongeacht wie het was, nooit vrolijk moest maken. Maar er was iets in haar geknakt, toen op de Dam, en ze was al zover dat ze dacht: dat zijn dan mooi zeven spanjolen minder.

13

Cathelijne probeerde niet naar de deurtjes van de andere bedstee te kijken. Onvoorstelbaar dat het nog maar een paar avonden geleden was dat ze hier samen hadden staan kibbelen. Toen was Geertruide nog vol leven en opwinding geweest en nu was er niets meer van haar over, behalve een beetje as, dat waarschijnlijk samen met resten sneeuw was weggeveegd om het schavot schoon te maken. De herinnering aan hoe ze gestorven was achtervolgde Cathelijne, vol ondraaglijke beelden, alsof het gravures waren in een antiek boek over duivelse praktijken. Ook de herinnering aan de zoon van Ripperda liet haar niet los, zoals hij tot het laatst was blijven zingen, zijn ogen naar de hemel gericht alsof hij hoopte op een plotselinge, goddelijke interventie – als in een sprookje.

Geertruides dood was niet te bevatten en in alle opzichten zo beladen, dat hij een verpletterende schaduw achterliet waarin verdriet, schuldgevoel, verontwaardiging, kwaadheid, gemis, en nog allerlei andere, onbenoembare emoties om voorrang vochten. Ze vroeg zich af hoe ze in deze schaduw verder moest leven, en was er al een paar keer over begonnen tegen Claes. 'Hoe doe jij het, verder leven nadat je hele familie vermoord is?'

Hij haalde zijn schouders op en zei: 'Leven kan ik het niet noemen, maar dood ben ik ook niet. Dus ga ik maar gewoon door met ademen en doe wat me gevraagd wordt. Werken helpt, het leidt me af, en gelukkig is er aan werk geen gebrek hier.'

Zijn woorden bevatten weinig troost, maar wel praktische raad: werken. Daaraan zou ook zij geen gebrek hebben de komende tijd, want haar moeder had haar de verantwoordelijkheid voor de maaltijden gegeven. Maaltijden voor de ingekwartierde vluchtelingen, en voor een groep huursoldaten die ook hierheen gestuurd zou worden.

In een van de loodsen zouden ze een keuken improviseren, er moest op grote schaal voedsel ingekocht en twee maal per dag gekookt worden. Ze zag de kolossale hoeveelheden al voor zich, pannen vol die nauwelijks te torsen waren. Mechteld zou haar inwijden in de kunst van de voedselbereiding. Want hoe kookte je pastinaken, bonen, soep of gortepap, hoe moest je vlees braden, vis bakken, eieren koken, stoofpotten bereiden? Ze had altijd gemakzuchtig gegeten wat de meid opdiende, zonder zich af te vragen hoe het was klaargemaakt.

Haar moeder had haar vandaag deze opdracht gegeven. Het was, sinds Geertruides dood, de eerste keer dat ze tegen haar sprak, kortaf en op beveltoon, met een onverwachte hardheid in haar ogen. Ze hadden in die verschrikkelijke dagen geen enkele vorm van troost bij elkaar gezocht, geen woord gewisseld over het gebeurde, geen traan gelaten. Haar moeder deed of ze het alleenrecht had op het verdriet om haar dochter, of alleen zij door het lot zo zwaar op de proef was gesteld en recht had om te lijden. Het leek wel of ze Cathelijne wilde straffen met haar barse, lijdzame stilzwijgen, waardoor die zich nu dubbel eenzaam voelde, alsof ze niet alleen haar zus had verloren, maar ook haar moeder.

Terwijl ze zich bij het licht van een flakkerende kaars uitkleedde, kwam haar moeder zomaar, onverwacht binnen. Cathelijne dacht dat ze allang sliep en schrok.

'Ergens hier moet nog een deken liggen,' zei haar moeder nors, een kastdeur opentrekkend.

Cathelijne verstijfde. Daar stond de vrouw die haar gebaard had, in haar nachthemd, het donkere haar in een vlecht, ongeduldig zoekend in de linnenkast. Ze keek naar haar moeder en voelde een dreiging die van haar uitging. Ze bewonderde haar, dat wel, maar al haar zenuwen spanden zich in haar nabijheid. Ook vroeg ze zich voor het eerst in haar leven af of ze haar eigenlijk wel mocht. Dat was een rare vraag, die vereiste dat je afstand nam van iemand, al stond die je nog zo nabij. Maar ja, die afstand was er en was door haar moeder zelf gecreeerd.

Kenau had gevonden wat ze zocht en keerde zich om met de deken in haar armen. 'Wat heb je daar om je hals?' vroeg ze.

Cathelijne tastte naar het gouden kettinkje met het kruisje, dat glansde in het licht van de kaars. 'Ze heeft het me gegeven... Die avond, voordat ze vertrok. Ze zei dat ze niet meer in die onzin geloofde en dat ik het voortaan maar moest dragen.'

Het was stil. Het langzaam dovende vuur in de haard suisde en Cathelijne verbeeldde zich dat ze het stromen van het bloed in haar aderen kon horen, zwaar en traag, net als haar leven dat moeizaam geworden was, heel erg moeizaam.

'Waarom heb je me niet gewaarschuwd, die avond?' zei haar moeder schor.

'Ik moest beloven dat ik niets tegen u zou zeggen...'

'Zoiets beloof je toch niet! Het ging om haar leven!'

'Dat wist ik toch niet. Trouwens, zelfs als ik u gewaarschuwd had zou ze toch zijn gegaan. Ze was... ze was zo vastbesloten.'

'Ik had haar tegengehouden,' zei haar moeder bits, 'al had ik haar op moeten sluiten.'

Cathelijne zuchtte. 'Ma... Ze was met geen tien paarden te houden.'

'Je hebt me niet eens de kans gegeven om het te proberen.' Haar moeder keek haar verwijtend aan, de kin uitdagend geheven. De deken had ze naast zich neergelegd, op de houten bruidskist.

Zie haar daar staan, dacht Cathelijne, in die voor haar typische houding: de benen iets uit elkaar, de voeten naar buiten, de handen in de zij. Zo staat iemand die klaar is voor een gevecht, ze zoekt ruzie met me. Ze wil iemand de schuld kunnen geven. Ik was altijd al haar zondebok, waarom dan nu niet? Ineens kon ze zich niet langer beheersen. 'U denkt dat u alles kunt,' riep ze met overslaande stem, 'dat u alle touwtjes in handen heeft en dat iedereen u maar blind moet gehoorzamen. Maar u heeft het mis. Andere mensen hebben ook een wil en die kan sterker zijn dan die van u. Veel sterker. Trouwens...' Ze aarzelde en voegde er zacht aan toe: 'Ik heb ook verdriet, net als u, en ik verlang naar troost, in plaats van verwijten!'

Van pure verbazing wist Kenau niet wat ze moest zeggen, ze was er niet aan gewend zo te worden toegesproken, en zeker niet door haar oudste dochter. Na de verbazing verscheen woede op haar gezicht. Ze deed een stap naar voren.

Cathelijne deed een stap naar achteren. Even had ze de indruk dat haar moeder haar wilde slaan.

'Durf je wel, zo'n grote mond op te zetten, na alles wat er gebeurd is? Ik ken je niet terug zo... Ik zie wel dat ik geen enkele steun van je hoef te verwachten!' riep Kenau.

Ze was nu heel dichtbij gekomen, in het halfduister schitterden haar ogen van verbolgenheid. Opnieuw deed Cathelijne een stapje terug. Ze kon de lijfelijke nabijheid van haar moeder niet verdragen.

'Geen enkele steun,' herhaalde die, 'de enige die me altijd tot steun was is er niet meer. Ik wou dat...'

'Dat ík op de brandstapel was gestorven.' vulde Cathelijne aan.

Haar moeder zei niets. Er kwam noch een ontkenning, noch een bevestiging over haar lippen. Ze bleef nog even zo staan, draaide zich om, griste de deken mee en verdween door de deur naar haar kamer.

De volgende dag waren Cathelijne en Claes druk in de weer om in de loods met planken en schragen een keuken in te richten. De dochter van een van de families die een hoek in de loods toegewezen hadden gekregen, hielp mee. Ze heette Mathilde en was van dezelfde leeftijd als Cathelijne. Het was een mollige meid, met steil blond haar en kuiltjes in haar wangen. Het klikte meteen tussen hen, vanaf de eerste dag al leek het of ze een verbond gesloten hadden, zonder dat er een woord aan te pas kwam. Mathilde had haar somberheid gezien en haar aan het lachen gemaakt, terwijl ze samen een reusachtige pan vol kool en pastinaken sneden voor de eerste warme maaltijd die de vluchtelingen kregen, onder het toeziend oog van Mechteld. Mathilde had van een pastinaak een poppetje gesneden, met grote vaardigheid, alsof ze nooit iets anders deed. Het pastinaakmannetje keek zo koddig de wereld in dat Cathelijne in de lach was geschoten. Een gevoel van opluchting had haar bekropen, niet voor lang, maar het was er, als een deur die op een kiertje werd gezet en aan de andere kant een uitnodigend landschap deed vermoeden.

Terwijl het eten boven een korf met vuur hing te pruttelen vroeg Mathilde langs haar neus weg: 'Heb je wel eens een pasgeboren kalfje gezien?'

Cathelijne schudde haar hoofd.

'Kom maar mee.'

Achter de loods, in een oude schuur, was het vee ondergebracht dat de gevluchte boeren mee hadden kunnen nemen.

Ze hurkten neer bij een kalfje, dat niet meer dan enkele dagen oud kon zijn. Het had een witte vlek op zijn voorhoofd en wijd uitstaande oren, helemaal open om zo veel mogelijk geluiden uit de nieuwe, onbekende wereld op te vangen.

'Hij vindt het lekker om te sabbelen,' zei Mathilde, 'je kunt rustig een vinger in zijn mond steken.'

Voorzichtig duwde Cathelijne haar middenvinger tussen de zachte lippen. Het kalfje begon meteen te zuigen alsof zijn leven ervan afhing. Terwijl ze daar zo zat, op haar hurken, en naar de pasgeborene keek die zo gretig was om te leven, kreeg ze een brok in haar keel. Ze was vergeten dat het leven zich steeds weer vernieuwde, vol wilskracht en onstuimigheid. Het contrast met de rouw om Geertruide was zo groot, dat de tranen uit eigen beweging over haar wangen stroomden. Ze veegde ze met de rug van haar hand weg, geërgerd, maar ze kon wel aan de gang blijven, zo onstuitbaar was de tranenvloed die zich buiten haar wil om een weg naar buiten baande.

'Waarom huil je?' vroeg Mathilde, haar lichtblauwe ogen wijd open.

Cathelijne schudde haar hoofd, woordeloos. Hoe zou ze ooit over haar lippen kunnen krijgen wat er was gebeurd, en wat de gevolgen ervan waren?

Mathilde sloeg een arm om haar schouders. 'Mij kun je het wel zeggen hoor, ik zal het echt niet verder vertellen.'

Door dat tedere gebaar brak haar weerstand. Haar verhaal baande zich een weg naar buiten, met horten en stoten, misschien wat onsamenhangend hier en daar, en emotioneel gekleurd, maar de verschrikking ervan tekende zich meer en meer af op het ronde gezicht van Mathilde. Het kalfje was warm onder haar hand, ze bleef de zachte vacht strelen, terwijl aan de vingers van haar andere hand onvermoeibaar gesabbeld werd. Het leek of er een directe verbinding bestond tussen de plek waar haar tranen vandaan kwamen en de levensdrift in het pasgeboren dier, op een onbegrijpelijke manier die zich aan het oog onttrok.

Nadat ze alles verteld had, zelfs over de aanvaring met haar moeder van de vorige avond, voelde ze zich opgelucht.

'Kom,' zei Mathilde, overeind komend. Ze trok Cathelijne mee omhoog tot ze beiden stonden en omarmde haar, zonder iets te zeggen, zonder commentaar te geven. Cathelijne wist niet hoe lang ze daar zo stonden, het ene warme lijf tegen het andere, ze wist alleen dat ze zich vrij van schuld voelde toen ze ten slotte terugliepen naar de loods. Het was of ze een verstikkende last van zich had afgeworpen.

Inmiddels waren er nieuwe vluchtelingen aangekomen in de loods. Ze belandden in een chaos van ontredderde families, huilende baby's, blaffende honden, boze boeren. Kenau probeerde samen met Jacob enige orde te scheppen. Ze zag er bars en vermoeid uit, en deelde commando's uit alsof ze de kapitein op een schip in nood was. Ze is een ongenaakbare vrouw, dacht Cathelijne, die toevallig mijn moeder is.

Zodra Kenau haar dochter zag, stevende ze op haar af. Ik kan die kop niet meer zien, kreunde Cathelijne van binnen. Maar er was geen ontkomen aan.

'Er moet vanavond voor twintig man extra gekookt worden,' zei haar moeder, 'ik ga nieuwe voorraden halen.' En weg was ze weer.

'Ik help je wel,' zei Mathilde, zachtjes in haar hand knijpend.

Laat in de middag liep Cathelijne samen met Mathilde naar huis, om even weg te zijn uit het tumult in de loods. Juist toen ze de voordeur wilden binnengaan kwam haar moeder aangelopen.

'Dag mevrouw,' zei Mathilde, beleefd glimlachend.

'Jij bent toch een van de vluchtelingen?' vroeg Kenau, terwijl ze de deur opende.

'Jawel mevrouw.'

Kenau had duidelijk andere dingen aan haar hoofd. Ze liepen achter haar aan het huis in, in de verwachting daar niemand anders dan Mechteld aan te treffen. Maar in de woonkeuken zat tot hun verbazing een jonge officier, die zijn gelaarsde benen voor het gemak op de tafel had gelegd. Hij was niet alleen. Een soldaat was bezig de haard aan te maken, twee anderen scharrelden in de keukenkast, op zoek naar eten. Een jongeman met een opvallende bos bruine krullen had al een flink stuk kaas weten te bemachtigen en staarde hen met volle mond aan.

Mechteld vloog in paniek op hen af. 'Mevrouw, ik kon er niks aan doen. Ze zijn hier gewoon binnengevallen en doen alsof alles van hullie is. Het is zulk brutaal volk! En ze spreken een koeterwaals waar je geen touw aan vast kunt knopen!

Kenau posteerde zich wijdbeens voor de indringers en riep, met uitgestrekte vinger naar de deur wijzend: 'Eruit jullie! Mijn huis uit!'

De indringers staarden haar glazig aan alsof ze immuun waren voor haar verontwaardiging. Toen begon er bij de officier iets te dagen. Traag haalde hij zijn benen van de tafel en kwam hij overeind uit zijn stoel. Ironisch saluerend zei hij: 'Enchanté madame! On m'a dit que vous auriez un lit pour nous.'

Kenau keek hem niet begrijpend aan.

'Ziet u wel,' zei Mechteld klaaglijk, 'er komt geen normaal woord over hun lippen.'

De soldaat met de krullen deed een stap naar voren en boog met lichte spot. 'Staat u mij toe, madame, om het te vertalen. Men heeft ons verteld dat u een bed voor ons heeft.'

'Wie heeft u dat wijsgemaakt?'

'Madame, quelle bienvenue ici,' riep de officier verwijtend. 'Nous sommes venus quand-même pour défendre votre ville, non?'

'Het lijkt wel of we niet welkom zijn, en dat terwijl we hier zijn om voor u en uw stad te vechten,' vertaalde de soldaat, tersluiks naar de twee jonge vrouwen kijkend die schuin achter Kenau stonden.

Cathelijne keek terug, heel even zag ze een lachje om zijn lippen. Nu pas leek tot haar moeder door te dringen wie ze voor zich had.

'Ah, dus jullie zijn de huurlingen uit Wallonië! Stel het maar niet mooier voor dan het is, jullie zijn hier om geld te verdienen! Als de Spanjaarden meer hadden betaald, dan hadden jullie nu aan de andere kant van de stadsmuur gezeten.'

De soldaat hief zijn handen in onschuld en trok een grimas.

'Qu'est-ce-qu'elle a dit?' vroeg de officier.

De ander vertaalde het.

'Quelle pisse salope ingrate,' siste de officier, met vlammende ogen naar Kenau kijkend.

'Wat zegt hij?' vroeg haar moeder, niet onder de indruk van zijn blik.

'Mijn superieur zegt dat Hollandse vrouwen zo vurig zijn als strijdrossen,' lachte de soldaat.

'Jullie moeten in de houtloods op de werf zijn, aan de oever van de rivier,' zei Kenau streng, alsof ze een groep kinderen terechtwees. 'Daar zijn britsen voor jullie neergezet.'

Nadat de soldaat dit vertaald had kwamen de mannen in beweging. Een van hen griste nog gauw een stuk brood mee, dat op een plank op de tafel lag. Het hele stel liep onwillig naar de deur, alsof ze nu al een nederlaag hadden geleden en het niet wilden toegeven. Toen de soldaat met de bruine krullen langs Cathelijne kwam drukte hij haar met een knipoog het stuk kaas in de hand. De afdruk van zijn tanden zat er nog in, zag ze. Ze wilde het hem teruggeven, maar hij was al weg voor ze het wist.

'Wat een gespuis,' zuchtte haar moeder, 'en dat moet onze stad verdedigen.'

14

Het wemelde van de mensen aan de oevers van het Spaarne, vlak bij de Schalkwijkerpoort. Er werden goede zaken gedaan, sledes vol groenten en uien en pastinaken, spek, worst, wild, vet, gedroogde bonen en eieren waren die ochtend al vroeg in de stad verschenen en de Haarlemmers verdrongen zich voor de geïmproviseerde stalletjes om zo veel mogelijk te hamsteren, voordat de Spanjaarden in een gesloten kordon rond de stad zouden liggen. Er kwamen wolkjes warme adem uit de neusgaten van de paarden die de sledes daarheen gebracht hadden, ze stonden geduldig te wachten tot het vertrouwde geklikklak ze weer tot actie zou manen, lappen stof rond hun hoeven om niet uit te glijden op het gladde ijs.

Kenau had zichzelf die morgen moeten dwingen om op pad te gaan. Ze had de behoefte om alleen te zijn en zich in alle rust over te geven aan haar verdriet, om de tijd te hebben om te rouwen. Maar de politieke situatie stond dat niet toe. Er moest voedsel ingeslagen worden voor tientallen hongerige magen, elke dag kwamen er nieuwe daklozen en huursoldaten bij in de loodsen. Alleen al de hoeveelheden pastinaken die er dagelijks doorheen gingen waren bijna niet aan te slepen.

Ze was met paard en wagen gekomen. Een koopman had een mud pastinaken op haar kar geladen en Kenau trok haar beurs om af te rekenen.

'Dat is dan dertig penningen,' zei hij, zich in zijn handen blazend.

'Bent u helemaal een haartje betoeterd?' riep Kenau verontwaardigd. 'Een mud kost vijftien penningen!'

'Het zijn uitzonderlijke tijden, mevrouw. We komen helemaal uit de Kaag, wees blij dat we jullie kunnen bevoorraden.'

'Heeft u geen hart? Ik heb tientallen extra monden te vullen, daar heb ik ook niet om gevraagd. Jullie maken schaamteloos misbruik van de situatie!' Dit zou ze nooit lang voor kunnen schieten.

De koopman kneep zijn lippen samen, duidelijk beledigd. 'Dan laden we die handel toch weer af...'

Hij wenkte zijn vrouw, een dikke boerin met sluwe oogjes. 'Marie, help es effetjes om die zakken weer af te laden.'

Maar Kenau trok kwaad de gevraagde munten uit haar beurs. Er zat niets anders op dan de profiteur te betalen. Ze moest gauw met Ripperda gaan praten over de vergoedingen door het stadsbestuur. Nauwelijks had ze betaald of ze werd afgeleid door een enorm gekrakeel, iets verderop langs de rivier. Er was een opstootje, mensen stroomden toe, scheldwoorden doorkliefden de lucht alsof het eerste geschut van de Spanjaarden al werd afgevuurd. Kenau kneep haar ogen half dicht tegen het schelle winterlicht van de zon en meende te midden van de kluwen mensen Duyffs minnares Magdalena te ontwaren. Ze wendde haar paard, liet de kar achter bij een koopman en verzocht hem er een oogje op te houden, de man enkele stuivers in de hand drukkend.

Daarna baande ze zich een weg door de menigte. Dat viel niet mee, iedereen drong naar voren om niets te hoeven missen. Recht voor zich, tussen de nieuwsgierige meute door, zag ze dat een marktkoopman Magdalena met een stok op haar hoofd sloeg, terwijl een vrouw aan haar haren trok. De mensen duwden haar heen en weer en trokken aan haar kleren. Een straaltje bloed gleed langs haar slaap, haar ogen waren vervuld van angst.

Met moeite lukte het Kenau door de menigte heen te dringen. 'Zijn jullie gek geworden?' riep ze. De mensen namen wat afstand. Er waren erbij die haar herkenden en wisten dat er met deze vrouw niet te spotten viel. 'Wat is er in godsnaam aan de hand?'

De koopman draaide zich traag om en keek Kenau met een frons aan. 'Die hoer heeft een brood gestolen,' zei hij nijdig.

'Spoel je mond, jij lafaard. Kun je wel, een vrouw slaan? Ik betaal dat brood, hier, pak aan. Het wisselgeld hoef ik niet, daar heb jij met je gore klauwen aan gezeten.'

De koopman was even van zijn stuk gebracht. Hij verkeerde nog helemaal in de roes van zijn woede om het gestolen brood, maar tegelijkertijd was hij ondanks zichzelf geïntimideerd door het daadkrachtige vrouwmens dat het waagde hem de les te lezen en hem ook nog eens een geldstuk toestak, dat vele malen de waarde van het brood overtrof. Een rijke vrouw met belangrijke relaties? Kon hij hier nog last mee krijgen? Hij snoof vol verachting om zijn gezicht te redden, maar griste de munten uit haar hand en beende weg. Kenau trok Magdalena met zich mee, de mensen weken verbouwereerd uiteen om hen door te laten.

Magdalena was een schim van de elegante vrouw die ze was geweest toen ze nog in het gezelschap van Duyff verkeerde. Haar knappe gezicht was doorschijnend bleek, ze had magere, vooruitstekende jukbeenderen en diepe kringen onder de ogen. Haar mantel was vuil en gescheurd en niet op de kou berekend. Schichtig liep ze achter Kenau aan, als een hond die nog meer slaag verwacht. Bij de kar aangekomen draaide Kenau zich om.

'Hoe komt het dat je er zo belabberd aan toe bent?' vroeg Kenau.

'Alle bezittingen van Duyff zijn verbeurdverklaard,' zei ze met neergeslagen ogen, 'ik heb niets meer en ik kan nergens heen.' Haar stem was hees, tussendoor hoestte ze.

'Als je zijn wettige vrouw was geweest had de kerk je wel opgevangen,' zei Kenau. Ze voelde zelf hoe preuts en belerend het klonk, maar ze kon niet anders. Ze herinnerde zich nog goed hoe Magdalena naast Duyff had gezeten toen ze naar het schip kwamen kijken. Opgedoft als een hoer en hij ernaast vol domme arrogantie, apetrots op zijn mooie, wulpse slavin.

'Ik had hem kunnen redden, toen bij u op de werf, door mijn mond te houden, dan was ik er nu heel wat beter aan toe geweest.' Ze keek Kenau smekend aan.

'Waarom heb je dat dan niet gedaan?'

'Ik dacht aan de stad,' zei ze, opnieuw hoestend, 'en aan al die mensen die er wonen. Wat hun lot zou zijn als de Spanjaarden binnentrokken. Bovendien...' ze aarzelde, 'haatte ik hem zo. Ik verdroeg zijn lijfelijkheid gewoon niet meer, zijn worstachtige vingers, zijn dikke rooie kop, zijn achterbaksheid, gluiperigheid, onbetrouwbaarheid, gierigheid, geilheid, vraatzucht...'

'Ik begrijp het,' onderbrak Kenau de opsomming, die eindeloos dreigde te gaan duren. 'Rest de vraag hoe je in zijn gezelschap verzeild bent geraakt, dat moet je me toch eens vertellen.'

'Het is geen verheffend verhaal,' zei Magdalena, beschaamd naar de grond kijkend.

'Dat moet dan maar wachten. Heb je nog kracht om op de bok te klimmen of moet ik je een handje helpen?'

Magdalena wierp haar een dankbare blik toe en klauterde onhandig op de kar.

Nadat Kenau in de loods met vluchtelingen een bed voor haar had gevonden en Cathelijne opdracht had gegeven haar flink bij te voeden, liep ze de werf op om enkele mannen te vragen de zakken van de kar te laden.

Er scheen een waterig zonnetje door de wolken, aan de overkant van het Spaarne lag de stad er stil en kwetsbaar bij. Ze huiverde en keek naar de lucht. Een zwerm hongerige meeuwen streek met een grote bocht neer op het ijs. Zij konden gewoon wegvliegen als het gevaarlijk werd, maar zelf zat ze als een boom aan dit stukje aarde vast. Aan de werf, die Nanning met veel zweet verder had opgebouwd, aan het huis, aan de stad die ze op haar duimpje kende en die haar zo vertrouwd was als haar eigen lichaam.

Ineens viel haar oog op de top van de mast van de Magdalena. De rode onderrok van Geertruide, die toen zo fier en veelbelovend in de wind gewapperd had, hing treurig en bevroren naar beneden. Was ze halfblind geweest, iedere keer dat ze hierlangs was gelopen? De aanblik trof haar als een dolksteek. Een duizeling beving haar en om niet te vallen greep ze naar de rand van een verveloze roeiboot, die schuin op de werf lag. Daar hing hij, de rode rok die herinnerde aan de spontaniteit van Geertruide. Weer zag ze haar dochter als een kat naar boven klimmen om de rok vast te maken, en weer klonk het gejuich van de scheepsbouwers. De herinnering was even mooi als schrijnend. Wat was ze boordevol leven geweest, vol verrassingen, vol uitbundigheid. En zo adembenemend mooi, zo beeldschoon daar boven in die mast met haar wapperende rode krullen. Ze kon de aanblik niet verdragen en rende een loods in op zoek naar Jacob.

Die stond gebogen over de bouwtekening van een nieuw soort oorlogsschip. Met een diepe frons keek hij op van zijn werk toen ze binnenkwam. Hij ontspande toen hij zag dat zij het was en legde zijn ganzenveer neer. Hij wordt oud, dacht Kenau, naar de groeven in zijn gezicht kijkend. Ik ben ook oud geworden, honderd jaar ouder op de dag dat mijn dochter stierf.

'Jacob, haar onderrok hangt nog steeds aan de mast. Wil je een van de jongens vragen hem eraf te halen?'

Jacob schoof zijn stoel naar achteren en stond op.

'Het hoeft niet meteen,' zei ze sussend.

'Jawel, het is een grove nalatigheid dat die er nog hangt. Ik regel het meteen, u kunt hem meenemen als u wilt.'

'Meenemen?' Daar had ze nog niet over nagedacht. Wat moest ze ermee? Ze wilde alleen niet dat hij nog boven in die mast hing.

Bedremmeld liep ze achter Jacob aan. Die hoefde maar met zijn vingers te knippen of een van de leerjongens was al, rap als een eekhoorn, in de mast geklauterd. Hij rukte de rok los en kwam even snel weer naar beneden. Hij overhandigde het stijf bevroren ding aan Jacob. Die bedankte de jongen, legde even zijn eeltige hand op diens schouder en gaf de rok toen aan Kenau.

Thuisgekomen trof ze niemand aan. Het vuur in de haard was bijna uit. Ze rilde en bukte om aanmaakhout uit een mand te halen. Het duurde even voordat het vlam vatte en ze er turf bij kon doen. Daarna hield ze de bevroren rok bij het vuur. Pas toen de dikke baaien onderrok ontdooid was en bijna droog ging ze ermee aan de tafel zitten. Ze liet haar vingers over de ruwe stof glijden, ooit door ververs in Roermond rood geverfd met meekrap, tot rok genaaid door een Haarlemse kleermaker en enkele winters lang gedragen door Geertruide. Ze rook eraan, maar de geur van haar dochter was eruit gewaaid, daarboven in die mast. De rok rook voornamelijk naar vocht, misschien zelfs een beetje naar de zee.

Er gleden tranen over haar wangen, stil en haast onmerkbaar. Ze veegde ze bruusk weg. 'Dit zijn geen tijden om toe te geven aan ons verdriet, de dood staat voor de poorten van Haarlem,' had Ripperda gezegd. Wat een zwakheid om te zitten snotteren aan de keukentafel. Geërgerd stond ze op. Met de rok in de hand liep ze naar het vuur. Maar ze bedacht zich, opende de deur van de linnenkast en frommelde de rok onder in een la.

Op hetzelfde ogenblik viel de klopper met een zware dreun op de deur. Ze schrok. De laatste keer dat de klopper dat geluid had gemaakt was toen Claes voor de deur stond, in de moordende kou, met zijn gruwelijke verhaal. Daarmee was alle ellende begonnen, alsof hij een boodschapper des onheils was geweest.

Ze liep naar de deur en trok hem wantrouwend open.

'Het is té erg, té erg wat je is overkomen.' Hoofdschuddend kwam Hendrik Bastiaensz binnen.

'Mijn lieve...' Hij spreidde zijn armen en drukte haar aan zijn borst en hield haar vervolgens op een armlengte van zich af. 'Je bent door het noodlot getroffen. Een kans van één op de duizend, dat je zoiets overkomt. Goed dat Nanning het niet mee heeft hoeven maken.'

Kenau knikte. Die gedachte was elke dag wel een paar keer door haar heen gegaan.

'Ik heb het twee dagen geleden pas gehoord, van Ripperda, de arme kerel heeft hetzelfde door moeten maken. Ik had eerder naar je toe willen komen, maar we hebben het zo druk, ik weet soms van voren niet of ik van achteren nog leef. Ze hebben druk op me uitgeoefend om burgemeester te worden en ik, idioot, heb ja gezegd. Maar ja, ik kan mijn stad nu niet in de steek laten.'

'Daar heb je goed aan gedaan Hendrik,' zei Kenau, 'betrouwbare mannen als jij hebben we nu hard nodig.'

'En hoe gaat het nu met je?'

Ze haalde haar schouders op. Bestonden er woorden om tot uitdrukking te brengen hoe het met haar ging?

'Je bent een sterke vrouw, Kenau, je aanvaardt het leven zoals het op je afkomt. Dat heb je meermalen bewezen. Je komt eroverheen, met Gods hulp.'

'Praat me niet van God,' zei ze vinnig, 'hij heeft ons in de steek gelaten.'

'Ik begrijp dat je er zo over denkt, maar wat er gebeurd is heeft niets met Hem te maken. Het is een politiek spel waarvan je dochter, de zoon van Ripperda en nog een stel jeugdige Haarlemmers het slachtoffer zijn geworden. Het gebeurt haast nooit dat beeldenstormers zo zwaar gestraft worden, en dat na zo'n schandalig kort proces. Amsterdam heeft ons gewoon een loer willen draaien, om duidelijk te maken aan wiens kant ze staan. Ze zijn nog steeds trouw aan Spanje en maken ons op deze manier duidelijk dat we van hen geen enkele steun hoeven te verwachten. Integendeel, het is een soort oorlogsverklaring aan Haarlem. Zo zie ik dat.'

Kenau staarde hem met open mond aan. 'Bedoel je dat mijn dochter het eerste slachtoffer is in de strijd om Haarlem?'

'In zekere zin wel ja. En als we niet alle zeilen bijzetten, gaan we er allemaal aan, hier in de stad. Daarom... Ik hoop dat ik op je kan rekenen. Ik weet dat je al een groot aantal vluchtelingen en huursoldaten hebt ondergebracht en te eten geeft. Dat is geweldig. Als alle vrouwen van onze stad op die manier de handen uit de mouwen steken, maken we misschien een kans de belegering te overleven.'

'Op mij kun je rekenen, Hendrik,' zei Kenau, verbaasd over haar eigen felheid. 'Hoe ver zijn de Spanjaarden nu eigenlijk met de belegering? Door de mist van de afgelopen dagen kon je bijna niets zien wanneer je vanaf de vestingmuren naar beneden keek. Je hoorde alleen een hoop gecommandeer in allerlei talen.'

Ze waren inmiddels in het achterhuis en Hendrik was op een stoel bij het haardvuur gaan zitten. Kenau schonk twee kroezen bier in en trok er nog een stoel bij.

'Ik wil je niet bang maken,' begon Hendrik, nadat hij een flinke slok van zijn bier genomen had, 'maar volgens onze goed ingelichte spionnen wordt de stad op dit moment omsingeld door een leger van zo'n veertienduizend man. Er zijn maar liefst zesendertig Spaanse compagnieën, onder bevel van Romero, Braccamonte en Don Frederik zelf. Verder schijnen er tweeëntwintig Waalse vaandels te zijn en zestien Duitse. De Spaanse regimenten zijn voornamelijk ten noorden van onze stad gelegerd, Don Frederik heeft het Huis ter Kleef voor zichzelf opgeëist, dus die heeft het goed voor elkaar in het kasteel van de Brederodes. De anderen verblijven in het Reguliersklooster en het Leprooshuys. Die hadden we natuurlijk af moeten branden, maar nu is het te laat. De huurlingen uit Wallonië hebben hun tenten in Overveen en in de Hout opgeslagen. De Duitsers liggen voornamelijk bij Aerdenhout. En in het kielzog van al die manschappen is er ook nog eens een compleet leger knappe, vurige hoeren meegekomen, heb ik me laten vertellen.' Hendrik hoestte discreet achter zijn hand. 'Dus de heren komen niets tekort. Je ziet, we zijn aan drie kanten omsingeld, behalve aan de oostkant natuurlijk, aan de kant van het Meer. Onze bevoorrading zal dan ook voornamelijk over het ijs moeten plaatsvinden, en dat is nu al zeer urgent, want we hebben maar drie ton buskruit in de stad. Laat de Spanjaarden het niet horen. Niemand weet hoelang we onze musketten kunnen vullen als het zover is. Daar komt bij dat we maar één kanon hebben, van acht pond, dat stelt niets voor als je weet dat zij er veertien hebben, met een kaliber van maar liefst veertig en zestig pond. Enorme muurbrekers zijn het, ze worden de "Vliegen van Namen" genoemd omdat er bromvliegen in het ijzer zijn gesmeed, als decoratie. Dit heb ik allemaal van horen zeggen natuurlijk, maar zelfs als de informatie overdreven is klinkt het al behoorlijk afschrikwekkend.'

'Waar beschikken wij eigenlijk over, qua manschappen?'

'Om te beginnen hebben we het vaandel van Ripperda, voorts heb je er vier van Steenbach, Wittenberg en Vader. Dat zijn voornamelijk huurlingen uit Bremen en omstreken. Voorts hebben we aardig wat Walen. En dan zijn daar, niet te vergeten, de leden van onze schutterij, die natuurlijk ook ingezet worden in de strijd. Echt veel is het niet, er zijn al koeriers en postduiven naar de Prins van Oranje gezonden met een smeekbede om meer mannen te sturen.'

'En vrouwen?'

'Wat bedoel je?'

'Wat ik zeg. Worden vrouwen niet ingezet bij de verdediging?'

'Je bedoelt als onderdeel van de strijdkrachten?'

'Ja, waarom niet?'

Hendrik schudde meewarig zijn hoofd en nam nog een slok. 'Dat is toch ondenkbaar, Kenau, onze vrouwen en dochters blootstellen aan vijandelijk vuur, aan zwaarden en hellebaarden, aan de razernij en moordzucht van vijandelijke legers.'

'Wat denk je dat die legers met die vrouwen doen als ze het beleg winnen? Denk je dat ze de maagdelijkheid van onze dochters zullen respecteren? Pasgeborenen rustig in de wieg laten liggen? Een slaapliedje voor ze zingen misschien? Denk je dat ze ons in leven zullen laten? Je weet toch wat ze met de vrouwen van Mechelen, van Naarden en van Zutphen hebben gedaan?'

Hendrik boog zijn hoofd en staarde zwijgend in het vuur. 'Dat weet ik, ja,' zei hij ten slotte zacht, 'daarom heb ik mijn gezin ook weggestuurd naar veiliger oorden.'

'Die hebben geluk gehad, maar de meeste vrouwen zijn hier, sterker nog, er zijn er heel wat bijgekomen met al die vluchtelingen. Neem mij nou, ik zou de mannen graag bijstaan daarboven op de wallen, ik ben er klaar voor om onze stad te verdedigen tegen die schoften.'

'Kenau, je weet niet wat je zegt,' kreunde Hendrik, 'je hebt nog nooit een wapen vastgehouden. Nanning zou zich in zijn graf omdraaien wanneer jij je zou blootstellen aan een dergelijk gevaar, en hij zou mij alsnog vervloeken als ik je zou aanmoedigen in je dwaze ideeën!'

'Nanning is dood, hij kan niets meer voor ons doen, wij moeten onszelf zien te redden,' zei Kenau ontevreden.

'Hoe dan ook,' hervatte Hendrik, 'er is voor jullie vrouwen genoeg te doen. Jullie hebben gesjouwd als kerels, de afgelopen week, samen met de mannen. De vestingmuren zijn zo goed mogelijk hersteld, de wallen verzwaard, rondom de stad zijn bomen gerooid, struiken, huizen en molens afgebroken of in brand gestoken, onze grachten zijn uitgediept, er zijn schansen opgeworpen, de huizen die tegen de vestingmuren staan zijn ontruimd, er zijn bruggen versperd. Bij een rondwandeling door de stad val je van de ene verbazing in de andere. Het is een heel andere stad geworden. We hebben er echt alles aan gedaan om ons voor te bereiden en we kunnen, dat durf ik gerust te zeggen, het beleg ondanks alles met een zeker vertrouwen tegemoetzien.'

'Hum,' bromde Kenau, ze deelde Hendriks plotselinge optimisme niet.

'Bovendien begint Don Frederik niet bepaald van harte aan deze belegering, heb ik begrepen. Weet je, de meeste belegeringen vinden plaats vanaf de lente tot halverwege de herfst. Dan is er voldoende voedsel aanwezig in de naaste omgeving, en de soldaten krijgen niet met kou, vocht en modder te maken. Vooral de Spanjaarden zijn slecht opgewassen tegen de lage temperaturen in onze streken. Ze gaan het dus moeilijk krijgen, heel moeilijk. Het jaargetijde en ons klimaat zijn sterke wapens, die voor ons pleiten. Bovendien hoeven wij niet in tenten te bivakkeren, ik krijg het al koud als ik eraan denk. Don

Frederik schijnt ervan uit te gaan dat onze stad zich binnen enkele dagen zal overgeven. Bovendien heeft hij een lage dunk van onze weerbaarheid, van onze kwaliteiten als vechters. Kortom, hij gaat ervan uit dat het een peulenschil zal zijn, die hele belegering.'

Hendrik leegde zijn glas en stond op. 'Kom, ik moest maar eens gaan, er is nog zoveel te doen. Luister, Kenau...'

Zij was ook overeind gekomen. Hij legde een hand op haar bovenarm en keek haar ernstig aan. 'Het kan nu ieder moment beginnen, ik wil dat je dat weet. Als ik ook maar ergens mee kan helpen, je weet me te vinden. Ik ben thuis of in het stadhuis, of in de Doelen voor de zoveelste vergadering.'

'Dank je Hendrik, wij redden ons wel. Ik heb nog één vraag, voordat je vertrekt. Ik moet iedere dag tientallen monden voeden en de voedselprijzen zijn al verdubbeld tot verviervoudigd. Tot nu toe heb ik het allemaal voorgeschoten, maar de bodem van mijn beurs is in zicht.'

'Ik zal een koerier naar je toe sturen, met een behoorlijk gevulde buidel, zodat je voorlopig vooruit kunt. Dit is wel het minste waarover je je zorgen hoeft te maken.'

'Dank je, ik waardeer het erg dat je gekomen bent.'

Ze liepen samen naar de buitendeur. Hendrik zette zijn hoed op en stapte naar buiten. Hij rilde. 'Ik word oud,' zuchtte hij, 'bij het minste of geringste loop ik te bibberen als een grijsaard.'

'We worden snel oud in tijden als deze,' viel Kenau hem bij, 'ik schrik soms als ik in de spiegel kijk.'

'Je bent nog steeds een mooie vrouw hoor, maak je geen zorgen. Overigens: onze gouverneur, Ripperda, heeft nogal een hoge pet van je op. Hij noemt opvallend vaak je naam. Komt dat door wat jullie samen hebben doorgemaakt of moet ik er iets anders achter zoeken?'

15

Don Frederik draaide aan de punten van zijn snor. Wanneer hij zich erg moest concentreren tastten zijn vingers als vanzelf naar zijn mondhoeken, om van daaruit te controleren of de punten zich nog in de juiste stand bevonden. Ze hadden een natuurlijke neiging naar beneden te gaan hangen en dat mocht onder geen beding. Het bevestigde wat de mensen in het algemeen, alsmede de koning en zijn eigen vader van hem dachten: een weinig innemend man met een aangeboren slap karakter, noch bijster intelligent, noch bijzonder getalenteerd. Een man echter met een gevaarlijke zwak voor vrouwen. Het was vooral de koning die besefte dat deze neiging eventueel tot zijn ondergang zou kunnen leiden. Een aristocraat die voor het krijgsheerschap had gekozen, was gemakkelijk manipuleerbaar en chantabel. Tot nu toe was alles wat hij ondernam dan ook min of meer op een fiasco uitgedraaid.

Om hem een laatste kans te geven zich ten opzichte van Filips te rehabiliteren, had zijn vader hem tot opperbevelhebber van de infanterie in de Lage Landen benoemd. Er stond dus veel op het spel en dat was in drie woorden samen te vatten: hij móést winnen. Zijn onbekwaamheid in de psychologische tactiek van het oorlog voeren camoufleerde hij met een politiek van angst en terreur. Daarmee had hij aardige successen geboekt in Mechelen, Zutphen en Naarden, waar hij zijn mannen ongebreideld hun gang had laten gaan, dus zijn vader had tot nu toe niets te klagen. Maar diep in zijn hart had hij een afkeer van dit soort geweld. Militaire oorlogsvoering op het slagveld, waarbij beide partijen aan elkaar gewaagd waren, had nog iets moois en edels, maar het doden van weerloze burgers stond hem tegen. Hoewel hij dus liever de andere kant op keek tijdens die bloedbaden, hadden ze hem in korte tijd wel een faam als gevreesd krijgsheer bezorgd. Na

Haarlem zou zijn reputatie hersteld zijn. Maar neerhangende snorpunten pasten niet in dat plaatje. Ze moesten omhoog, al moest hij ze wel honderd keer per dag in die richting kneden.

De plattegrond van Haarlem, die wijlen Duyff hem in handen had gespeeld, lag breed uitgespreid op de tafel. Don Frederik stond er met zijn bevelhebbers Romero en Braccamonte overheen gebogen, om de zwakke plekken in de vestingmuren en poorten te bestuderen.

'De idioot heeft ze allemaal met rood gemarkeerd,' mompelde Don Frederik, 'als het klopt kunnen we de stad zonder slag of stoot binnenmarcheren.'

'Toch lijkt het me raadzaam een goede strategie te bedenken,' wierp Braccamonte tegen, 'schijn kan bedriegen.'

'Natuurlijk,' zei Don Frederik haastig. Braccamonte was het brein van de expedities, hij vertrouwde blind op diens oordeel. 'Wat had u in gedachten, ik zie aan uw ogen dat u al ergens op broedt.'

'Als u er niets in ziet moet u het zeggen,' zei Braccamonte met valse bescheidenheid, 'maar ik zou het volgende willen voorstellen...' Hij werd onderbroken door een jongetje van een jaar of twee, dat naar Don Frederik toe rende. Het kereltje riep iets in een taal waar ze geen van drieën iets van verstonden en hield vol trots een kastanje omhoog. Er waren rondom minuscule twijgjes in gestoken alsof het de poten van een spin waren. Zijn moeder had hem daarbij vast geholpen. Ze stond glimlachend in de deuropening, in een schitterende rode jurk, die haar mollige lichaam nauw omsloot, op haar lange hals en een deel van haar borsten na, waarvan de welvingen verleidelijk glansden in het licht van de kandelabers. Braccamonte slikte, helemaal van zijn à propos gebracht. Waarom stond Don Frederik zijn privéhoer en haar zoontje, wier levens hij gespaard had bij de verovering van Zutphen, toe in zijn werkvertrek? Uiterst storend. Die onstilbare seksuele honger van de opperbevelhebber zou hem nog eens fataal worden, op dat gebied had hij geen enkele zelfbeheersing of discipline.

'Bonito!' zei Don Frederik, het jongetje optillend. Hij stond op en liep naar de deur. 'Aquí lo tengo, Alda,' zei hij, het kind aan zijn moeder overhandigend. Ze lachte verontschuldigend en trok zich terug in de kamer ernaast.

'Zal ik verdergaan?' vroeg Braccamonte ironisch.

Don Frederik knikte verstrooid. Hij had verschrikkelijk veel zin in haar, nu meteen, maar de ogen van beide krijgsheren waren verwachtingsvol op hem gericht. Maldita sea! Juist nu het tijd was voor een lekkere, lange siësta...

'Hier staat aangegeven dat deze poort het zwakste is,' Braccamonte wees de Sint-Janspoort aan. 'Het is mogelijk dat we daar zonder veel tegenstand naar binnen kunnen met onze troepen. Maarrr.... De Haarlemmers hebben Duyff na zijn verraad ondervraagd en hij zal onder druk opgebiecht hebben dat hij aan ons heeft doorgegeven dat de Sint-Janspoort het niet lang zal houden bij een bestorming. Er is een kans dat ze alles wat ze aan manschappen hebben daar zullen concentreren. Dus kunnen we naar mijn mening het beste met de Kruispoort beginnen en die zo veel mogelijk beschadigen. Daarna laten we een spion aan de Haarlemmers overbrieven dat we ons de volgende dag helemaal op de Sint-Janspoort zullen richten in de verwachting van een snelle doorbraak daar. De Haarlemmers zullen dan alles in het werk stellen om die poort met man en macht te verdedigen, terwijl we in werkelijkheid een bres beklimmen naar het bolwerk vóór de Kruispoort, om zo via de zwaar gehavende Kruispoort de stad te bestormen. Onze vestingbouwkundige, Bartolomeo Campi, heeft met dit doel een brug op tonnen laten maken, om daar de gracht over te kunnen steken.'

Don Frederik fronste zijn wenkbrauwen. Het ging hem te vlug. 'Welke spion?'

'Gilles van Dort, de Amsterdammer die al meer heikele klusjes voor ons heeft opgeknapt.'

'Die met dat vlassige snorretje?' Don Frederik beoordeelde mannen die zijn pad kruisten op basis van de kwaliteit van hun snor.

'Precies! Die doet alles voor ons, mits we goed betalen. Hij is een bekende van een van de Haarlemse raadsleden, ze vertrouwen hem.'

'Wilt u me die twee poorten aanwijzen op de kaart?'

'Kijk, ze staan aan de noordkant van de stad, niet ver bij ons vandaan dus.'

Don Frederik volgde de vinger van Braccamonte tot deze bij de poorten tot stilstand kwam.

'Het is een goed plan, Don Fadrique, het kan niet mislukken,' pleitte Romero.

'De acuerdo,' besloot die, traag knikkend, 'als het niet kan mislukken laten we het dan zo doen. Ik dank u, heren, voor uw vernuft. U kunt gaan, om de officieren op de hoogte te stellen. Ik heb hier nog het een en ander te doen...'

De bevelhebbers salueerden en vertrokken, met medeneming van de kaart met kostbare gegevens.

Don Frederik slaakte een zucht van verlichting. De drang in zijn lendenen was ondraaglijk, hij kon aan niets anders meer denken. Hij duwde de dubbele deuren naar het aangrenzende slaapvertrek open en trok tegelijkertijd de met edelstenen bezette gesp van zijn riem los. Er brandde een flink vuur in de open haard, ervoor zat de vrouw met haar kind op een Perzisch tapijt te spelen. Zoals ze daar zat, lichtelijk voorovergebogen, puilden haar borsten bijna uit haar keurslijfje. Een warme gloed trok door zijn lichaam. Hij trok haar omhoog en achter zich aan naar het hemelbed in een ander deel van het vertrek. Ze protesteerde tegen de plotselinge overval, wat hem alleen maar meer opwond. Hij knoopte haar lijfje los en omvatte ruw haar borsten. Daarna trok hij haar rokken omhoog en verschafte zich met een kreun van geilheid toegang tot haar geslacht.

Lijdzaam liet ze hem begaan, alsof de heftige penetratie haar onverschillig liet.

'Un poco de pasión por favor!' riep hij. Het beeld van Magdalena de Guzmán, zijn verboden Spaanse geliefde kwam hem voor ogen. Wat een vuur was dat geweest, alsof ze hem wilde verslinden. Haar prachtige, lichtbruine lichaam kronkelde van wellust en zweepte hem op tot ongekende hoogtes. De herinnering eraan hielp hem zelfs nu, terwijl hij werelden van haar verwijderd was.

'Ai Magdalena,' riep hij vlak voor het hoogtepunt, gevolgd door iets wat klonk als een snik.

Even later lag hij vol postcoïtale melancholie naar de hemel van donkerrood fluweel te staren. Ze hadden Magdalena van hem afgepakt, hij zou haar nooit meer terugzien. Nu moest hij zich behelpen met deze koele vrouw, in het bezit van een goddelijk lichaam weliswaar, maar met de passie van een lappenpop. Er waren genoeg hoeren in het kamp, in alle soorten en maten, maar die waren voor de soldaten. Deze had hij voor zichzelf geconfisqueerd, tijdens het grote plunder- en verkrachtingsfeest in Zutphen. Zonder hem zouden ze haar en dat kuiken van haar hebben verdronken in de wakken, die speciaal daarvoor in de IJssel waren gemaakt. Ze mocht haar dankbaarheid wel eens tonen. Nu zat ze alweer met dat kind te spelen en lag hij hier alleen, te smachten naar een beetje tederheid. Het was lastig genoeg dat ze geen Spaans sprak. Maar hij kende een paar woorden in haar taal, die ging hij nu gebruiken, want hij wilde nog een keer. Hij zou haar eens flink wakker maken, daar van binnen. Hij richtte zich half op en riep: 'Alda, kom hier!'

Ze kwam uiterst traag overeind, met duidelijke tegenzin.

De hoer.

16

De pan was erg zwaar. Hij zat tot net onder de rand vol warme soep, bij elke stap golfde er een beetje over de rand. Cathelijne was opgelucht toen ze de loods bereikte. Ze zette de pan op de geïmproviseerde tafel, waarop nappen stonden en lepels lagen. Een paar meter verder klonk gejuich. Ze keek op.

'Trois fois! Driemaal is scheepsrecht!' riep de soldaat met de krullen triomfantelijk. Hij had zich bij de eerste maaltijd die ze opdiende aan haar voorgesteld als Dominique. Toen hij op zijn beurt haar naam probeerde uit te spreken was hij gestruikeld over de lange ij, die hij uitsprak als een langgerekte è, en daar had iedereen om moeten lachen. Ze was verbaasd om het gemak waarmee ze lachten, om niets eigenlijk, alsof ze niet ver van huis waren om een wildvreemde stad te verdedigen.

De huurlingen doodden de tijd met een zelfbedacht spel. Munten gooien in een tinnen kroes. Zo te zien hadden ze ook aardig wat bier op, ze waren zo uitgelaten en opgewonden alsof het niet hun eigen levens waren die ze binnenkort op het spel gingen zetten.

Dominique kreeg haar in het oog. 'Ook een keertje proberen?'

Cathelijne bloosde, heftig haar hoofd schuddend. Ze begon soep op te scheppen, maar hij was in een paar stappen bij haar en greep haar bij de arm.

'Of kun je niet mikken?' Hij peuterde drie munten uit de kroes en duwde ze in haar hand, verleidelijk lachend.

'Goed dan,' lachte ze, 'even maar, anders wordt de soep koud.'

Ze dromden nieuwsgierig om haar heen toen ze gooide. Het eerste muntje belandde rinkelend op de stenen vloer, maar het tweede was raak. Ze werd hartstochtelijk toegejuicht in verschillende talen en wilde juist voor de derde keer gooien, toen er ruzie ontstond rond de pan met soep. Een van de soldaten begon met de pollepel uit de pan te eten, terwijl een ander probeerde het hem te beletten.

Cathelijne duwde de kroes in de handen van een van de huurlingen en stond op het punt om in te grijpen, toen Dominique een lege stoel pakte en ermee naar het andere eind van de lange tafel snelde. Voordat ze het wist stond hij boven op de tafel. De stoel balanceerde op zijn kin, in wankel evenwicht, alsof hij een acrobaat op de kermis was. Hij maakte er ook nog danspasjes bij. De soldaten moedigden hem met onbegrijpelijke kreten aan, zelfs de twee die om de pollepel vochten werden erdoor afgeleid en keken met open mond toe.

Cathelijne greep haar kans om de pollepel terug te pakken. Ze werd vuil aangekeken, maar zei met een spottende glimlach: ‘Merci.’ Dat woord had ze inmiddels geleerd.

Dominique besloot zijn act met een buiging in haar richting. Ze wist niet waar ze moest kijken, dus ging ze met een rood hoofd door soep in de nappen te scheppen. Hij bracht haar in verwarring. Ze kon hem niet duiden: hij was een Waalse soldaat, maar sprak ook Vlaams. Hij verdiende zijn geld in het krijgsbedrijf, maar hij was ook acrobaat. Hij was een vrolijke gangmaker, hoewel hij vrijwel zeker spoedig aan zijn eind zou komen en misschien wel op een gruwelijke manier. Ze wilde hem niet aanmoedigen indruk op haar te maken, want hij had geen toekomst. Ze wilde niemand meer verliezen.

Maar ineens stond hij voor haar en zette een lege nap op tafel. ‘Krijg ík niks van je?’

‘Och,’ zei ze, quasimedelijdend, ‘had ik toch bijna het beste paard van stal overgeslagen.’ Haastig schepte ze zijn nap vol. ‘Dat was kunstig zeg, wat je daar met die stoel deed.’

‘Ik heb een tijdje rondgetrokken met kermislui, om geld te verdienen.’

‘Oh, ben je er zo een, een kermisklant!’

‘Onder andere...’ zei hij vaag.

De pan was inmiddels leeg. Nu wegwezen, zei ze bij zichzelf. Ze zou wel meer van hem willen weten, maar tilde de pan op om ertussenuit te knijpen.

Bij de deur hield hij haar tegen. ‘Il faut pas la remercier pour la soupe?’ riep hij luid, zich omdraaiend naar de anderen.

'Oui!' klonk het in koor.

'Ze willen dat ik je bedank voor de soep,' grijnsde hij. Hij boog zich naar haar toe en kuste haar snel op haar wang. 'Voilà, ma belle...'

Ze vluchtte, het geluid van hun applaus echode in haar oren.

17

Kenau was voor dag en dauw in de loods met een zak meel. Het was er inmiddels zo vol dat er niemand meer bij kon. Overal brandden vuurkorven, om de ergste kou te weren. De schaapshuiden en dekens waren niet aan te slepen, en elke dag moesten er vele magen gevuld worden. Ze sjouwde de zak tot in de geïmproviseerde keuken en liet hem met een plof op de grond vallen. Leida, een grote, en gespierde vrouw van middelbare leeftijd, kwam aangesneld om hem van haar over te nemen. Ze tilde hem op alsof hij met wol gevuld was. De vrouw was vervuld van een diepe haat jegens de Spanjaarden en had daar ongetwijfeld gegronde redenen voor. Kenau vroeg er niet naar, ze had al te veel ellendige verhalen aangehoord.

Een aantal vrouwen was bezig met de bereiding van groenten en spek, voor de stoofpotten en pannen met soep. Kenau liep naar Magdalena, die vlees aan het snijden was. Ze zag er beter uit, nu ze warm gekleed was en een dak boven haar hoofd had. Haar schoonheid was teruggekeerd, ondanks de vormeloze kleren die ze droeg en het geleende kapje dat haar weelderige haar bedekte. 'Hoe gaat het?' vroeg Kenau.

'Veel beter, ik ben u nog steeds zo dankbaar.'

'De dankbaarheid is wederzijds, vergeet dat niet,' zei Kenau, op licht ironische toon.

Ze aarzelde, naar Magdalena's handen starend, die het vlees vaardig uitbeenden. Ze stonden een beetje afzijdig van de anderen. Het leek een geschikt moment om de vraag te stellen, die al sinds ze Magdalena voor het eerst zag op haar lippen brandde. 'Hoe ben je in godsnaam bij Duyff terechtgekomen? Ik heb er nooit iets van begrepen, je paste totaal niet bij die opgeblazen kwal.'

Magdalena keek schuw opzij. 'Wilt u het echt weten?'

Kenau knikte.

'Het was een kwestie van overleven. Mijn ouders waren gestorven aan de builenpest en er was geen familie om zich over me te ontfermen. Ik zwierf rond op straat, bedelend, en stelend van marktkraampjes. En toen kwam Duyff langs, met een grijns van oor tot oor.' Haar stem haperde.

Kenau stond op het punt om haar aan te moedigen door te gaan, toen een donderend lawaai haar de mond snoerde. Ineens trilde de aarde onder hun voeten, ze keken elkaar met grote angstige ogen aan: wat was dit? Kinderen begonnen te huilen, iemand jammerde met lange, klaaglijke uithalen, een hond blafte. En toen was het voorbij, abrupt.

'Het is begonnen,' zei Kenau nuchter, 'aan dat lamlendige wachten is een eind gekomen.' Een grote kalmte daalde in haar neer. Ze hoefden niet langer bang te zijn voor een diffuse vijand, die elk ogenblik toe kon slaan vanuit een onverwachte richting. Nu was het erop of eronder. Ze konden in actie komen en terugslaan. 'Ik ga erheen,' riep ze, 'zien of ik iets kan doen.'

'Ik ga ook mee,' Leida kwam aangelopen, een forse bijl in de hand.

'Waar is dat voor?' vroeg Kenau, op het gereedschap wijzend.

'Ik hak ze persoonlijk de kop af,' zei Leida met opeengeklemde lippen.

Hoewel Kenau betwijfelde of een bijl wel het meest geschikte middel was om de Spanjaarden mee tegemoet te treden, zweeg ze. De vluchtelingen waren inmiddels angstig bijeengedromd in het midden van de loods.

'Straks zijn wij aan de beurt!' gilde een vrouw hysterisch. 'Ik wil hier weg!'

'Stom wijf, hou je waffel! We kunnen nergens heen!' snauwde Leida. 'Help liever een handje om die klootzakken te verdrijven.'

'Deze wereld gaat een verschrikkelijke ondergang tegemoet!' profeteerde een oude man met een gegroefd gezicht en lange, grijze haren. 'Maar de verlossing is nabij voor hen die...'

'Wilt u alstublieft uw voorspellingen voor u houden?' zei Kenau geërgerd.

Maar hij negeerde haar en riep nog harder: 'De verachting voor

Gods wet is toegenomen, het ene volk zal strijden tegen het andere, er komt hagel en vuur, vermengd met bloed, en het wordt op de aarde geworpen...'

Opnieuw werd er een salvo afgevuurd en dreunde de aarde onder hun voeten.

Ineens wilde iedereen met Kenau en Leida mee. Mannen, vrouwen, hun opgeschoten kinderen – allemaal kwamen ze liever in actie dan lijdelijk af te wachten in het benauwende gezelschap van een bejaarde onheilsprofeet.

Jacob kwam binnenstormen, zijn gezicht asgrauw. 'Kom! Er is daar vast en zeker een hoop schade te herstellen! We kunnen iedereen gebruiken.'

Het was een raar allegaartje, dat tussen twee salvo's door de brug overstak en zich naar de noordkant van de stad spoedde: vluchtelingen van allerlei leeftijden en pluimage, scheepstimmerlieden en zeilmakers, huurlingen en buurtgenoten, aangevoerd door Jacob, Kenau en Leida, die op verzoek van Kenau haar bijl toch achter had gelaten. Al gauw slaagden ze erin de tijdsduur tussen twee salvo's in te schatten. Naarmate ze dichter bij de Kruispoort kwamen werd het lawaai van de beschietingen steeds oorverdovender. Zouden de stadspoorten en -muren standhouden tegenover zoveel geweld, vroeg Kenau zich af, onder een afdak duikend omdat er weer een salvo werd afgevuurd.

Bij de Kruispoort heerste grote bedrijvigheid. De Haarlemmers waren in de weer de binnenkant van de poort en de stadsmuur te versterken met aarde, of ze propten haastig met hop of wol gevulde zakken in de ontstane gaten en scheuren.

Ze konden meteen aan de slag. Binnen enkele minuten was Kenau zo hard aan het werk dat ze alles vergat: de kou, het gevaar, de opkomende pijn in haar rug en de veelheid aan taken die ze die dag eigenlijk had moeten uitvoeren. Er was één drijfveer die alle andere overstemde: de stad mocht onder geen beding in handen van de vijand vallen, want dat zou het einde betekenen.

Bij elk salvo dook ze werktuiglijk weg, samen met de anderen. Tussendoor sjouwde ze heen en weer met een emmer vol aarde, leegde hem en liep terug om hem opnieuw te vullen. Toen ze even haar rug rechtte, zich het zweet van het voorhoofd wrijvend, tikte iemand op haar schouder. Ze keek schuin achterom, geërgerd, omdat ze werd afgeleid.

'Zo mevrouw Hasselaer, het doet me een plezier u ook hier aan te treffen, te midden van de kruitdampen.'

Kenau fronste haar wenkbrauwen. Wat deed Ripperda hier? Had hij niets belangrijkers te doen dan de ploeteraars hier een beetje op de vingers te kijken? 'Misschien kunt u me vertellen hoe we ervoor staan?' vroeg ze scherp. 'Ik bedoel, het is hier een chaos van jewelste, maar hoe erg is de schade tot nu toe eigenlijk. Bedreigend?'

Ripperda schudde zijn hoofd. 'Zo makkelijk krijgen ze Haarlem niet op de knieën. Er staan veertien kanonnen opgesteld tegenover de Kruispoort en de Sint-Janspoort, veertien ijzeren muurbrekers die om de tien minuten allemaal tegelijk vuur spuwen. Vooral deze poort heeft het vandaag zwaar te verduren, terwijl de Sint-Janspoort tot nog toe voornamelijk met rust wordt gelaten. Maar we hebben inmiddels uit goede bronnen vernomen dat die morgen aan de beurt is. De aanval van vandaag, op de Kruispoort, is alleen bedoeld om ons te misleiden. Morgen nemen ze uitsluitend de Sint-Janspoort onder handen, in de verwachting in één keer door te stormen tot in de stad. Maar dat zal ze niet lukken. Want wij gaan die poort met man en macht verdedigen. De hele schutterij, alle vaandels en een stel dappere burgers zullen ze daar een hartelijk welkom heten...'

'U kunt op me rekenen,' zei Kenau, 'ik wil graag deelnemen aan de verdediging van mijn stad.'

'Maar dat doet u toch al, dacht u dat het reparatiewerk niet belangrijk is?'

Ze schudde haar hoofd. Hij begreep best wat ze bedoelde. 'Ik wil meevechten op de wallen!' zei ze fel. 'Met de mannen! Ik wil meehelpen de Spanjaarden te vernietigen, ik wil ze zien sterven als vliegen!'

Ripperda keek haar meewarig aan.

Ze kende die blik inmiddels en haatte hem.

'U bent een vrouw, Kenau, voor u zijn andere taken weggelegd, die niet minder belangrijk zijn. Ik heb gehoord dat u inmiddels tientallen vluchtelingen hebt ondergebracht, en dan nog een groepje huurlingen. Dat is toch prachtig! Dat is uw bijdrage aan deze oorlog en het is niet de minste.'

Kenau zette haar volle emmer met een smak neer. 'U hebt wel een erg lage dunk van het vrouwelijk geslacht!'

Ripperda wilde juist antwoorden, waarschijnlijk om haar tactisch haar plaats te wijzen, toen hij werd afgeleid door een schutter die kwam aanlopen.

'Het bolwerk!' riep die in paniek, 'het bolwerk voor de Kruispoort is onhoudbaar geworden! We wachten op toestemming om het te kunnen verlaten, alles is vernield, de brokken steen vliegen ons om de oren!'

'Ik kom eraan,' zei Ripperda. Met een knikje van zijn hoofd nam hij afscheid van Kenau. En weg was hij. Ze keek zijn lange gestalte na, totdat hij aan het oog onttrokken werd. Ze hervatte het werk, tobbend over de vraag waarom vrouwen niet zij aan zij met mannen zouden kunnen vechten. Ze gaf toe dat ze in een zwaardgevecht met een man waarschijnlijk het onderspit zou delven, maar er waren toch ook andere manieren om vijandelijke indringers onschadelijk te maken? Minder edel misschien dan een gevecht tussen twee soldaten die geschoold waren in het omgaan met wapens, maar daarom niet minder doeltreffend.

Op de werf hadden ze bijvoorbeeld altijd voldoende pek in voorraad, voor het breeuwen van schepen. Wanneer je die pek heet maakte en vanaf de vestingwal neergoot op een binnendringende vijand, dan was dat toch net zo doeltreffend als een gevecht? Het zou zelfs kokend water kunnen zijn, of brandend stro. Wanneer je je fantasie gebruikte, was er een arsenaal aan mogelijkheden om iemand het binnendringen in de stad onmogelijk te maken.

Hoe meer ze erover nadacht, des te meer ergerde ze zich aan de starre ideeën van de krijgsmacht in het algemeen en die van Ripperda in het bijzonder, met betrekking tot het vrouwelijk geslacht. Ze snoof minachtend, wie dachten ze eigenlijk wel dat ze waren? Als de vrouwen het voor het zeggen hadden in de wereld zouden er waarschijnlijk helemaal geen oorlogen zijn. Er zou wel een hoop gekibbeld worden, want daar waren vrouwen nu eenmaal dol op, maar daar zou het bij blijven. Vrouwen zouden nooit op het idee komen zichzelf en hun kinderen moedwillig in gevaar te brengen, omdat ze zo nodig een oorlog wilden ontketenen. Maar ze werden wel op grote schaal het slachtoffer van de oorlogen die de heren bedachten. Was dat dus, in dit tranendal, de treurige rol die voor de vrouw was weggelegd? Achter de kookpot lijdzaam afwachten wat je lot zou zijn, en dat van je kinderen?

Toen de duisternis inviel hielden de salvo's op. Iedereen slaakte een zucht van verlichting. Toch hoorde Kenau nog een tijdlang het gedonder van de salvo's in haar oren en ook de schrik had haar lichaam nog niet verlaten. Ze was onderweg naar huis toen ze zich herinnerde dat ze brood had moeten kopen. Maar bij de bakker bleek geen enkele klant meer te zijn, was het brood uitverkocht?

'Ik heb een mand voor u apart gezet,' zei Bertha, 'ik weet toch hoeveel monden u te voeden hebt.'

'Je bent te goed voor deze wereld,' verzuchtte Kenau uit de grond van haar hart.

'Er is een huis vernield, aan het marktplein,' vertelde Bertha op haar bekende roddeltoon, met haar ellebogen op de toonbank leunend, 'er was gelukkig niemand thuis, maar Grietje van de familie Zwaan stak net de Markt over met een tas vol boodschappen en weet u wat er gebeurde?'

Kenau schudde haar hoofd. Er kwam iets opwindends, zag ze aan de schittering in Bertha's ogen.

'De kleren werden van d'r lijf geblazen, op klaarlichte dag!'

'Echt?'

'Ik verzin het niet! Daar stond ze, poedelnaakt midden op de markt, het arme kind! Stel je voor, al die mensen die haar aanstaarden.'

'Was ze niet gewond?'

'Ze had geen schrammetje, niets, ik zweer het u.'

'Ongelooflijk.'

'Toen is een van de burgemeesters uit het stadhuis gekomen en naar haar toe gerend. Hij heeft vlug haar schaamte bedekt met een kleed of zoiets, en haar mee naar zijn huis genomen.'

'De wonderen zijn de wereld nog niet uit,' zei Kenau, de mand optillend.

'Wacht, ik stuur Floris even met u mee om te helpen dragen. U ziet eruit alsof u de hele dag slavenarbeid heeft verricht.'

'Dat is ook zo,' zuchtte Kenau, haar pijnlijke rug strekkend.

'Dat hoeft ú toch niet te doen?' riep Bertha verontwaardigd uit. 'Iemand van uw stand en leeftijd, laat dat geploeter maar aan anderen over.'

'Bertha...' nu boog Kenau zich ook over de toonbank alsof ze iets vertrouwelijks wilde vertellen, 'je denkt toch niet dat de spanjolen, als ze onze stad veroveren, op stand of leeftijd zullen letten? Ze zullen iedereen, oud of jong, vooraanstaand of volks, zonder onderscheid over de kling jagen.'

Bertha deinsde terug, de kleur trok weg uit haar gezicht. 'O mijn God,' zei ze klaaglijk, 'ik heb thuis al een oorlog uit te vechten, elke dag weer, met die rotvent van me, is dat niet genoeg? Ripperda heeft toch beloofd dat we gaan winnen?'

'Die Ripperda kletst maar wat, je moet niet alles geloven wat die kerel zegt.'

'Maar het is verdorie wel een knappe vent! Weet u dat ik laatst van die man gedroomd heb? Ik zal maar niet zeggen wat...'

Kenau voelde dat ze een kleur kreeg en zei vlug: 'Zeg Bertha, ik wil je iets vragen.'

'Vraag maar op, van u kan ik veel hebben, dat weet u,' en ze sloeg haar dikke armen over elkaar.

'Hou je van deze stad?'

'Pfff, wat is dat nou voor vraag! Neem me niet kwalijk hoor. Ik ben hier geboren en getogen, mijn vader en moeder liggen hier begraven, mijn oma en opa, ik heb hier in mijn leven duizenden broden verkocht, ik ben nog nooit ergens anders geweest en ik wil ook nergens anders heen.'

'Zou je bereid zijn voor de stad te vechten, als het moet?'

'Vechten? Dat is toch mannenwerk?'

'Dat zeggen ze ja. Maar als het erop aankomt, als het de spanjolen lukt om de stad binnen te komen en ze aan het verkrachten en moorden slaan, zijn er dan nog mannen die ons beschermen? Je weet toch wat er in Naarden is gebeurd?'

'En in Zutphen,' vulde Bertha aan met een zucht, 'ja, dat weet ik.'

'Daarom vraag ik je: ben je bereid om voor je stad te vechten, als het erop aankomt?'

'Eh ja... ik denk van wel. Maar vechten als een man, dat kan ik niet. Als u mij een zwaard in de hand duwt kan ik er wel een brood mee snijden, maar ermee vechten, als een kerel, nee dat zie ik me zo gauw niet doen.'

'Ik bedoel niet dat je als een man zou moeten vechten. Wij kunnen andere dingen verzinnen. De indringers van bovenaf met gloeiende pek bestoken, bijvoorbeeld, of met kokend water.'

'Of met stenen, of brandende hoepels,' fantaseerde Bertha spontaan met haar mee, 'of hete olie.'

'Precies,' zei Kenau, 'zou je meedoen, als ik het je vraag?'

'Het is wel gruwelijk allemaal, maar als ons leven op het spel staat... gloeiende pek ligt me dan toch het meest, denk ik.'

'Goed zo, roep dan nu je knecht maar, mijn rug heeft vandaag genoeg te verduren gehad.'

Nadat Kenau het brood in de loods had afgeleverd liep ze regelrecht naar huis. Ze had maar één ding in haar hoofd: bij het vuur zitten en uitrusten. Rustig bijkomen in de stilte, na al het gebulder dat die dag haar oren had geteisterd.

Het vuur was bijna uit. Kreunend boog ze zich voorover om het op te porren. Pas toen het flink opvlamde ging ze zitten. Met gesloten ogen liet ze de gebeurtenissen van de dag aan zich voorbijgaan. Gek genoeg zag ze vooral de weelderige gestalte van Bertha voor zich, die als een engel der wrake in een kolossale emmer met gloeiende pek stond te roeren, een duivelse glimlach om haar lippen. Die vrouw zou bergen kunnen verzetten, voelde ze, die was niet slap in haar dikte, maar juist sterk, erg sterk. Ze zou alleen maar aan die vreselijke kerel van haar hoeven te denken om een heel vaandel Spanjaarden te vernietigen. Wat had ze ook al weer over Ripperda gezegd? Ze had hem een knappe vent genoemd. Stel je voor, de gouverneur van de stad, met zijn rigide ideeën over de verschillen tussen de geslachten. Hij zou ter plekke bevriezen als hij wist dat er vrouwen waren die hem een lekker ding noemden, oorlog of niet. Bij die gedachte dommelde ze in, haar hoofd zakte op haar borst en een diepe slaap overmande haar als een logge beer.

Ze schrok wakker toen er hevig op de deur werd gebonsd.

'Ma, doe eens open!'

Hoe laat was het? Was het nacht? Verward kwam ze overeind.

'Ma, laat ons toch binnen!'

Zwaar van de slaap slofte Kenau naar de deur. In een flits ging het beeld van Claes door haar heen, toen die half bevroren voor de deur stond en zo ongeveer naar binnen gevallen was. Dat was een vooruitwijzing geweest, daarmee was het allemaal begonnen.

Nu was het haar dochter die voor de deur stond, en naast haar de huurling met de opvallende bos krullen, die in haar geheugen gegrift stond als een brutale aap. Daarachter stonden andere huurlingen, die iemand tussen zich in ondersteunden, opdat hij niet zou vallen.

'Ma, dit hier is Dominique,' ze wees op de soldaat met de krullen, waar zo te zien nog nooit een kappersmes aan te pas gekomen was, 'ze hebben een gewonde gevonden, aan de andere kant van de vestingwal.'

'Aan de andere kant? Je bedoelt dat het een soldaat is uit het leger van de vijand?'

'Jawel, maar het is geen spanjool, het is een Waal.'

'Hij komt uit mijn dorp,' vulde Dominique aan, met zijn vreemde accent, 'ik ken hem.'

'Maar hij vocht voor de Spanjaarden,' zei Kenau.

'Dat is zo,' gaf de huurling toe, 'maar hij heeft waardevolle informatie, dus als ik u was zou ik die deur wijd opengooien en hem alle verzorging geven die hij nodig heeft.'

Nog steeds een brutale aap, dacht Kenau, maar ze deed toch de deur open en liet ze binnen. De gewonde soldaat was hooguit zeventien jaar oud, schatte ze, wat deed die jongen zo ver van huis? Hij had een wond aan zijn hoofd, en over zijn bleke slaap en wang liep een straal geronnen bloed. Het leek of hij ieder ogenblik door zijn knieën kon zakken en bewusteloos op de vloer vallen. Ze zetten hem op een stoel en Cathelijne schonk een kroes bier voor hem in. Dominique schoof een kruk naast hem en ging zitten. 'Guillaume, écoute, on va s'occuper de toi! Ranconte-nous, encore une fois. C'est important, très important.'

De jongen nam een slok van zijn bier en slikte het moeizaam door. Daarna keek hij hen waterig aan en vertelde met horten en stoten hoe hij gewond was geraakt, af en toe met een pijnlijk vertrokken gezicht naar zijn hoofd grijpend. Dominique vertaalde, hem steeds aanmoedigend verder te gaan wanneer hij even stilviel.

Zijn verhaal bleek het aanhoren waard: hij had met enkele oudere soldaten een bres in de muur van de Kruispoort moeten verkennen, die door de onafgebroken beschietingen van die dag was ontstaan. De munitie aan de Spaanse kant was op en het zou nog even duren voordat er nieuwe werd aangevoerd. Daarom had de legerleiding besloten tot een aanval via die bres. Hun opdracht was een puinhoop te beklimmen, die schuin tegen de muur omhoogliep, tot vlak onder de top. Maar onverwacht waren ze van bovenaf beschoten, waarbij de andere drie dodelijk getroffen werden. Hij hoorde ze vallen en naar beneden rollen, een hoop puin en gruis met zich meeslepend. Omdat het geen zin had de verkenningstocht alleen voort te zetten, was hij behoedzaam met de afdaling begonnen. Maar het was donker en mistig en hij was ten val gekomen. Daarbij was hij met zijn hoofd ongenadig hard tegen een brokstuk van een muur aangekomen. Wat er daarna gebeurde wist hij niet meer, maar toen hij zijn ogen opendeed stond er iemand over hem heen gebogen om zijn zakken te doorzoeken. Hé, wat moet dat, had hij geprotesteerd en er was antwoord gekomen in het dialect uit zijn eigen streek. Zo hadden ze ontdekt dat ze allebei uit Stavelot kwamen, maar wel aan verschillende kanten vochten. Dat betekende niets als het erop aankwam, dorpsgenoot zijn gaf een veel hechtere band. De Haarlemmers steunden elkaar toch ook als het erop aankwam?

'Ik smeek u hem niet uit te leveren aan de autoriteiten,' voegde Dominique eraan toe, 'die arme drommel moet als oudste zoon een hele familie onderhouden sinds zijn vader gestorven is.'

'Wat is er nu eigenlijk zo belangrijk aan dit verhaal?' vroeg Kenau, nog steeds op haar hoede.

'Ripperda heeft het bevel gegeven dat we ons morgen in alle vroegte moeten melden bij de Sint-Janspoort . Daar komt een grote aanval, en daarom trekt hij er al zijn troepen samen. Over zijn bronnen deed hij geheimzinnig, en wie zijn wij dat we daarover vragen zouden stellen. Hij is de opperbevelhebber en wij zijn maar huursoldaten. Maar hij vergist zich, madame, al is hij duizendmaal opperbevelhebber!

Guillaume hier zegt dat ze morgen, via die bres in de muur van de Kruispoort, de stad gaan bestormen, terwijl Ripperda daar dan maar een handjevol mannen heeft staan! Dan gaan we er allemaal aan, madame, dat laten we toch niet zomaar gebeuren?'

Overrompeld staarde Kenau hem aan. Hij keek afwachtend, zelfs lichtelijk uitdagend terug.

'Wat deed jij eigenlijk in zijn zakken?' vroeg ze, om de krullenbol toch nog even op zijn plaats te zetten.

'Ach madame,' zei hij glimlachend, 'dat doen wij allemaal. We kijken of er iets eetbaars te vinden is, of iets van waarde. Het duurt soms tijden voordat onze soldij wordt betaald, weet u, of we krijgen helemaal niets. De man is toch dood en als wij het niet doen doet de vijand het zelf.'

Wat is er met de wereld gebeurd, dacht Kenau, moet ik net zo doortrapt worden? Wat moet ik doen met de boodschap van deze zelfingenomen Waal? Het ziet ernaar uit dat hij een grote verantwoordelijkheid in mijn schoot legt, in de verwachting dat ik ernaar zal handelen.

'Vous êtes la patronne,' zei hij nederig, alsof hij haar gedachten geraden had, 'u bent de baas.'

'Ma, we moeten iets doen,' voegde Cathelijne eraan toe, bewonderend naar hem kijkend.

Dat irriteerde Kenau. Maar ze zei niets. Ze dacht koortsachtig na, terwijl ze door iedereen afwachtend werd aangestaard. Alleen de gewonde soldaat was afgehaakt, hij hing schuin op zijn stoel, met neerhangend hoofd.

'Zo meteen valt hij nog op de grond,' zei ze, op de jongen wijzend.

'Hij is overgelopen naar onze kant,' zei Dominique, 'hij wil zich bij ons aansluiten, zodra hij is opgeknapt.'

'Leg hem maar op een brits in de loods,' besloot Kenau. 'Cathelijne, zorg dat hij opknapt, dan zien we later wel verder. Dan ga ik nu naar Ripperda, eens kijken waar die uithangt.'

18

De stad lag er verlaten bij. De bewoners moesten bijkomen van de urenlange beschietingen en van de schrik dat de belegering was begonnen. Al zaten ze vol strijdlust, ze realiseerden zich dat ze definitief waren ingesloten. Niemand wist hoe het af zou lopen.

Bij iedere stap die Kenau zette drong het belang van haar missie dieper tot haar door. Tegelijkertijd zag ze de absurditeit van de situatie in: dat uitgerekend zij door het lot was gekozen om het aan Ripperda te vertellen. Weer moesten hun paden elkaar kruisen. Dat vooruitzicht riep een bepaalde spanning bij haar op, die ze niet kon duiden. Het zat haar dwars, er was verder niemand die dat vreemde, dubieuze effect op haar had. Was het angst? Dat zou nieuw zijn, zelfs voor de duvel was ze nooit bang geweest. Maar er was iets veranderd sinds ze haar dochter had verloren, dat kon ze niet ontkennen. Ergens was het tot haar doorgedrongen dat het leven gevaarlijk was en dat de mens een wolf in schaapskleren was. Nog zag ze al die opgedofte hoogwaardigheidsbekleders voor zich, die vanaf de tribune hadden genoten van de ketterverbranding. Die hun perverse ogen tegoed hadden gedaan, toen de vlammen het jonge lichaam van haar dochter verteerden, alsof het een amusant theaterstuk was. Dat ze zelf zouden branden! Heel langzaam en pijnlijk, terwijl anderen zich verlustigden aan het schouwspel!

De weer oplaaiende woede dreef haar rechtstreeks naar het raadhuis, waar ze te horen kreeg dat Ripperda aan het vergaderen was in de oude Kloveniersdoelen, het fraaie gebouw van de schutterij. De poortwachter aarzelde om haar binnen te laten. Wat deed een vrouw zo laat nog op straat? Wat moest ze bij de schutterij? Een belangrijke boodschap kon hij zelf ook doorgeven.

Ze begon haar geduld te verliezen. 'Moet de stad soms ten onder gaan door een domkop die geen goed van kwaad volk kan onderscheiden?' riep ze schel. 'Vooruit sukkel, zeg de gouverneur maar dat Kenau Hasselaer voor de poort staat!'

Zulke ferme taal was hij niet gewend en zeker niet uit de mond van een vrouw. 'Wacht hier,' beduidde hij zuinigjes, terwijl hij de poort zo voorzichtig sloot alsof hij ieder moment onder zijn handen in stukken uiteen kon vallen.

Al gauw werd hij weer geopend, eerst op een kier en toen uiterst traag verder, alsof de poortwachter het als een nederlaag ervoer haar te moeten binnenlaten.

Kenau doorkruiste het pleintje waar schietoefeningen werden gehouden en klopte op de deur van de doelenknecht. Dat was iemand die ze kende, hij had wel eens een partij hout bij haar gekocht. Toen hij de deur op een kier opendeed, zei ze haastig: 'Jan Arend, ik moet Ripperda spreken, als de wiedeweerga, het is belangrijk.'

'Hij is met commandanten en officieren in de Grote Zaal,' zei de ander aarzelend.

'Ik word verwacht.'

'Goed, dan zal ik u voorgaan.'

Het gezelschap zat aan een lange tafel onder een hoog balkenplafond. De ruimte werd overvloedig verlicht door kaarsen en onder de monumentale schouw brandde een vorstelijk vuur. De heren hebben het goed voor elkaar, schoot het door haar heen, denkend aan haar eigen capricieuze haardvuur dat telkens opnieuw met turf en houtresten moest worden gevoed en aangemoedigd.

Ripperda trok zijn wenkbrauwen op bij haar binnenkomst. Zou hij niet weten dat hij er zo erg hooghartig uitzag? Kenau slikte, keek vluchtig de kring van krijgsheren rond en dacht: deze mannen beslissen over het lot van de stad, ze beslissen over dood en leven. Waarom zit er geen enkele vrouw tussen?

Ze verontschuldigde zich beleefd voor het feit dat ze de verzamelde heren, die op dit moment zoveel aan hun hoofd hadden, kwam storen. 'Maar het is van groot belang voor het verdere verloop van de strijd, daarom meende ik dat ik het u zonder uitstel moest vertellen.'

Niemand bood haar een zetel aan, het zag ernaar uit dat een vrouw hier zo'n vreemde eend in de bijt was, dat het bij niemand opkwam dat ze er evenveel behoefte aan zou kunnen hebben om te zitten als de heren zelf. Waarschijnlijk meer, want de heren hadden die dag vast niet in de aarde staan ploeteren. Haar rug speelde weer op, vooral nu ze moest staan.

'Zegt u het maar, mevrouw Hasselaer,' zei Ripperda.

Ze vestigde haar blik op een geschilderd portret van een oud-schepen, die ze nog gekend had. Hij staarde melancholiek de zaal in, alsof hij het betreurde niet meer onder de levenden te zijn. Voordat haar rug nog erger zou gaan opspelen deed ze kort en krachtig haar verhaal, precies zoals de Waal het had verteld. Ze sloeg geen detail over, ook het zakkenrollen niet.

Het bleef even stil in de zaal toen ze uitgesproken was. Ze keek de kring rond, zag enkele bekende gezichten en hief haar handen in een hulpeloos gebaar, alsof ze zeggen wilde: en verder laat ik de zaak aan u, verzamelde heren, over.

'Waar is die gewonde Waal?' wilde een van de schutters weten.

'Bij mij thuis, hij is er niet best aan toe, het is zijn hoofd.'

'Eigenlijk moeten we hem aan de hoogste boom ophangen,' meende een ander.

'Ik zou hem maar rustig laten waar hij is,' antwoordde Kenau koeltjes, 'zonder hem hadden we deze belangrijke informatie nooit gekregen.'

'Quatsch,' riep een schutter met wijduitstaande haren, als de manen van een leeuw. Kenau herkende hem, hij was een van de regenten van het Heilige Geesthuis, waar wezen werden opgevangen.

'Het is doorgestoken kaart, dat kan zelfs een kind zien,' ging de man verder. 'De anderen zijn allemaal neergeschoten, alleen die ene niet, die heeft geen enkele schotwond, alleen iets aan zijn hoofd. En dat moeten wij geloven.'

Er steeg een spottend gelach op.

'Mevrouw, het is goed bedoeld, maar aan zo'n verhaal hechten wij geen enkele waarde,' zei een officier die naast Ripperda zat, 'wij hebben onze eigen informanten. Morgen wordt het Spaanse offensief op de Sint-Janspoort gericht. Die is er ook niet best aan toe, ondanks de werkzaamheden die de laatste tijd zijn verricht. We hebben al onze manschappen nodig om die poort te verdedigen. U begrijpt dat de vijand het prachtig zou vinden wanneer wij ons met zijn allen, in volle sterkte, in en om de Kruispoort zouden bevinden, terwijl zij met man en macht de Sint-Janspoort bestormen.'

De anderen knikten instemmend.

'Maar wij zijn niet op ons achterhoofd gevallen!' klonk het van het andere eind van de tafel. 'Laat de strategie maar aan ons over, mevrouw, en gaat u fijn naar huis.'

Kenau was stomverbaasd. Ze geloofden haar niet! Dat kon toch niet waar zijn! Die mannen werden geacht verstand te hebben van oorlogsvoering, maar er was er niet een bij die in overweging wilde nemen dat er een bron van waarheid in haar getuigenis zou kunnen zitten. Zouden ze haar wel serieus genomen hebben als ze een man was geweest? Was ze machteloos als vrouw, was dat het lot van haar sekse? Smekend keek ze naar Ripperda. Die wist wel beter. Toch?

'U hoort het, mevrouw Hasselaer, uw relaas overtuigt de heren niet. Maar wij stellen het op prijs dat u de moeite genomen heeft de kou te trotseren om het ons te komen vertellen. Het is duidelijk dat het welzijn van de stad u evenzeer aan het hart gaat als ons.'

'We gaan verder!' riep iemand op dwingende toon, 'we hebben nog zoveel te bespreken.'

Kenau begreep de hint. Ze wilden haar kwijt. Met een kort knikje en een 'Goedenavond heren,' nam ze afscheid. De zware deur sloeg net iets te hard achter haar dicht. Ze trilde over haar hele lichaam terwijl ze naar de uitgang liep, het oefenterrein overstak, en door de poort naar buiten ging. Op straat bleef ze staan. Diep ademhalen, zei ze tegen zichzelf, heel diep adem halen. Ze trilde als een baby die op het punt stond in een hysterische huilbui los te barsten. Maar ze was geen baby, ze was een volwassen vrouw die haar stad wilde redden. Een vrouw die zojuist door een zaal vol mannen nog net niet was uitgelachen, maar het scheelde weinig. Een vrouw die niet serieus werd genomen, omdat ze een rok droeg en geen broek. En Ripperda was een held op sokken. Hij had het niet voor haar opgenomen, noch had hij zijn invloed als gouverneur aangewend om haar zienswijze te verdedigen. Hij had haar minzaam bedankt en tactisch tot de aftocht gemaand, opdat ze de eer nog aan zichzelf kon behouden. De lafaard!

Driftig zette ze er de pas in, terug naar huis. Toen ze langs de werf kwam besloot ze eerst bij Jacob langs te gaan. Hij woonde in een houten huis dat aan de werf grensde, samen met zijn vrouw en vier kinderen. Ze klopte aan, nog vinnig van woede en opwinding. Hij deed zelf open.

'Kan ik je even alleen spreken?' zei ze haastig.

Hij zag meteen dat het ernst was en knikte. 'Even mijn jas aandoen,' zei hij.

Ze hoorde het ijs in de rivier kraken, terwijl ze op hem wachtte. Het was een stille winteravond, waaruit het gebulder van de dag was weggevaagd alsof het niet had plaatsgevonden. Ze haalde diep adem en blies heel langzaam uit. De kou kalmeerde haar en spoorde haar aan rustig na te denken.

Jacob kwam naar buiten, de door zijn vrouw gebreide muts tot net boven zijn ogen. 'Dat duurde even,' verontschuldigde hij zich, 'Guurtje is zo zenuwachtig vandaag, ze is doodsbang voor de kogels en zou ons het liefst allemaal binnenhouden.'

'Als het erop aankomt zijn we binnen ook niet veilig,' zei Kenau somber, 'er zijn vandaag enkele huizen getroffen en er zullen er nog wel meer volgen. En bleef het daar maar bij. Als het aan Ripperda en zijn bevelhebbers ligt, zal er heel wat meer vernield worden.'

'Hoezo?' vroeg hij ongerust. 'Waar doelt u op?'

Ze zuchtte diep. Heen en weer ijsberend vertelde ze hem wat er was gebeurd, vanaf het moment dat de gewonde Waal was binnengebracht tot en met haar bezoek aan de Kloveniersdoelen.

'Ai!' was Jacobs commentaar. Het klonk onheilspellend uit zijn mond.

'Hoezo "ai"?' zei Kenau geërgerd. 'Vind je soms dat zij gelijk hebben?'

'Nee nee, zeker niet,' haastte hij zich te zeggen, 'maar zou ik die soldaat kunnen spreken?'

'Als hij inmiddels niet het loodje heeft gelegd. Hij was er niet best aan toe.'

Het was stil in de loods met huurlingen, na de zware dag bij de Kruispoort. De meeste soldaten lagen languit op hun brits, sommigen leken zelfs al te slapen. Het stonk er behoorlijk, de lucht van zweet en ongewassen lijven walmde hun tegemoet. Sommige vuurkorven rookten, waarschijnlijk omdat er vochtig hout in was gegooid.

Dominique zat op een krukje bij zijn gewonde dorpsgenoot. Cathelijne kwam met een vochtige doek aanlopen, die ze met de toewijding van een kloosterzuster op zijn voorhoofd legde. Hij leefde nog en lag zelfs zachtjes met Dominique te praten.

'Zou hij zijn verhaal nog een keer willen vertellen?' vroeg Kenau, 'aan Jacob, mijn rechterhand in alle zaken van belang?'

Dominique bracht de vraag over en de ander knikte traag met zijn hoofd. Diens ogen glansden vreemd en hij zag opvallend rood. Maar hij nam de moeite alles te herhalen en Dominique vertaalde zonder één moment te aarzelen. Kenau verwonderde zich erover dat de jongen twee talen beheerste. Het was al bizar genoeg dat de mensen in andere landen voor de gewone, vertrouwde Hollandse woorden heel andere woorden gebruikten, maar dat iemand zomaar van de ene in de andere taal kon springen zonder in de war te raken was wel heel bijzonder. Zo jong als hij was, had die Waal heel wat meer in zijn mars dan het hanteren van een zwaard of spies.

'Bij de baard van God!' vloekte Jacob toen ze de loods verlieten. 'Dit wordt een ramp als we niets ondernemen om het onheil af te wenden!'

Kenau knikte, hij was er dus ook van overtuigd dat de gewonde soldaat de waarheid sprak. Waarom zou hij zoiets verzinnen? Wat had hij ermee te winnen? Maar het meest overtuigend was dat Dominique zijn oude dorpsgenoot onvoorwaardelijk geloofde.

'Als die betweters de Kruispoort morgen grotendeels aan zijn lot overlaten zie ik maar één oplossing,' zei Kenau, 'we gaan die wrakke poort zelf verdedigen.'

'U en ik?' riep Jacob met een gepijnigd lachje.

'We gaan mensen ronselen, nu meteen! De avond en de nacht zijn nog niet voorbij, tussen nu en morgenochtend moeten we zoveel mogelijk burgers op dat bolwerk en de poort zien te krijgen. We zullen hete pek en olie nodig hebben, stenen, kalk en stukken puin, vuurkorven en ketels om de pek te verhitten en de olie te koken. We weten dat de belagers allemaal over die puinhelling naar boven moeten klauteren, op dat moment zijn ze erg kwetsbaar.'

'Maar de meeste mannen zijn door het stadsbestuur en de gouverneur opgeroepen om morgen, samen met de schutters en de huurlingen, de Sint-Janspoort en de omliggende muren te bezetten. Ook van onze werf moet er een stel heen.'

'Dan benaderen we toch de vrouwen,' besliste Kenau.

'De vrouwen?' Jacob deed een stapje achteruit.

'De vrouwen ja, waarom niet. Dacht je dat vrouwen te zwak zijn om te vechten? Laat me niet lachen! Hoe dacht je dat het is om een kind te baren? Dat is een krachtmeting met de natuur en minstens zo zwaar als een gevecht van man tot man. Als we de vrouwen niet inzetten, vergeten we een heel potentieel aan dappere strijders. Maar we staan hier onze tijd te verdoen, laten we in beweging komen, dat houdt ons warm. Als jij de verantwoordelijkheid op je neemt voor alles wat we als wapen in kunnen zetten, dan neem ik de vrouwen voor mijn rekening. Ik begin hier in de loods, er zijn heel wat potige vrouwen onder de boerinnen.'

Jacob wilde nog wat zeggen, tegensputteren misschien zelfs, maar ze gaf hem geen kans. Ineens vervuld van een heel nieuw elan liep ze weg. Weg waren haar rugklachten, weg was haar vermoeidheid. Het leek of haar woede een nieuw kanaal gevonden had, het kanaal van de zelfverdediging door middel van de tegenaanval, woest en nietsontziend. De spanjolen moesten verdelgd worden als ratten, dat was de juiste instelling.

Ze riep de vrouwen in de loods bijeen, voor zover ze niet te jong of te oud waren voor de strijd, en sprak ze toe, kalm en overredend. Nadat ze in het kort had uitgelegd in welk stadium van oorlogsvoering ze nu beland waren, en ze hen had overtuigd van de noodzaak de Kruispoort te verdedigen, gooide ze het over een andere boeg. Die van de angst. 'Ik zie aan jullie gezichten dat jullie er weinig voor voelen om je familie en de warme loods te verlaten, om in de ijzige kou op de vestingwallen te klimmen en van daaruit de vijandelijke soldaten de doorgang te beletten. Met veel geweld, want gloeiende pek of olie op iemands hoofd gooien is niet bepaald een zachtzinnig welkom. Ik denk niet dat iemand van jullie dat met plezier zal doen.'

'Ik wel!' riep Leida.

Er werd onderdrukt gelachen, maar meteen daarna sloeg de ernst weer toe.

Kenau stond versteld over haar eigen retorische talent. Ze had nooit gedacht dat ze het had en schreef het toe aan de absolute noodzaak van het doel dat ze wilde bereiken. 'Ook staat er in de bijbel "Gij zult niet doden". Dat is een prachtige en wijze wet en als iedereen zich eraan hield zou het er op aarde veel vreedzamer uitzien. Maar Gods schepselen zijn niet zo gehoorzaam als Hij zou willen en de Spanjaarden hebben die regel in Mechelen, Zutphen en Naarden duizenden malen geschonden. Op een zeer wrede manier nog wel, waarbij vrouwen en kinderen niet gespaard werden. Bovendien heeft de afgezant van koning Filips, de hertog van Alva, de Bloedraad ingesteld, waar onmenselijke vonnissen worden uitgesproken over hen die, meestal ten onrechte, van ketterij verdacht worden.' Haar stem haperde even. Ze schraapte haar keel en vervolgde: 'Om kort te gaan, vrouwen, als wij niet alles op alles zetten om onszelf en de stad tot het uiterste te verdedigen, zal ons lot en dat van onze kinderen gruwelijk zijn, laten we er geen doekjes om winden. Daarom doe ik een beroep op jullie om je morgenochtend om zes uur te melden op de werf, warm gekleed, en vol strijdlust. Dan trekken we samen op naar de Kruispoort. Samen staan we sterk en ik verzeker jullie, dat het de vijand alleen al bij de aanblik van zoveel sterke vrouwen bleek om de neus zal worden.'

Er klonk gemompel onder de vrouwen. Ze begonnen allemaal door elkaar heen te praten en Kenau liet het even gaan. Het was tenslotte niet niks, wat ze van hen vroeg. Maar de tijd drong en ze moest nu de stad in om nog veel meer vrouwen te bereiken.

'Kan ik op jullie rekenen?' riep ze met forse stem.

'Jaaaa!' klonk het in koor.

'Goed, dan zie ik jullie morgen om zes uur!'

Opnieuw stak ze de brug over het Spaarne over. Er was een gure oostenwind opgestoken, maar ze had er geen last van. Ze voelde zich sterk en onverslaanbaar. De passen die ze nam leken haar groter en fermer dan voorheen, haar adem ging dieper, haar wangen gloeiden van de kou en de plotselinge ambitie, een sterk innerlijk vuur dreef haar nu voort en er was maar één richting: vooruit.

De eerste bij wie ze aanklopte was Bertha. Het duurde een tijdje voordat er werd opengedaan. Ze verscheen in de deuropening van de bakkerij met een slaapmuts, die scheef op haar hoofd zat. Haar mond viel open van verbazing toen ze Kenau op de stoep zag staan.

'Mag ik even binnenkomen,' vroeg Kenau zacht.

Bertha knikte en even later stonden ze samen in de winkel.

'Ssstt,' deed Bertha, met een hoofdknik in de richting van het achterhuis, 'hij slaapt, want hij moet heel vroeg op om te bakken. Hij kan het werk bijna niet aan, met al die extra mensen in de stad. Zijn humeur is belabberder dan ooit tevoren.'

Kenau schudde haar hoofd. Het was een publiek geheim dat Bertha dan de pineut was. Soms stond ze met een blauw oog brood te verkopen, en dan bestond ze het ook nog zich ervoor te verontschuldigen.

'Bertha, ik kom een beroep op je doen,' begon Kenau, 'ik ken je nu al zo lang en ik weet dat je uit het juiste hout gesneden bent.' Ze herhaalde de woorden die bij de vrouwen in de loods hun uitwerking niet gemist hadden.

Bertha luisterde nauwlettend, af en toe de slaap uit haar ogen wrijvend. 'Ik snap het,' onderbrak ze Kenau. 'Ik heb geen verdere aanmoediging nodig, we zullen die kerels een poepje laten ruiken. Hij daarachter,' weer dat knikje, 'zal er wel weer tegen zijn, maar daar trek ik me niets van aan, ik kan toch geen goed doen bij die chagrijn.'

'Ik was niet klaar,' zei Kenau, 'ik heb nog een verzoek aan je.'

'Kom maar op,' zei Bertha, die nu helemaal wakker was.

'Ik wil je vragen je warm aan te kleden, nu meteen, en op pad te gaan net als ik, om alle vrouwen die je kent, uit je klandizie zal ik maar zeggen, te overreden mee te doen, met dezelfde argumenten als die je net hebt gehoord. Het gaat om hun leven en dat van hun kinderen, dat moet goed tot hen doordringen. Iedereen kent het lot van de vrouwen in Naarden, daar mag je ze kalmpjes aan herinneren. Als de Spanjaarden erin slagen de stad binnen te dringen, zijn de vrouwen van Haarlem echt niet minder kwetsbaar dan die van Naarden.'

'Ik ga al,' riep Bertha, 'en ik zal op mijn beurt een paar andere vrouwen eropuit sturen, dan werkt het als een inktvlek.'

'Dat is precies de bedoeling,' zei Kenau opgelucht, 'je hebt altijd al goed kunnen kletsen, dus dat gaat zeker lukken.'

Even later was ze weer onderweg, zich het hoofd pijnigend wie ze het beste als volgende zou benaderen. Er was haast bij en ze kon niet alle vrouwen van Haarlem persoonlijk overreden, dus ze moest strategisch te werk gaan. Bertha zou beslist een deel van de meer volkse burgers voor haar rekening nemen, dus was het misschien goed als zijzelf de hogere standen benaderde. Die zouden er wanneer de stad veroverd werd heus niet beter vanaf komen. Verkrachters en moordenaars kenden geen rangen of standen. De freule van Berkendal schoot haar te binnen. Toen Nanning nog leefde waren er hartelijke betrekkingen geweest, ze herinnerde zich zelfs een zomerse dag waarop ze uitgenodigd waren voor een bezoek aan hun buitenhuis, een bescheiden landgoed in de duinen. Het ging om een houtleverantie voor herstelwerkzaamheden aan het huis. Ze hadden buiten gezeten, in de schaduw van een enorme rode beuk, en taart gegeten gemaakt van appels van hun eigen bomen. De mannen hadden aan hun lange witte pijpen gelurkt, terwijl Cathelijne en Geertruide, die toen nog klein waren, in de tuin tussen de in vorm gesnoeide taxussen verstoppertje speelden met de kinderen van de freule. Wat een mooie, zonovergoten herinnering was dat! Ze glimlachte in zichzelf, terwijl ze koers zette naar de stadswoning van de familie aan het marktplein. De freule was in haar geheugen blijven hangen als een pittige dame, die niet over zich heen liet lopen en precies zei waar het op stond.

Ze liet de klopper op de deur vallen. Een dienstmeid deed open. Kenau noemde haar naam, alsmede die van haar overleden man, Nanning Borst, en verzocht beleefd om een onderhoud met de freule. Het was dringend, zei ze erbij. De meid verzocht haar te wachten in de vestibule, die verlicht werd door een smeedijzeren luchter met kaarsen. Ze hoefde niet lang te wachten. De freule verscheen zelf in de hal om haar te begroeten. Ze was nauwelijks veranderd, al waren er sinds dat bezoek minstens tien jaar verstreken. Zeker een hoofd groter dan Kenau was ze een statige verschijning met golvend, donkerblond haar en wakkere, bruine ogen waaraan niets ontging.

Kenau werd hartelijk begroet.

'Wat voert u hierheen, bij dit weer, in onze arme, bedreigde stad?'

De vrouw praat als een prinses in een van de abele spelen, ging het door Kenau heen, ik moet proberen me netjes uit te drukken.

'Komt u toch binnen, hier is het heerlijk warm en behaaglijk. Ik zal de meid vragen warme mede voor ons in te schenken.'

Ze gingen een grote kamer binnen, met een hoog plafond. In het midden was een grote schoorsteenmantel, waarop een schilderij met het familiewapen hing, en eronder brandde een flink vuur dat de hele kamer verwarmde. Vlak bij de haard stonden twee houten stoelen, waarover huiden gedrapeerd waren.

'Gaat u toch zitten,' gebaarde de freule met een brede lach. Zo breed dat Kenau even het gevoel bekroop dat ze uitgelachen werd, Joost mocht weten waarom. Maar meteen schaamde ze zich voor die indruk. Zij was het zelf die de lach was kwijtgeraakt, de luchtige, onbezonnen lach, zomaar uit beleefdheid, of om het ijs te breken.

De warme mede werd gebracht en al bij de eerste slok voelde ze de neiging zich te ontspannen en over te geven, aan de warmte van het vuur, de zoetheid van de drank, de vriendelijkheid van de freule. Maar ze riep zichzelf meteen tot de orde. Dit waren geen tijden voor overgave aan welke vorm van genot of ontspanning dan ook. Er loerde een monster op hen, een vraatzuchtig, vernietigend monster.

Rustig en bedachtzaam deed ze haar verhaal. Omdat er een freule tegenover haar zat, paste ze hier en daar de woordkeus aan. Maar de essentie bleef hetzelfde: het lot van de vrouwen in Haarlem indien de belegering verkeerd uitpakte. Halverwege Kenaus betoog begon de freule te knikken, alsof ze het met ieder woord eens was.

'Ik begrijp helemaal waar u naartoe wilt,' onderbrak ze Kenau, 'we kunnen de verdediging van de stad niet uitsluitend aan de mannen overlaten. Ik roep dat al dagenlang tegen mijn man – u weet, hij is schepen en zit nog steeds te vergaderen in de Doelen. Maar hij wil er niets van horen. Vrouwen vechten niet, hoe vaak ik dat dogma al niet heb moeten horen. En dat terwijl ik regelmatig op jacht ga met de kruisboog! Hij wil het niet hebben, maar ik doe het toch. Ik verwijs hem naar Diana, de Griekse godin van de jacht, maar dat overtuigt hem niet. Als ik dan per se wil jagen, zegt hij, laat ik dan aan de valkenjacht deelnemen, net als andere dames. Maar de valkenjacht is me te passief, snapt u, het is de valk die het werk moet doen. Nee, geef mij de kruisboog maar, dat is veel opwindender en ik zal u zeggen: ik sta mijn mannetje! Niets is mooier dan met een goed gerichte pijl raak schieten. Aaahhh,' zuchtte ze, 'als het lukt geeft het je voor even het gevoel dat je je leven in de hand hebt. En daar gaat het toch om, in dit onderaardse, we willen het in de hand hebben. En zeker niet verliezen.'

Kenau was even met stomheid geslagen. Ze had zichzelf helemaal opgepompt om de freule te overreden, maar het bleek niet nodig. De freule stond te trappelen om mee te doen, leek het wel.

'Meent u het echt?' informeerde ze voor de zekerheid. 'Bent u bereid om morgen vanaf zes uur, samen met mij en zo veel mogelijk andere vrouwen, de Kruispoort te verdedigen tegen de Spanjaarden en een bestorming tegen te houden?'

'Nou en of!' zei de freule opgetogen, 'mits ik met mijn kruisboog mijn gang kan gaan. Met gloeiende pek gooien is niets voor mij.'

'U kunt u helemaal uitleven met uw kruisboog,' zei Kenau, die haar enthousiasme nauwelijks kon verhullen.

'Weet u,' de freule boog zich vertrouwelijk naar voren, 'mijn man kan de Spanjaarden niet luchten of zien. Hij kan hun bloed wel drinken. Vanwege de kettervervolging, begrijpt u, die vindt hij onmenselijk. Want u moet weten, wij zijn aanhangers van de lutherse leer. We lopen er niet mee te koop, want het is een gevaarlijke tijd.'

Ze weet niets, realiseerde Kenau zich, ze weet niet wat er is gebeurd met het meisje met de rode krullen, dat verstoppertje speelde tussen de taxussen, met haar dochters.

'Mijn man heeft de katholieke kerk de rug toegekeerd, hij walgt zo van de corruptie en de hoogmoed dat hij hosties voert aan zijn papegaai. Om de papen te bespotten, in het geheim, gewoon om zichzelf een plezier te doen. Ik zie u kijken, nee, de papegaai is hier niet, de kooi staat in de werkkamer van mijn man.' De freule stond energiek op. 'Nou, dan stel ik voor dat we hier niet langer blijven zitten. Er moeten nog meer vrouwen benaderd worden. Ik begin met de burgemeestersvrouwen, en dan ga ik door naar Diewertje Pietersen, haar man is ook schepen.'

Kenau dronk haastig de kristallen bokaal leeg en stond ook op, lichtelijk verward, omdat het er even op leek of de freule bezig was haar het hele initiatief uit handen te nemen.

Ze liepen de hal in, waar freule van Berkendal in haar mantel werd geholpen door de meid. Daarna zette ze een kapje op van donkerrood vilt, wikkelde een omslagdoek om haar hals en zei: 'Ziezo!'

Op het plein scheidden zich hun wegen.

'U denkt toch niet dat ik er plezier in heb iemand te doden?' riep de freule nog, zich ongerust omdraaiend.

'Hoe komt u daarbij?' loog Kenau.

'Dat ik graag op konijnen schiet betekent nog niet dat ik graag op menselijke wezens schiet. Het zal met een bedroefd hart zijn als ik iemand met een pijl doorboor, gelooft u me, zelfs als het een Spanjaard is. Maar u weet dat ik drie dochters heb, allemaal hier in de stad. En een kleindochter. Voor hen doe ik het. Wat moet dat moet.'

'Wat moet dat moet,' beaamde Kenau. Ze sloeg de Barteljorisstraat in en bedacht wie de volgende zou zijn om te benaderen. De freule nam de notabelen voor haar rekening, dus kon zij zich toch maar beter op het gewone volk richten. De eerste die bij haar opkwam was de vrouw van de blikslager, bij wie ze altijd emmers, teilen en vuurkorven kocht, ook voor de werf. Die vrouw had maar liefst zeven dochters, allen flink uit de kluiten gewassen, net als hun vader. De familie treurde om de afwezigheid van zonen die de zaak van hun vader zouden kunnen overnemen. Hun huis was vlakbij, in de Lange Wijngaardstraat – onbewust was ze al in die richting gelopen.

Ze klopte op de deur.

'Wie is daar?' klonk de stem van een vrouw.

'Ik ben het, Kenau Hasselaer.'

Het bleek een van de dochters te zijn die opendeed, een welgeschapen, stevige blondine van huwbare leeftijd. Ze keek Kenau met opgetrokken wenkbrauwen aan.

'Mag ik binnenkomen?' vroeg die. 'Ik wil iets met jullie bespreken, het is belangrijk.'

Na een lichte aarzeling knikte het meisje. 'U bent toch de moeder van Cathelijne en Geertruide?'

'Ja,' zei Kenau, pijnlijk getroffen door het noemen van de naam van haar jongste. Maar het was waar, ook van een dood meisje was je nog steeds de moeder.

'Komt u binnen.' Het meisje ging haar voor, een olielampje in de hand.

Ze liepen door een schemerige werkplaats, langs een rij teilen, en gingen via een zwaar wollen gordijn het achterhuis in. Daar zat de hele familie aan een lange tafel te eten. Het rook er naar reuzel en kaantjes, en er stond een stoofpot op tafel waaruit ieder zich bediende, een stuk brood in de hand. De blikslager zat aan het hoofd van de tafel, mager en tanig, met een gegroefd gezicht waarop een uitdrukking van permanente somberheid lag.

Wat heeft hij nou voor reden voor neerslachtigheid, vroeg Kenau zich af, met zoveel struise dochters om zich heen. Zijn vrouw zat halverwege, ooit een blonde schoonheid geweest, maar het blonde haar was grijs geworden en er lag een zorgelijk trekje om haar mond.

'Goedenavond,' zei Kenau, 'eet rustig verder.'

Er werd in koor een groet gemompeld, iemand schoof een stukje op zodat Kenau naast haar op de houten bank kon plaatsnemen. Terwijl de familie verder at vertelde Kenau welke noodzaak haar naar hun huis gevoerd had. Iedereen luisterde aandachtig, zonder haar te onderbreken.

'Daar komt niets van in,' zei de blikslager toen ze uitgesproken was.

'Ach Bram, hoe kun je dat nou zeggen,' viel zijn vrouw boos tegen hem uit, 'heb je er dan niets van begrepen? Het is doden of gedood worden, daar komt het op neer.'

'Ja pa, we gaan hier niet rustig zitten wachten tot die schoften ons komen halen.'

Kenau kon zich niet aan de indruk onttrekken dat de man bij de woorden van zijn vrouw en dochters in elkaar kromp. De tijd dat hij het nog voor het zeggen had in zijn gezin lag ver achter hem, begreep ze, en ze had bijna medelijden met hem.

Ze begonnen allemaal door elkaar heen te praten. Haar woorden riepen veel emoties op, dat was te begrijpen, en Kenau snapte dat ze hun even de tijd moest geven. Alleen: die tijd had ze niet, dus zag ze zich genoodzaakt hen te onderbreken. 'Kan ik op jullie rekenen, morgenochtend om zes uur bij de Kruispoort?'

Van beide kanten van de tafel kreeg ze bijval. Ze zouden er zijn, beloofden ze, zodra de klok van de Sint-Bavo zes uur sloeg.

'Alleen onze kleine hier,' de moeder wees op een tenger meisje van een jaar of veertien, 'Maaike blijft hier, bij d'r vader. Ze is nog te jong. Maar voor de rest doen we allemaal mee, ikzelf voorop.'

‘Zo mag ik het horen,’ zei Kenau.

‘Het is prachtig dat u het voortouw genomen hebt om de vrouwen ook in te schakelen, in plaats van rustig de verschrikking af te wachten,’ ging de moeder verder. ‘U bent een bijzonder mens, Kenau, en u zult onze hopman zijn als we met zijn allen op die muren staan, of onze hopvrouw, eigenlijk.’

‘Ja, onze hopvrouw!’ werd ze bijgevallen door haar dochters.

Kenau bloosde, niet gewend aan loftuitingen. Ze maakte duidelijk dat ze helaas verder moest, om zo veel mogelijk vrouwen te bereiken voordat iedereen in bed lag. Nadat de meisjes haar beloofd hadden er meteen op uit te gaan om hun vriendinnen te overreden, vertrok Kenau, terug langs de teilen, de Lange Wijngaardstraat in.

Ze liep weer naar het marktplein, lichtelijk opgetogen. Wie nu, dacht ze. Ze passeerde een groepje dronken huurlingen en liep er in een grote boog omheen. Ripperda zou zijn manschappen beter in het gareel moeten houden, dacht ze in het voorbijgaan. Op de Markt zag ze de freule lopen, gevolgd door een rijtje andere vrouwen.

Zodra de freule haar in het oog kreeg stevende ze geestdriftig op Kenau af.

‘Ten oorlog!’ riep ze. ‘Ziet u wie er allemaal meedoen? Mag ik jullie voorstellen, hoewel de meesten van ons haar allang kennen: dit is mevrouw Hasselaer, of mogen we Kenau zeggen, dat bekt beter.’

Kenau glimlachte. ‘Ik ben blij dat u van de partij zult zijn morgen, we zullen u hard nodig hebben.’

Daarna vond de freule het nodig alle namen op te sommen. Bekende namen passeerden de revue, waaronder die van oude families en nieuwe rijken, stadsbestuurders en schutters, het kon niet op, ze deden allemaal mee en waaierden nu de straten en stegen van de stad in om nog meer dames op te trommelen.

‘Geweldig, geweldig!’ bracht Kenau uit, overweldigd door de gevolgen van haar actie, die nu al haar stoutste verwachtingen overtroffen.

‘Ten oorlog!’ riep de freule weer, toen Kenau haastig afscheid nam.

Kenau stak haar hand instemmend op terwijl ze het plein overstak. Nu er aan deze kant van de rivier al zo druk geronseld werd, besloot ze de brug over te steken, terug naar haar eigen wijk om de vrouwen van bierbrouwers en scheepsbouwers te benaderen. Die kende ze bijna allemaal, dus dat was makkelijker.

In haar eigen buurtschap genoot ze aanzien. Als weduwe van Nanning Borst, die het bedrijf geheel in zijn stijl voortzette, als vrouw van onbesproken gedrag die echter niet over zich heen liet lopen, en sinds kort leefde men ook met haar mee omdat ze haar jongste dochter op zo'n dramatische manier had verloren – want geruchten verspreidden zich snel aan de andere oever van het Spaarne. Haar bezoek aan diverse families was dan ook niet vergeefs. Slechts eenmaal verbood de heer des huizes zijn vrouw en dochters deel te nemen aan de strijd. Toen zij protesteerden sloeg hij zo hard met zijn vuist op tafel, dat de met bier gevulde kroezen meetrilden. Hij kon het wel alleen af, zei hij, de volgende dag zou hij de voor hem bestemde plaats innemen op de Sint-Janspoort. Hij geloofde blindelings de versie van Ripperda en verwees die van Kenau naar het rijk der fabelen, met alle respect. De vrouwen zwegen onderdanig en toen ze hun huis verliet zei Kenau bij zichzelf dat ze dit soort vrouwen, die het gezag van de man boven hun eigen vrije wil stelden, helemaal niet nodig had.

Later, in het huis van een bevriende bierbrouwer, waren het de vrouwen die het af lieten weten. Ze waren bang, zeiden ze, en ze zouden het nooit voor elkaar krijgen gloeiende pek of stenen op een ander levend wezen te gooien, ze gruwden al bij de gedachte. Kenaus gebruikelijke donderpreek over verkrachting en moord had weinig effect op hen. Ze waanden zich veilig in hun rijk gedecoreerde huis aan het Spaarne, waar ze door hun personeel op hun wenken bediend werden. Door de winstgevende bierhandel van hun man of vader hadden ze een gevoel van onkwetsbaarheid gekregen: ongeacht wat er met Haarlem gebeurde, hun geld zou als het erop aankwam uitkomst bieden. Kenau verspilde verder geen energie aan deze familie, al was ze teleurgesteld dat mensen die ze als vrienden had beschouwd, het zo lieten afweten, als puntje bij paaltje kwam.

Pas toen het echt te laat was om nog bij mensen aan te kloppen gaf ze het op, al had ze best door willen gaan tot het ochtendgloren. Ze liep naar huis en klopte op haar eigen deur, omdat ze bij haar overhaaste vertrek vergeten had de sleutel mee te nemen. Het was Cathelijne die met een ernstig gezicht opendeed.

'Wat is er?' vroeg Kenau.

'Hij is dood.'

'Wie?'

'De Waalse huurling. Hij tilde zijn hoofd op en keek Dominique indringend aan, alsof hij iets zeggen wilde. Toen viel zijn hoofd neer in het kussen en zakte zijn mond open, maar er kwamen geen woorden uit. Omdat zijn mond niet meer dichtging, snapten we dat het voorbij was.'

19

'God hebbe zijn ziel,' zei Kenau, terwijl ze haar jas uittrok.

'Wat bent u laat terug,' Cathelijne liep achter haar moeder aan.

'Is er nog iets te eten?'

'We hebben wat voor u bewaard,' zei Claes, 'we dachten dat u wel honger zou hebben. We zitten al uren op u te wachten om te horen wat Ripperda heeft gezegd.'

'Waar is Mechteld?'

'Die is al naar bed,' zei Cathelijne. Ze liep naar de stoofpot, die aan een ketting boven het vuur hing, om eten op een tinnen bord te scheppen. Haar moeder plofte neer in de stoel, die vroeger van Nanning was geweest. Het was verreweg de meest comfortabele stoel in het vertrek, omdat hij leuningen had en er een kussen over de rugleuning hing. Hij werd altijd vrijgehouden voor haar moeder, verder durfde niemand erin te gaan zitten.

Pas toen ze haar bord leeg had bracht Kenau verslag uit van haar mislukte poging Ripperda en de legerleiding te overtuigen

'Wat een zelfingenomen blaaskaken,' zei Claes, 'en die moeten onze veiligheid waarborgen. Ze zijn net zo kortzichtig als de mannen die het in Naarden voor het zeggen hadden.'

'Maar wat nu?' vroeg Cathelijne. Ze dacht aan de soldaat die zijn laatste levensenergie gebruikt had om hen te waarschuwen. Opnieuw zag ze hem sterven, zijn mond woordeloos opengesperd, zijn uitpuilende ogen. Wat had hij gezien op het moment van zijn dood? Een hemels tafereel was het beslist niet geweest. Ze had angst gezien in zijn blik, pure kille flitsende angst, erger dan bij haar zus, die steeds opzij gekeken had naar haar geliefde, om moed te putten uit zijn dapperheid.

Ze zag de blik van haar moeder veranderen. Op haar gezicht verscheen een uitdrukking van fierheid en vastberadenheid.

'Ik heb vanavond een leger van vrouwen geronseld!'

'Een leger van vrouwen?' zei Claes. Zijn mond viel open.

'Ja, hebben jullie dan nog niets gehoord, van Jacob, of van de vluchtelingen?'

'Nee,' zei Cathelijne, 'wij waren de hele tijd in de loods bij de stervende huurling.'

'Nou, ik ben vanavond van hot naar her gegaan, om de vrouwen in onze stad te overtuigen van de noodzaak morgen samen de Kruispoort te verdedigen, omdat de heren die het voor het zeggen hebben hun pionnen op het verkeerde veld hebben staan. Ze snapten het allemaal. De vrouwen van Haarlem ontbreekt het niet aan moed, van jong tot oud, van hoog tot laag. Ze hebben me niet teleurgesteld. Morgen, vanaf het ochtendgloren, trekken we met zijn allen naar de Kruispoort, waar Jacob dan al voor de nodige ammunitie heeft gezorgd.'

'Ammunitie?'

'Pek, olie en stro. Vuurkorven en potten om alles te verhitten. Dat soort dingen.'

'Allemachtig,' zei Claes.

Cathelijne was verbluft. Haar moeder leek ineens veranderd. Niet langer was ze de zwaarmoedige vrouw die zich helemaal liet gaan in de rouw om het verlies van haar kind, en in de woede om het haar aangedane leed. Ineens was ze een en al strijdlust, in haar ogen schitterde een nieuw licht. Eindelijk zag ze de kans om de vijand te straffen voor wat haar dochter was aangedaan. En ze had nog gelijk ook. Cathelijne wilde ook meedoen, niet alleen voor Geertruide, maar ook om verlost te worden van het schuldgevoel dat haar nog steeds kwelde. 'Ma, het is een geweldige onderneming!' riep ze enthousiast uit. 'Ik word graag soldaat in dat leger van u, zij aan zij strijden tegen...'

'Nee!' zei haar moeder ferm. 'Daar komt niets van in.'

Het was alsof Cathelijne een klap in haar gezicht kreeg. 'Waarom ik niet en alle anderen wel?' bracht ze uit.

'Omdat... omdat... omdat je verantwoordelijk bent voor de keuken. Je hebt zoveel monden te voeden.'

'Maar ik kan best een paar uurtjes weg om jullie bij te staan.' Ze hoorde hoe klaaglijk haar stem klonk, maar het kon haar niets schelen.

'Nee, in elk leger heb je een taakverdeling, en jouw taak is eten koken. Dat doe je goed, dat hebben we de laatste dagen wel gezien.'

Ze had willen stampvoeten, zoals ze als klein meisje deed wanneer ze haar zin niet kreeg. Je bent net je vader, zei haar moeder dan. Daarom was ze er op een dag mee opgehouden. Voortaan hield ze haar woede binnen, ze had gemerkt dat het leven daardoor makkelijker werd. Maar nu kwam de neiging om te stampvoeten ineens terug, het kostte haar de grootste moeite zich te beheersen. Wat kon ze haar moeder haten, die zelfverzekerde, daadkrachtige vrouw waar iedereen zoveel bewondering voor had. Ze mogen haar wat mij betreft overhoopschieten, daar op die verdomde poort, dacht ze grimmig. Dan is het uit met dat heerszuchtige gedoe, dan ben ik eindelijk vrij om te doen en te laten wat ik wil.

'Ik ga zo slapen,' zei ze schor.

'Ik ook.' Haar moeder leegde haar pul met een grote slok en stond op. 'Oef,' zei ze, haar hand op haar voorhoofd leggend, 'ik geloof dat ik nu echt moe ben.'

'Ik haat haar,' zei ze tegen Claes, nadat haar moeder het vertrek verlaten had. Hij maakte ook aanstalten om naar bed te gaan.

'Doe niet zo gek,' zei hij, 'je moeder is helemaal uit het goeie hout gesneden.'

'Als ze uit zulk goed hout gesneden was als jij beweert, waarom gunt ze het mij dan niet om mee te doen met de anderen? Ik zou het voor mijn zus doen, hoor, niet voor haar. Ik heb net zoveel behoefte aan wraak als mijn moeder, dus waarom verbiedt ze het mij dan?'

'Snap je dat dan niet?'

'Nee, ik snap er geen barst van.'

'Ze heeft al een dochter verloren, sufferd. Jij bent de enige die ze nog heeft.'

Was het waar wat Claes zei? Waarschijnlijk had zijn moeder veel van hem gehouden en maakte hij daaruit de automatische gevolgtrekking, dat het in haar geval ook zo zou zijn. Maar hij weet haast niets van ons verleden, dacht ze, hij weet niet dat ik het kind ben van een man die ze verafschuwde, dat mijn moeder altijd een voorkeur heeft gehad voor haar jongste en dat ze mij verwijt dat juist die haar ontnomen is. Hij weet niet dat ze mij liever was kwijtgeraakt dan mijn zus.

Ze hield die argumenten voor zich en wenste Claes welterusten. Eenmaal in bed viel ze, vreemd genoeg, meteen in slaap. Het was een diepe slaap, waaruit ze de volgende ochtend pas ontwaakte. Ze duwde de deurtjes van de bedstee op een kiertje en zag dat het nog donker was. Was haar moeder al opgestaan en vertrokken? Er was geen vuur in de haard, maar dat zei niets. Vandaag was de beslissende dag. Ze ging bruusk rechtop zitten. Als ze het verbod van haar moeder nu eens in de wind sloeg? Ze draaide zich zijwaarts tot haar blote voeten boven de koude tegelvloer bungelden en weifelde. Toen nam ze een besluit, ze kleedde zich snel aan en riep Claes onder aan de trap. Er kwam geen reactie. Toen riep ze Mechteld. Stilte. Iedereen was natuurlijk al weg, ze had zich gewoon verslapen. Haastig propte ze wat brood met reuzel in haar mond en spoelde het weg met bier.

Op het moment dat ze de deur van het huis opende en naar buiten stapte, barstte er een oorverdovend lawaai los. Terwijl ze de brug overstak en stap voor stap dichterbij kwam, kon ze de verschillende geluiden steeds beter van elkaar onderscheiden. Schoten uit musketten of andersoortige wapens volgden elkaar snel op, het geluid van metaal op metaal klonk ertussendoor, daarnaast het gedreun van vallend gesteente. Het ergste was het geschreeuw, dat boven alles uitsteeg. Alle toonaarden van de menselijke stem waren te horen: de diepere van de mannen, vervuld van woede en agressie of van ijselijke angst, daarbovenuit de hogere tonen van de vrouwen, schril en dreigend, soms ook vol triomfantelijk gekrijs. Het was een verschrikkelijke, helse koorzang, waarin het gruwelijke en de dood overheersten.

Cathelijne vertraagde haar pas. Het liefst had ze het op een hollen gezet, terug naar waar ze vandaan gekomen was, of nog veel verder weg. Maar waarheen? De stad was omsingeld, je kon er niet meer uit, ze zaten als ratten in de val. Haar moeder had gelijk, het enige wat je als vrouw kon doen was die wallen opklimmen en proberen de aanval af te slaan met alle middelen die je had.

Ze liep dus door, haar angst onderdrukkend. Toen ze de Kruispoort naderde belandde ze in een wirwar van vrouwen, slechts hier en daar was een man te zien. Er werd een gewonde vrouw weggedragen, het bloed gutste over haar van pijn vertrokken gezicht. Ze was in het heetst van de strijd gestruikeld en tegen een vuurkorf aan gevallen, hoorde ze iemand zeggen. Andere vrouwen sleepten met brokken puin, afkomstig van huizen die de vorige dag getroffen waren door kanonskogels. Iedereen was vuil en bezweet, maar ze hadden een fanatieke schittering in hun ogen. Ze mochten niet verliezen.

Waar was haar moeder? Cathelijne vermoedde dat die niet met stenen liep te slepen, maar boven op het bolwerk bezig was haar eigen oorlog uit te vechten. Moeizaam baande ze zich een weg naar boven. Al voordat ze daar aankwam zag ze haar, geflankeerd door andere vrouwen. Ze vulden om beurten hun emmer met hete pek, die in een grote teil boven een vuur hing. Dat werd bewaakt en brandend gehouden door een jonge vrouw, een meisje nog, dat voortdurend slierten haar uit haar gezicht wegveegde met de rug van haar hand. Verderop hing nog een teil, die gevuld was met olie. De vrouwen kieperden de inhoud van hun emmers naar beneden, over de borstwering heen, en liepen dan haastig naar de teil om een nieuwe lading te halen. Het leek wel of ze een brand blusten. Op het moment dat ze de inhoud van hun emmer naar beneden kieperden waren ze heel kwetsbaar, omdat ze tot aan hun borst zichtbaar waren voor de vijand, zag Cathelijne. Sommige vrouwen leegden daarom hun emmer in het wilde weg, en doken daarna zo snel mogelijk weg. Maar haar moeder nam de tijd om zorgvuldig te mikken. Ze boog zich een stukje over de borstwering en keek naar beneden, als een adelaar die een prooi ziet. Er verscheen zelfs iets van een lachje op haar lippen, en dan richtte ze, een kreet vol razernij uitstotend.

Van beneden klonk voortdurend het ijzingwekkende gegil van soldaten die getroffen werden. Cathelijne huiverde. Aan de buitenkant van de borstwering waren jongemannen als Dominique bezig over het puin heen de borstwering te beklimmen. Ze durfde zich niet voor te stellen hoe het was om hete pek of olie over je heen te krijgen. Was je dan meteen dood, of had je een afschuwelijk lijden voor de boeg, dat uiteindelijk toch tot een uitgestelde dood leidde?

Had haar moeder dan helemaal geen medelijden? Of sloot ze zich af voor de gruwel die ze daar beneden aanrichtte? Had ze het beeld van haar dochter op de brandstapel voor ogen, of dacht ze aan het lot van de Haarlemse vrouwen in geval van inname?

Cathelijne aarzelde. Waarom weifelde ze nu ineens? Gisterenavond wilde ze nog per se de barricades op met haar moeder. Maar nu ze geconfronteerd werd met het rauwe krijgsbedrijf deinsde ze terug. Kom op, ze mocht zich niet aanstellen. Ze liep een andere kant op, weg van haar moeder, die in de hitte van de strijd niet gemerkt had dat ze door haar dochter werd gadegeslagen. Ze passeerde enkele huurlingen, die met op schragen rustende haakbussen schoten. Ook zag ze een grote vrouw die met een soort kruisboog fanatiek pijlen afvuurde naar beneden. Elke pijl werd beantwoord door een akelige kreet, die Cathelijne door merg en been ging. Ze durfde voor geen goud naar beneden te kijken. Ineens ontdekte ze Mathilde, dwars door de rook van de vuren heen. Ze sjouwde met een bos takken en bukte even later om ze te breken en op het vuur te leggen.

'Mathilde!' riep Cathelijne, op haar toe hollend.

Mathilde keek op van het vuur. Haar ogen leken nog blauwer dan anders, tussen de zwarte vegen. Er brak een verwonderde lach door op haar gezicht. 'Hééé, kom je helpen?'

'Nee... ja...' stamelde Cathelijne.

'Wil jij de takken op maat breken, dan kan ik beneden nieuw hout gaan halen.'

Cathelijne knikte en begon takken te breken. Zelfs dat was niet gemakkelijk. Sommige takken waren taai, of te dik, die brak ze met alle kracht die ze in zich had op haar knie of onder haar voet in tweeën. Af en toe kwam Mathilde even bij haar staan uitblazen.

'Dat schijnt de vrouw van een burgemeester te zijn,' zei ze, in de richting wijzend van een oudere vrouw, die een lichaam had als een bonenstaak. De vrouw wierp brandende hoepels over de borstwering, bij elke worp strijdlustige kreten slakend alsof het een spelletje ringwerpen betrof. 'Ik heb horen zeggen dat zij en een paar schuttersvrouwen de hele nacht hebben doorgewerkt om hoepels te maken van twijgen,' giechelde Mathilde, 'ik zie het voor me, hoe ze daar bij elkaar zaten, terwijl de bediendes almaar pullen bier moesten aandragen.'

Hoe kon ze in godsnaam lachen te midden van deze hel, vroeg Cathelijne zich af. Of waren het de zenuwen? Ze strekte haar rug en zag net hoe de vrouw van de bakker een gigantisch brok puin van de grond tilde, tot boven haar hoofd. Haar dikke armen trilden, haar ronde gezicht zag rood van inspanning en even vreesde Cathelijne dat ze onder het gewicht zou instorten. Maar nee, in een ontzagwekkende krachttoer hief Bertha het stuk puin nog iets hoger, waarna ze het met een triomfantelijke overwinningskreet over de rand liet vallen. Van beneden klonk een vreselijk gebrul. De vrouw kon het niet nalaten even over de rand te gluren om te zien wat ze had aangericht. Daarna keerde ze zich tevreden om en liep naar een stapel waarop nog meer puin lag.

Ineens klonk er rumoer op de trap. Het was de gouverneur die naar boven kwam, met een gevolg van gewapende schutters en soldaten. Hij keek bars. Zo kende ze hem niet.

'Waar is verdorie Kenau Hasselaer?' riep hij.

20

Iemand legde een hand op haar arm. Kenau keek opzij. Het was een van de vrouwen uit haar eigen buurtschap.

'De gouverneur zoekt u.'

Kenau fronste haar wenkbrauwen. Daar was hij al, haar met een grimmige blik aanziend.

'Mevrouw Hasselaer, wat is hier in godsnaam aan de hand?'

'Mijnheer, wij verdedigen de Kruispoort, omdat u het druk heeft met de Sint-Janspoort.'

'Mevrouw Hasselaer,' hij trok haar aan haar arm weg bij de tonnen met pek en olie, 'had ik u daarvoor opdracht gegeven?'

Kenau keek langs hem heen, naar de soldaten en huurlingen die hij had meegebracht, die alleen maar in de weg stonden.

'Niemand, zeg ik u, niemand heeft u hiervoor opdracht gegeven. Weet u dat dit een vorm van hoogverraad is? Als u een man was geweest hadden we u aan de hoogste boom opgehangen.'

Freule van Berkendal kwam naast Kenau staan, haar kruisboog in de hand. Met hoog opgetrokken wenkbrauwen zei ze: 'Wat komt ú hier doen? Ziet u niet dat we het druk hebben? We kunnen hier geen pottenkijkers gebruiken.'

Een spier in de kaak van de gouverneur verstrakte en er lag een verontrustende dreiging in zijn ogen. Voordat hij kon reageren klonk er een woest gejuich op uit de gelederen.

'Ze slaan op de vlucht! De bestorming is afgeblazen! We hebben gewonnen!'

De freule slaakte een extatische kreet van vreugde en omhelsde Kenau zo stevig, dat die naar adem moest happen. 'Het is ons gelukt meid,' riep ze triomfantelijk, 'we hebben die smeerlappen de volle lading gegeven!' Ze liet Kenau weer los om onmiddellijk daarna met een andere vrouw een rondedans te maken.

Dat mens is gek, dacht Kenau, maar een gevoel van uitzinnige vreugde begon zich nu ook in haar te verspreiden. Het was ze gelukt! Gelukt! De vrouwen om haar heen lachten en joelden, vielen elkaar in de armen en kusten elkaars smerige gezichten. Vrouwen drukten haar aan hun borst en zoenden haar tot ze er duizelig van was.

'Jullie waren geweldig, allemaal!' bleef ze maar roepen.

Ripperda stond met zijn manschappen over de rand van het bolwerk te kijken.

'Sodeju! Wat een slagveld!' riep hij uit.

Kenau zag hun verbijstering. Ze wist precies hoe het er daar beneden uitzag. Diep van binnen voelde ze zich ook schuldig om wat ze hadden aangericht. Het waren haast allemaal jongemannen. De helling van puin, waarover de Spanjaarden het bolwerk hadden bestormd, lag bezaaid met verminkte lichamen. De eerste lading doden en gewonden had de legerleiding er niet van weerhouden meteen nieuwe bataljons te laten aanrukken, die over de gevallenen heen moesten klauteren, een zekere dood tegemoet – dit helse spektakel was zo doorgegaan, totdat hun commandant de onmogelijkheid om het van deze ongebruikelijke vijand te winnen onder ogen had gezien. Het wonderlijke was dat de Spaanse soldaten geen musketten of andersoortige schietwapens hadden gehad. In dat geval zou het veel moeilijker zijn geweest de Kruispoort te verdedigen. De enige wapens waarover de vijand beschikte waren degens, sabels en hun eigen spieren. Eenmaal boven op het bolwerk aangekomen hadden ze daarmee een slachting kunnen aanrichten en dat was natuurlijk ook de bedoeling van de bestorming. Maar zover was het niet gekomen. Ze wilde er niet aan denken, het was tijd om opgelucht adem te halen.

Zonder nog naar Ripperda om te zien liep ze naar beneden. Nu pas sloeg de vermoeidheid toe. Haar armen en benen voelden aan alsof ze op de pijnbank had gelegen, haar jak was gescheurd en als ze over haar wang veegde had ze bloed op haar hand. De hoogste boom, zei ze hoofdschuddend bij zichzelf, waar haalt hij het vandaan.

Nadat ze zich thuis had opgeknapt en iets had gegeten, liep ze naar de werf om van de scheepsbouwers te horen hoe de strijd bij de Sint-Janspoort was verlopen. Het was een lachertje geweest. De vijand had hen voor de schijn beschoten, alleen om hen bezig te houden en af te leiden van de bestorming van de Kruispoort, precies zoals de Waalse soldaat vlak voor zijn dood gezegd had. Het had een tijdje geduurd voordat een boodschapper kwam melden dat het er pas echt heftig aan toeging bij de Kruispoort. Daarna had het lang geduurd voordat de legerleiding haar vergissing wilde inzien en commando gaf op te trekken naar de Kruispoort. Met duidelijke tegenzin.

Ze hadden er samen om gelachen en Kenau was haar kantoor ingegaan om de klerk te spreken over enkele houtleveranties die last ondervonden van de Spaanse blokkade. Nadat ze een kwartiertje overleg hadden gepleegd had ze hem vrijaf gegeven, om de overwinning te vieren met de anderen, zei ze. Maar eigenlijk had ze de behoefte om alleen te zijn. Het kantoor was daarvoor een uitgelezen plek. Het was niet meer dan een houten gebouwtje dat tegen een loods was aangebouwd, met uitzicht op het Spaarne. Er brandde een mooi vuur onder de kleine schoorsteenmantel en de lage winterzon scheen naar binnen. De klerk had het hier goed voor elkaar. Omdat hij een horrelvoet had, was hij niet opgeroepen om deel te nemen aan de strijd. Terwijl zij op het bolwerk hun uiterste best deden een bestorming te verijdelen, had hij hier rustig over het water uit zitten kijken, stelde ze zich voor.

Kenau ging op een archiefkist bij het raam zitten en staarde naar de rivier. De zon schitterde in de sneeuw, miljoenen ijskristallen weerkaatsten het licht. Daar waar de sneeuw van het ijs geveegd was, was het diep donkerblauw, als een heldere hemel bij nacht. Het was alsof er grote geheimen verborgen lagen, diep onder het oppervlak, die zich nooit aan de mens zouden openbaren. De mens, die zo dom was jonge levens op te offeren in naam van een zinloze oorlog. De triomf die ze gevoeld had ebde weg en maakte plaats voor walging. Wat een gruwelijk bedrijf was het, de oorlogsvoering. Alleen uit te zijn op de vernietiging van de ander. Ze had er zelf aan meegedaan, vol vuur zelfs, maar nu maakte de gedachte eraan haar misselijk. Kon ze niet beter naar de dichtstbijzijnde kerk gaan om te biechten en om vergeving te vragen, in plaats van hier te zitten uitrusten? Waarvoor waren al die jongens eigenlijk gestorven? Was het Filips de Tweede om het geld te doen, of om het geloof? Wat kon het hem schelen waar de mensen aan de noordelijke rand van zijn rijk in geloofden? En waarom zouden ze hoge belastingen moeten ophoesten? Om een van zijn andere oorlogen te bekostigen, zei men, die tegen de Turken.

Door de uitputting en de behaaglijke warmte dommelde ze langzaam in, met haar hoofd op de vensterbank. Het kapje had ze al afgezet, haar krullende haar viel half voor haar gezicht. Ze kwam in een diepe, droomloze slaap terecht, waaruit ze pas ontwaakte toen er op de deur geroffeld werd. Ze schrok, hoe lang had ze geslapen? Moeizaam kwam ze overeind, haar hoofd tolde. Hoe laat was het? Het hele vertrek kleurde al rood van de ondergaande zon.

'Ja ja,' zei ze, 'ik kom al.'

De gouverneur stond enigszins bedremmeld met zijn hoed in zijn hand voor de deur. 'Mag ik even binnenkomen, mevrouw?'

Zonder iets te zeggen deed ze een stap naar achteren om hem door te laten. Midden in de ruimte bleef hij staan. Nu pas viel het haar op hoe laag het plafond was.

'Mevrouw Hasselaer, ik kom u mijn excuses aanbieden.'

'Ach?' zei Kenau verwonderd.

'Ik heb mezelf belachelijk gemaakt door zulke grote woorden in de mond te nemen. Het spijt me echt heel erg.'

Ze wist niet wat ze moest zeggen, dus zweeg ze.

'Het is voor een man niet gemakkelijk zijn nederlaag te erkennen, en zeker niet tegenover een dappere vrouw die net een overwinning behaald heeft.'

Kenau streek een krul uit haar gezicht en bloosde. 'Hoe wist u dat ik hier was?' zei ze met gefronste wenkbrauwen, 'u weet mij altijd te vinden, juist op de plekken waar ik mijn toevlucht zoek om even alleen te zijn.'

'Uw voorman, mevrouw, met uw welnemen, hij weet altijd waar u bent. En ik ben zo brutaal het hem steeds weer te vragen.'

'Mmm...' was haar enige commentaar.

'Mijn dankbaarheid is met geen woorden uit te drukken. U heeft de stad gered vanochtend, mevrouw, u en dat legertje van u. Hoe u dat zo snel heeft weten op te trommelen, nadat u vergeefs bij ons om hulp had gevraagd... Ik kan me de haren wel uit mijn hoofd trekken dat we u niet serieus genomen hebben! Waardoor de vrouwen voor hun eigen veiligheid hebben moeten vechten, met alle middelen die ze ter beschikking stonden. En met succes, godzijdank, want de ellende was niet te overzien geweest als ze dat niet hadden gedaan. Mevrouw, u bent een ware heldin.'

'Mooie heldin,' zei Kenau, 'hoe kan ik trots zijn terwijl vandaag honderden mannen door ons de dood hebben gevonden?'

'De vijand mevrouw, u hebt het over de soldaten van de vijand.'

'Het zijn toch jongemannen, zoals de onze...'

Ripperda liet zijn hoofd hangen. 'Daar heeft u helaas gelijk in, maar dat zijn de gevolgen van zo'n bestorming. Wij hebben niet om deze oorlog gevraagd.'

Kenau knikte, maar half overtuigd. Ze zwegen en keken naar buiten, waar de ondergaande zon een betoverende voorstelling gaf op het oppervlak van het Spaarne. Er hing een ongemakkelijke stilte tussen hen, waar Kenau zenuwachtig van werd. Ze bad dat hij weg zou gaan, maar hij bleef staan alsof hij nog iets te zeggen had.

'U bent een vrouw naar mijn hart, Kenau,' verzuchtte hij, 'een vrouw uit duizenden... Een man als ik zou daar weerstand aan moeten bieden, maar vertelt u mij eens: hoe zou ik dat kunnen?' Heel even keek hij haar onderzoekend aan. Toen boog hij zich naar voren en voor ze zich kon verweren, had hij zijn armen om haar heen geslagen en haar gekust op een manier die geen weigering duldde.

Het voelde als een aanval, die tegelijkertijd dreigend en opwindend was. Ze kreeg geen tijd om erop te reageren en dat was maar goed ook, want ze had niet geweten hoe.

'Neem me niet kwalijk,' mompelde hij, waarop hij zich bruusk omdraaide en naar de deur liep.

'Hoe zou ik dat kunnen?' herhaalde hij, voordat hij naar buiten verdween.

Kenau bleef achter. Verbijsterd, niet om hem, maar om zichzelf. Om de opwinding die door haar lichaam trok. Ze voelde met haar vingertoppen aan haar lippen. Die waren gezwollen en deden lichtjes pijn onder de aanraking.

Ze moest zich schamen, dacht ze even later. Vandaag had ze zeker tientallen jongemannen om het leven gebracht en nu stond ze hier te dromen als een jonge meid. Terwijl ze daarnet nog had overwogen om te gaan biechten! Bovendien was ze tweevoudig weduwe, met de verantwoordelijkheid voor een werf en een houthandel. Ze had wel iets anders aan haar hoofd. Ze moest deze man uit de weg gaan, dat was duidelijk.

21

Don Frederik zat aan zijn tafel en staarde naar buiten. Hij was slechtgeluimd. Het leek wel of er een boze schikgodin aan zijn wieg had gestaan, die de wens had geuit dat alles wat hij in zijn leven zou ondernemen gedoemd was te mislukken.

Nu had hij het absolute dieptepunt van alle denkbare mislukkingen bereikt: wat een grootse bestorming had moeten worden die zijn wankele reputatie weer in ere zou herstellen, was uitgelopen op een gigantische nederlaag – tegenover een leger van vrouwen! *Un ejército de mujeres!*

Een officier die verslag kwam uitbrengen, vertelde dat aan het hoofd van dat leger een vrouw stond, die bij elke emmer pek die zij over de rand van het bolwerk kieperde een rauwe strijdkreet had geslaakt, als van een kerel. Zij was, samen met al die woeste vrouwen, in een dag de schrik van alle soldaten geworden, Madre de Dios. De vrouwen vochten met oneigenlijke middelen waartegen de soldaten, die alleen gewapend waren met sabels en houwelen, zich niet konden verweren. De verwondingen die ze toebrachten waren door de duivel ingefluisterd.

Men had minstens tweehonderd soldaten met onvoorstelbare verwondingen per slede naar Amsterdam moeten vervoeren. Daar was op dit moment geen burgermanshuis te vinden waar geen soldaat verpleegd werd. Zelfs onder de edelste strijders waren velen gesneuveld. Kapitein Lucas de Spila en drie vaandrigs onder anderen. Romero was in zijn oog geraakt door een pijl, die volgens medestrijders werd afgevuurd door een fanatieke reuzin.

Don Frederik zuchtte. Hoe had het zover kunnen komen? De bres was veel te smal gebleken voor een bestorming. Kapitein Francisco de Vargas, die tevoren de beklimbaarheid had ingeschat en een positief advies had uitgebracht, had hij op staande voet ontslagen. Ze hadden zichzelf overschat. Na de successen in Mechelen, Zutphen en Naarden hadden ze in de waan geleefd ook Haarlem in een bliksemoorlog in te kunnen nemen, nota bene op een moment dat ze door hun voorraad buskruit heen waren. Ze waren zeker geweest van een zoveelste snelle overwinning. Zo'n stad met slecht onderhouden poorten, keurig aangegeven op de kaart van die minkukel, en dan ook nog eens een slecht bewapende verdediging, volgens betrouwbare bronnen. Het was een schande dat het niet gelukt was en hij wachtte vol angst en schaamte op de reactie van zijn vader.

Van het naar buiten staren werd hij nog zenuwachtiger. Opgefokt stond hij op, om zich naar het vertrek van Alda te begeven. Dat prachtige blanke lichaam zou hem troosten, van de liefde knapte hij altijd geweldig op. In de gang met zwart-witte marmeren tegels was het steenkoud en dat deed hem weer aan de dood denken, aan de vele verliezen die hij geleden had. Hij rilde en schoot dankbaar het vertrek in waar hij Alda met haar zoontje had ondergebracht.

Ze zat met haar kind te spelen. Ze deden iets met knikkers, zag hij, maar ze stond meteen op toen hij binnenkwam. De vrouw kende haar plaats, dat was prettig. Hij was juist bezig haar naar het hemelbed te voeren, waarvan je de gordijnen handig kon sluiten, toen er in de gang snelle voetstappen klonken. Er werd ongeduldig op de deur geroffeld, en hij zag zich genoodzaakt 'Binnen' te roepen. Hadden ze hem maar de tijd gegund eerst een robbertje te neuken, dan was hij weerbaarder geweest.

Daar stond een boodschapper van zijn vader, de sneeuw smeltend op zijn kraag.

'Ik kom bij u,' zei Don Frederik met dichtgeknepen keel.

Toen hij achter zijn tafel had plaatsgenomen, zei de boodschapper, die zich voorstelde als Domenico Lopez: 'Uw vader is helaas niet content...'

'Ik had niet anders verwacht,' antwoordde Don Frederik.

'Hij wilde me geen verzegelde brief meegeven. Het gevaar dat mij onderweg iets zou overkomen, vooral met al die geuzen in hinderlagen, is te groot. Daarom moet ik u mondeling laten weten dat u ook deze slag had moeten winnen. Hij heeft de koning beloofd, dat u de noordelijke steden snel en efficiënt voor hun ontrouw zou afstraffen, zonder veel verlies van manschappen of munitie. En zonder het gevaar te lopen van een langdurige belegering, met wederom veel verlies van manschappen, door kou, ziektes en uitputting. Dat zou de schatkist nog meer belasten. Zoals u weet heeft Zijne Majesteit tevens een oorlog uit te vechten met de Sultan van het Ottomaanse Rijk, een geldverslindende aangelegenheid.

Dankzij uw vader heeft u de kans om terug te worden opgenomen in de rij van bevriende en bevoorrechte aristocraten. Die kans dreigt u nu te verspelen. Uw vader, de hertog, is hierover zeer ontstemd. Zonder de goedkeuring van de koning bereikt men nu eenmaal niets in de Spaanse gewesten. Men loopt zelfs de kans om voor het minste geringste in het gevang te raken, dat weet u uit eigen ervaring.

Uw vader heeft me verzocht u te zeggen dat u nog één kans krijgt. Haarlem móét veroverd worden. De stad is de poort naar de noordelijke Hollandse steden die, zodra Haarlem gevallen is, in rap tempo door ons kunnen worden veroverd. Verliezen is dus niet toegestaan! En zeker niet van vrouwen.'

Don Frederik zuchtte. 'Dat weet hij dus ook al.'

'Geloof me, niets blijft voor uw vader verborgen, ook deze blamage niet.'

'Waarom word ik niet gewoon met rust gelaten!' riep Don Frederik uit. 'Waarom word ik steeds geacht van alles te bewijzen, ik heb nu al schoon genoeg van deze oorlog! Het is hier altijd koud en vochtig, het lijkt wel of je op de bodem van de zee leeft. Horroroso...'

'Als ik zo vrij mag zijn, u geniet nu eenmaal het voorrecht de zoon van een hertog te zijn,' wees de bode hem terecht, 'daaraan zijn plichten verbonden.'

'Was ik maar de zoon van een bordeelhoudster geweest,' zei Don Frederik, 'dat had me veel beter gelegen.'

22

De overwinningsroes duurde niet lang. Er verstreken enkele weken zonder noemenswaardig oorlogsgedruis. De voorraden in de stad begonnen te slinken en de aanvoer van voedsel verminderde in een hoog tempo. Ze waren aangewezen op heimelijke transporten via sluipweggetjes en slootjes. Werd zo'n lading ontdekt, dan werd die regelrecht naar het Spaanse kamp overgebracht. Ook op de aanvankelijk nog levendige markt aan het Spaarne was het stil geworden. De kramen waren halfleeg en de prijzen hoog.

'Hoe moet ik in godsnaam al die vluchtelingen te eten geven?' vroeg Kenau zich hardop af bij een groentekraam.

'Voor ons is er ook niets meer aan, mevrouw,' zei de koopman gemelijk, 'we kunnen haast niets meer inkopen. De Amsterdammers mogen uitsluitend aan de spanjolen leveren, op handel met Haarlem staat een zware straf. Er gaan regelmatig enorme voedseltransporten over het ijs van Amsterdam en Utrecht naar de Spaanse kampementen. Die komen niets tekort daar. Overmorgen is er vanuit Utrecht zo'n transport gepland, heb ik gehoord van mijn neef die bij de geuzen is. Het zou me niet verbazen als de belegeraars overgaan tot een uithongeringstactiek als wapen, nu ze de stad niet meteen hebben kunnen veroveren.'

Kenau huiverde. 'Daartegen zouden we ons niet kunnen verdedigen. Honger is als het erop aankomt een grotere vijand dan de Spanjaarden.'

Ze keerde terug naar huis met een halfvolle kar. De lading bestond grotendeels uit kool en penen. Daarmee zouden Cathelijne en Mechteld, bijgestaan door een vast groepje vrouwen, wonderen moeten verrichten.

Terwijl ze uitlaadde voor de ingang van de loods, kwam iemand haastig op haar af. Het was Bertha, met rode wangen van de koude wind, twee kleine meisjes in haar kielzog.

'Kenau!' riep ze buiten adem. 'Teun is opgepakt door mannen van de schout. De broden die hij bakte zouden enkele grammen te licht zijn. Ik heb er niets van gemerkt, maar iemand heeft erover geklaagd en toen zijn ze het gaan controleren. Die rotzak staat nu op het marktplein, met zijn kop en handen door de schandpaal. Zijn verdiende loon. Kan de hele wereld zien dat hij niet deugt. Hij wordt gepest en getreiterd door de voorbijgangers.

'Misschien knapt hij op van de vernedering,' suggereerde Kenau.

'Ik ben bang van niet. Die man is net zo geliefd als een rotte appel bij de groenteboer. Het stadsbestuur heeft de bakkerij geconfisqueerd en ons op straat gezet. Teun mag nooit meer een brood bakken, laat staan verkopen.'

'En wat nu?' zei Kenau koeltjes. Ze voelde al waar het heen ging.

'Kunnen we bij jou in de loods terecht? We hebben geen plek waar we heen kunnen, geen familie.'

'Eigenlijk zitten we helemaal vol...'

'We zullen ons heel klein maken.'

Kenau snoof sceptisch, haar blik van Bertha's omvangrijke gestalte verplaatsend naar de meisjes die zich in de rokken van hun moeder verstopten. Het waren schriele kinderen, met donkere kringen onder de ogen. Ze keken hoopvol naar Kenau, alsof alle zegen op aarde van haar moest komen.

'Waar is je zoon?' vroeg Kenau.

'Die is op de markt, om zijn vader te zien. Ik heb het hem verboden, maar hij is me ontglipt. Hoewel zijn vader hem om het minste geringste sloeg, zal het toch moeilijk voor hem zijn die in zo'n schandelijke situatie te zien. Het blijft toch zijn vader.'

'Ga maar naar binnen,' zei Kenau stroef, 'zeg tegen Cathelijne dat ze een plek voor jullie zoekt.'

Bertha vloog haar om de hals en even had Kenau het gevoel dat ze zou stikken in de overmaat aan dankbaarheid.

Ze liep de werf op, waar met inzet van alle werkkrachten een oorlogsgaljoen gebouwd werd. Het was besteld namens de Prins van Oranje, die rekening hield met de mogelijkheid van oorlogsvoering op de Haarlemmermeer, zodra de dooi in zou treden. De slag om Haarlem zou daar wel eens beslist kunnen worden en dan was een goede voorbereiding noodzakelijk. Claes was fanatiek bezig het dek in de driemaster te timmeren. Hij had nergens anders oog voor. Volgens Jacob was hij al haast een volleerd timmerman en had hij met dit werk zijn ware roeping gevonden. Kenau had geopperd dat hard werken ook een manier kon zijn om je ellende te vergeten.

Terwijl ze haar ogen rond liet gaan over de werkzaamheden ontdekte ze een jonge vrouw, die aarzelend door de ingang van de werf kwam.

'Zoekt u iets?' riep Kenau.

'Bent u de eigenares van deze werf?'

'Ja, hoezo?'

De vrouw kwam haastig op haar toe gelopen. Haar opvallend lichte huid correspondeerde met haar blonde haar. Onder haar jakje was een donkerrode zijden jurk zichtbaar en het kapje op haar hoofd was verfraaid met fijn borduurwerk. Ze keek Kenau schuw aan, terwijl ze zich voorstelde.

'Ik ben Alda van Beers, ik ben uit het Spaanse kamp gegooid.' Ze boog zich en tilde haar rok op tot halverwege haar dijbeen. Er was een grote V in gebrandmerkt.

'De ziekte van Venus?' zei Kenau geschrokken, onbewust terugdeinzend.

De vrouw knikte. 'Het is begonnen met zweertjes op plaatsen die ik liever niet bij name noem en aan het vervolg van de ziekte durf ik nog niet te denken.'

'Waar hebt u die vreselijke ziekte opgelopen?'

'Bij de inname van Zutphen hebben de spanjolen me meegenomen en gedwongen tot prostitutie. Hoewel ze eigenlijk niets te kort kwamen op dat gebied, want ze hebben een flinke voorraad hoeren meegebracht uit hun eigen land. Daar moeten een paar besmette señorita's bij geweest zijn, die de ziekte hebben verspreid. De meesten zijn al teruggestuurd naar... waar ze vandaan kwamen, zal ik maar zeggen.'

'Dus de Spanjaarden staan droog...'

De vrouw lachte schamper. 'Dat kun je wel zeggen.'

'En Don Frederik?'

'O die! Maakt u zich geen zorgen, dat stuk verdriet komt altijd aan zijn trekken.'

Kenau staarde naar haar. Ook dit kon het lot kon zijn van een jonge vrouw, die tot voor kort haar gewone leventje leidde in Zutphen. Het schoot door haar heen dat het haar dochter had kunnen zijn. Aangetast door deze ziekte wachtte haar een nog veel droeviger lot dan gedwongen prostitutie.

'Je moet naar een chirurgijn,' zei ze.

'Eerst heb ik een bed nodig voor de nacht en een beetje eten. In de stad zeiden ze dat u misschien nog een plek heeft.'

'Tja, maar je zult ergens apart ondergebracht moeten worden, vanwege het gevaar van besmetting.'

Alda lachte kil. 'Zolang de kerels van me afblijven is er geen gevaar hoor.'

'Goed dan, zoek maar een plek voor jezelf in de loods en vraag wat te eten. Zeg maar dat ik je heb gestuurd. En een dezer dagen zoeken we een dokter voor je. Men zegt dat behandelingen met kwik nog wel eens helpen.'

De vrouw viel haar niet om de hals, zoals Bertha. Ze bleef staan waar ze stond en keek Kenau onderzoekend aan. 'Waar wacht je nog op?' zei ze.

'Dus u bent die vrouw waar ze het allemaal over hebben,' zei Alda verbaasd, 'de soldaten hebben het over de Marimacha van Haarlem. Een vrouw met haar op de tanden, die vecht als een man om haar stad te redden. Maar u ziet er niet overdreven sterk uit, eerder als een gewone vrouw.'

'De haat geeft me kracht,' zei Kenau nuchter.

'Ik begrijp precies wat u bedoelt,' knikte Alda, 'als ik niet oppas ga ik u nog aardig vinden.'

'Wat is daarop tegen?'

'Een hoer als ik, die de vijand lust verschaft, heeft het recht verspeeld om er gevoelens op na te houden.'

'Je werd ertoe gedwongen.'

Alda keek haar zwijgend aan. 'Ach...' zei Alda, 'ik ben bezoedeld en ziek, daar komt het op neer, maar er zijn ergere dingen. In ieder geval wou ik dat we in Zutphen ook op het idee waren gekomen de mannen te helpen in de strijd. Dan zouden mijn moeder en mijn tante misschien nog leven.'

'Wat is er met ze gebeurd?'

'Ze zijn ruggelings aan elkaar gebonden en in de IJssel gegooid.'

Kenau sloeg haar hand voor haar mond. 'Mijn God...'

Ineens werd ze afgeleid door de nadering van een groepje huurlingen. Ze sjouwden iets tussen hen in. Dominique liep voorop.

'Madame, kijkt u eens!'

Het bleek een vijandelijke soldaat te zijn. Zijn hoofd hing naar opzij, zijn gezicht was grauw en er liep een straaltje geronnen bloed uit zijn mondhoek.

'Leeft hij nog?'

Dominique schudde zijn hoofd. 'We hebben hem tijdens een patrouille doodgeschoten. Hij probeerde stiekem de stad binnen te komen, door een gat in de stadsmuur. Alleen God weet wat hij hier kwam doen, spioneren? Zullen we hem over de stadsmuur gooien?'

Kenau aarzelde. Waarom moest ze voortdurend beslissingen nemen over situaties die zich nooit eerder in haar leven hadden voorgedaan? Het was een knappe jongen geweest, met regelmatige pientere gelaatstrekken. Ergens in het verre Spanje, duizenden kilometers hiervandaan, zou zijn moeder op een dag het bericht krijgen dat hij was omgekomen, en in vijandige, koude aarde begraven.

'Het is bijna donker,' zuchtte ze, 'leg hem maar op het weitje achter de loods, dan zien we morgen wat we met hem doen.'

Ze keek om en merkte dat Alda verdwenen was. Die vond vast wel een plekje in de loods. Ze zou haar morgen naar een chirurgijn brengen, dat kon er ook nog wel bij.

De zorg om de krimpende voedselvoorziening achtervolgde haar. Dit was de echte strijd: zorgen dat er iedere dag weer iets te eten was. Ze doorkruiste de loods waar de meeste mensen al sliepen, op weg naar de geïmproviseerde provisiekamer. Op regelmatige afstanden stonden vuurkorven. Het vuur wierp grillige schaduwen over de slapenden, en over de vele doeken en kleren, die aan haastig gespannen lijnen hingen. De lucht was vol rook en sommige mensen lagen te hoesten. Ze hoefde zich niet te schamen over de rommel, dacht Kenau, in de Amsterdamse herberg was het niet veel beter geweest.

Zichzelf bijlichtend met een lantaarn inspecteerde ze de voorraden, plank voor plank. Er zou binnenkort een gebrek aan meel komen, zag ze, daar moest ze achteraan. En ook de voorraad bonen slonk snel, evenals de lappen gedroogd spek. Zelfs het voer voor de kippen raakte op. Daar moest ze snel iets aan doen, want er gingen enorme hoeveelheden eieren doorheen, elke dag opnieuw.

Wat was dat voor geluid? Ze spitste haar oren. Was het een muis, of erger: een rat? Ineens was het of alle poriën in haar huid openstonden. Ze deed een stap opzij, en op hetzelfde moment zag ze het glanzende lemmet van een lang, puntig mes, dat vlak langs haar hals scheerde. Haar lantaarn kletterde op de grond en doofde meteen, terwijl ze zich razendsnel omdraaide. Iemand in een donkere cape hief een arm om opnieuw toe te steken, maar het lukte Kenau die te grijpen en van zich af te duwen. Probeerde iemand haar te vermoorden?

Ze moest vechten om steeds weer aan de dreiging van het mes te ontkomen, maar haar belager was minstens even sterk als zij. Het schoot door haar heen dat ze juist op dit moment niet mocht sterven, omdat ze niet gemist kon worden. Die gedachte maakte haar fanatiek. Ze belandden op de grond, waar de worsteling zich voortzette. Steeds weer zag ze de angstaanjagende glinstering van het mes, ze hoorde de ander hijgen, ze rook zelfs diens zweet. Toen nam haar kracht af. Ineens was ze de onderliggende partij en voelde ze dat het mes hoog geheven werd om de beslissende slag toe te brengen. Zo snel gaat dat, flitste het door haar heen, zo snel eindigt je leven. Vlak naast haar klonk een kreet, gevolgd door een doffe dreun. Haar belager was half op haar, half naast haar neergevallen en stootte een rochel uit die door merg en been ging. Verdwaasd duwde ze het lichaam van zich af.

'Gaat het?' vroeg iemand bezorgd. 'Kom, geef me een hand.'

Ze werd overeind getrokken tot ze wiebelig op haar benen stond. In het halfduister herkende ze het bleke gezicht van Magdalena. Pas daarna zag ze het voorwerp in haar hand, waar een grote barst doorheen liep. 'Wat is dat?' bracht ze schor uit.

'Een koekenpan mevrouw, het ziet ernaar uit dat die zojuist uw leven heeft gered.'

'O Magdalena...' Kenau drukte haar redster tegen zich aan, ze bleef zo staan tot het beven afnam en ze weer onbelemmerd adem kon halen. Magdalena wreef troostend over haar rug.

Ten slotte bogen ze zich samen over de nog steeds rochelende gestalte, die als een gewond dier voorover op de grond lag te kronkelen van de pijn. Behoedzaam draaide Magdalena het lichaam op de rug. 'Het is een vrouw!' riep ze verbijsterd. 'Door de slag op haar hoofd is ze zelf in het mes gevallen!'

Kenau deinsde geschokt terug. 'Alda!'

'Kent u haar?'

'Sinds vanmiddag. Ze werd uit het Spaanse kamp gegooid en zocht hier onderdak.'

'Maar waarom?'

Kenau bukte naast de kermende vrouw en greep haar bij een schouder. 'Wat heb jij in godsnaam te winnen bij mijn dood? Wie heeft je gestuurd...?'

'Don Frederik,' bracht ze moeizaam uit. 'Hij heeft mijn zoontje bij me weggehaald, ik krijg hem pas terug als ik kan bewijzen dat u dood bent.' Haar stem brak en ze kreunde weer. 'Ik heb niets tegen u, echt niet. Het is omdat u de Don te schande heeft gemaakt, hij is bezeten van de gedachte dat u...' Ze maakte haar zin niet af. Haar hoofd zakte opzij, alsof haar hals de steel van een bloem was die knakte. Er ging een siddering door haar lichaam en daarna bleef het roerloos liggen.

'Dat was het dan,' zei Kenau, overeind komend.

'Godzijdank,' zei Magdalena.

Van pure opluchting vielen ze opnieuw in elkaars armen, allebei nog natrillend op hun benen.

'Moeten we dat mes eruit trekken?' vroeg Magdalena zacht.

'Het is een goed mes,' zei Kenau.

'Wilt u het doen, ik... ik...'

'We doen het later wel,' zei Kenau. 'Ze moet zo snel mogelijk begraven worden, lijkt me, voordat er allerlei geruchten de ronde gaan doen.'

'Maar de aarde is bevroren,' wierp Magdalena tegen.

'Alleen de bovenste laag, blijf jij hier, dan ga ik Claes halen. Die gaat altijd vroeg naar bed, ik zal hem wakker moeten maken.' Ze was al een paar meter van Magdalena verwijderd toen ze zich ineens omdraaide. 'Hoe kan het dat je zo gauw ter plekke was, met koekenpan en al?'

'Ik kon niet in slaap komen en zag iemand in een donkere cape de voorraadkamer binnensluipen. Ik wist niet eens dat u daarbinnen was, ik ging ervan uit dat iemand voedsel wilde stelen.'

'Je hebt me gered,' zei Kenau zacht.

'U mij ook, hoor,' zei Magdalena nuchter.

Ze stonden met zijn drieën rond het gat, dat Claes in het weitje achter de loods had uitgehakt.

'Is het wel diep genoeg zo?' vroeg Magdalena.

'Jawel,' zei Claes, 'als ik al te diep ga stuit ik op grondwater.'

'Wacht,' zei Kenau, 'ik heb een idee.'

Ze boog zich over de dode Alda en begon onhandig aan haar jurk te sjorren.

'Wat wilt u doen,' vroeg Magdalena, 'zal ik helpen?'

'Die jurk moet uit,' zei Kenau.

'Waarom...' begon Claes, maar hij maakte zijn zin niet af.

Het was een hele klus om de dode uit haar jurk te helpen. Toen Kenau hem eindelijk in de hand hield, liep ze ermee naar de onbekende soldaat, die verderop nog steeds op een graf lag te wachten.

'Kom,' gebaarde ze. 'Kijk, we hijsen de soldaat in Alda's mooie jurk en gooien hem daarin gehuld over de stadswal. Dan wordt hij vanzelf weggehaald door onze belegeraars en Don Frederik zal begrijpen dat zijn plannetje om mij te laten vermoorden is mislukt. O wat zal hij woedend zijn, alleen al de gedachte eraan doet me plezier.'

'Bent u niet bang dat hij weer een nieuw plan zal uitbroeden?' waagde Magdalena.

'Dat zien we dan wel weer.'

Het is niet makkelijk een man een jurk aan te doen maar bij een dode die, gegeven zijn toestand, geen greintje meewerkt is het nog moeilijker. Uiteindelijk lukte het, hoewel ze er niet in slaagden alle knoopjes dicht te doen. Daarna wikkelden ze Alda in haar cape en lieten haar voorzichtig in het gat zakken.

'Zand erover,' zei Kenau.

Claes maakte het gat keurig dicht en veegde er wat sneeuw overheen.

Daarna droegen ze gedrieën het lichaam van de soldaat naar het dichtstbijzijnde stuk van de stadsmuur, klommen naar boven en kantelden het lijk met vereende krachten over de borstwering. Nadat ze een doffe dreun hadden gehoord keerden ze huiswaarts. Het begon weer te sneeuwen.

'Dat is mooi,' zei Claes tevreden, 'sneeuw.'

'Daarnet was ik bijna dood en nu loop ik te genieten van vallende sneeuw,' zei Kenau verbaasd. 'Magdalena, waar heb jij zo goed met een koekenpan leren slaan?'

'In mijn hoofd heb ik het duizendmaal geoefend,' antwoordde ze, 'ik had zo graag eens heel hard op het hoofd van Duyff geslagen.'

'Je hebt me nooit helemaal verteld hoe je bij die man terecht bent gekomen.'

'Hij heeft me van de straat gehaald toen ik elf jaar was. Mijn ouders waren overleden en ik was aan het zwerven geslagen. Als u me toen had gezien. Ik was te smerig om met een tang aan te pakken. Hij zag me bedelen, trok me in zijn kar en nam me mee naar huis. Hij heeft het altijd een christelijke daad genoemd, uit pure naastenliefde, hoe vaak ik dat niet heb moeten horen. Ik heb driedubbel moeten betalen voor zijn nobelheid.'

'Mooie weldoener,' zei Kenau cynisch.

23

Cathelijne had geen nachtmerries meer. Dag in, dag uit liep ze zich het vuur uit de sloffen tot het moment waarop ze in haar bed stapte, en zodra ze wakker werd joeg de drukte van de dag die aanbrak haar er alweer uit. Tijd voor dagdromen was er niet, haar hoofd was gevuld met duizend taken.

Het kwam haar goed uit, ze had geen tijd om te tobben. Door de omstandigheden had ze een heel nieuw leven gekregen en maakte ze nu deel uit van een grote familie, die bestond uit vluchtelingen van allerlei pluimage en huurlingen uit Wallonië, jongemannen van haar eigen leeftijd, wat voorheen ondenkbaar was geweest. Tot nu toe had ze een beschermd en besloten leven, samen met haar moeder en haar zus, benauwend bijna, nu ze erop terugkeek. Geen wonder dat Geertruide eruit wilde breken en de eerste de beste mogelijkheid die zich voordeed had aangegrepen. Arme Geertruide, ze was zwaar gestraft voor haar ontluikende wil om te leven, echt te leven.

Nu Cathelijne om praktische redenen bij de vluchtelingen sliep was ze voor een deel ook van haar moeder verlost, want die straalde alleen maar verwijt uit zodra ze haar kant op keek. Het zag ernaar uit dat er een onoverbrugbare kloof tussen hen was ontstaan en ze was niet van plan pogingen te ondernemen om die te overbruggen. Ze was nu vrij en zodra de oorlog voorbij was zou ze haar eigen gang gaan, misschien wel met... Wanneer haar gedachten een zijsprongetje maakten in de richting van Dominique sloegen ze meteen op hol. Ze zag zich met hem mee teruggaan naar zijn land van herkomst. Ver weg van Haarlem. Armoede schrok haar niet af, Frans leren ook niet. Ze zou alles aankunnen, zolang ze in zijn nabijheid was.

Nog even... nog even blijven liggen. Cathelijne draaide haar hoofd opzij. Mathilde, die op de brits naast haar lag, sliep nog. Verderop in de loods begon een baby te huilen, er klonken sussende woordjes, iemand vloekte. Ze moest eruit, de mensen werden wakker en zouden honger hebben. De man die verantwoordelijk was voor het vuur in de korven moest gewekt worden. Hij moest er eigenlijk als eerste uit, maar versliep zich elke ochtend.

Ze sprong lenig uit bed en schoot rillend van de kou in haar kleren. De luie vuurmaker, zoals ze hem voor zichzelf spottend noemde, lag zelfs met zijn hoofd onder de deken. Ze porde hem wakker en haastte zich naar buiten. De kou sloeg haar in het gezicht, alsof je een klap met een bevroren dweil kreeg. Water halen, dat was het eerste wat ze elke dag deed. Er moesten baby's en kleine kinderen verschoond worden. Er moest soep gemaakt worden. Het water in de regenton, die elke dag door iemand van de werf werd bijgevuld met water uit het Spaarne, was bevroren. Ze had een priem om een gat in de ijslaag te maken. Dat lukte elke dag, maar deze ochtend leek de ijslaag extra dik. Ze hakte er zo driftig op los dat ze haar hand openhaalde langs de rand van de ton. Ze gaf een schreeuw, half van de pijn, half van woede, en hakte er nog vuriger op los, totdat een mannenhand haar arm greep.

'Mais c'est la folie ça! Laat eens zien.' Dominique veegde het bloed van haar hand.

'Ik heb water nodig, voor daarbinnen...' Ze wees met haar hoofd.

'De wereld vergaat niet als een ander dat nu eens doet.' Hij hield haar stevig vast. 'Viens...' Hij trok haar mee de werf op, die er nog verlaten bij lag in de ochtendschemering. Het kwam niet bij haar op tegen te stribbelen. Tot haar verwondering liepen ze via een korte loopplank de Magdalena op. Het schip lag er verlaten bij sinds de onteigening. De deur van de kajuit zat niet eens op slot, ze konden zo naar binnen. Ze was daar nog nooit geweest. Eén oogopslag was voldoende om vast te stellen dat de graanhandelaar het fraai had laten inrichten. Aan twee kanten waren er bedden, die ook als zitbank dienst konden doen, belegd met wollen dekens, schapenvachten en kussens. Wijlen Duyff had er kijk op gehad.

'Ik moet eigenlijk water halen,' protesteerde ze zwakjes.

Hij trok haar naar zich toe en drukte zijn mond op haar lippen om haar het spreken te beletten. Ze gaf haar weerstand op en zoende verbaasd terug. Toen nam hij haar gezicht tussen zijn handen en keek haar zo intens aan, dat het was alsof hij brutaal in haar ziel gluurde. Zij keek uitdagend terug en trok hem naar zich toe. Terwijl ze met de gretigheid van uitgehongerde geliefden in een omhelzing belandden, vielen ze neer op een van de banken. Hij peuterde haar jakje los met de vingers van een hand en streelde haar borsten. Ze streek met haar vingers door zijn donkere krullen, wat ze al had willen doen vanaf het moment waarop ze hem voor het eerst zag. Maar hoewel ze niets liever wilde dan zich overgeven aan de wilde roes, joeg tegelijk met de opwinding ook de angst door haar lichaam.

'Wacht,' hijgde ze, zijn hand wegduwend, 'het kan niet... het kan echt niet.'

'Ma petite,' hij zoende haar in haar hals, totdat zij bruusk overeind kwam en verwilderd om zich heen keek.

'Wat is er?' vroeg hij geschrokken.

'Mijn zus,' zei ze hees. Terwijl hij haar in haar hals kuste verscheen de rode vlek die nog niet zo lang geleden Geertruides hals had gesierd, als een omen voor haar ogen. Het was een waarschuwing voor wat er kon gebeuren wanneer je je door je hartstocht liet meevoeren.

'Heb jij een zus?' vroeg Dominique verbaasd.

'Ik had een zus,' verbeterde Cathelijne, 'ze is op de brandstapel gestorven.'

'Wat?' Hij ging rechtop zitten. 'Op de brandstapel? Een zus van jou? Incroyable!'

Cathelijne knoopte haar jakje dicht. Naar de glanzend gelakte vloer starend vertelde ze hem wat er met Geertruide was gebeurd, vanaf het moment waarop die verliefd was geworden op de zoon van Ripperda.

'Ripperda, de gouverneur?' onderbrak hij haar.

Ze knikte. Met die verliefdheid was het allemaal begonnen, anders zou Geertruide nog in hun midden zijn geweest. Ze ging verder met haar verslag van de gebeurtenissen. Haar stem was toonloos en onbewogen terwijl ze sprak, en ze deed geen moeite de tranen die over haar wangen gleden weg te vegen.

Dominique luisterde zonder haar te onderbreken, met gebogen hoofd, en toen ze uitgesproken was trok hij haar tegen zich aan. 'We leven in een duivelse tijd,' zei hij zacht. 'Het is allemaal zo wreed, absurd en zinloos.'

'Mijn moeder haat me nu,' vervolgde Cathelijne. 'Ze doet alsof het allemaal mijn schuld is. Ik had haar moeten waarschuwen, die avond dat Cathelijne ervandoor ging. Ze haat me omdat ik leef en omdat haar lievelingsdochter dood is. Diep in haar hart wenst ze dat het andersom was geweest.'

'Zulke dingen moet je niet denken, daarmee maak je het nog veel erger, ma pauvre. Je kunt niet weten wat er in het hoofd van je moeder omgaat. Ze is geen katje om zonder handschoenen aan te pakken, dat is zeker, maar tegelijkertijd is ze een prachtvrouw, une amazone, ik wou dat ik zo'n moeder had.'

'Ik haat haar,' zei Cathelijne.

Als antwoord kuste hij haar. Daarna zaten ze samen een poosje te zwijgen. Het voelde heel vertrouwd, alsof ze elkaar al jaren kenden en er geen geheimen waren die ze niet met elkaar gedeeld hadden.

'Tu sais,' verbrak hij de stilte, 'eigenlijk zou ik van je af moeten blijven.'

'Waarom?'

'Omdat ik morgen dood kan zijn. De beslissende slag moet nog komen en als we verliezen worden de Walen als eersten opgehangen.'

Ze schrok. 'De Walen?'

'De Waalse soldaten hebben in het verleden trouw moeten zweren aan Filips de Tweede. We hebben moeten beloven nooit meer de wapenen tegen hem op te nemen, op het breken van die eed staat de onmiddellijke doodstraf.'

Cathelijne balde haar vuisten. 'Ik kan het niet uitstaan dat een of andere idioot in Spanje over onze levens beslist. Wat heeft hij met ons te maken?'

'Hij verbeeldt zich dat hij de vertegenwoordiger van God op aarde is en de mensen geloven hem.'

'Wat een inbeelding! Als er een God is, dan weet ik zeker dat hij tandenknarst van ergernis.'

Als bewijs dat hij het helemaal met haar eens was, zoende hij haar recht op haar mond.

'En nu moet ik het water halen!' riep Cathelijne.

'Ik help je.'
Tijdens het ontbijt, of wat daarvoor door moest gaan, kwam een jongeman de loods in rennen. 'De vrouw van de bakker! Waar is zij?' riep hij buiten adem.

'Ik ben hier,' klonk het. Bertha kwam naar voren en keek hem uitdagend aan.

'Ik heb... ik heb slecht nieuws over uw man,' zei hij aarzelend.

'Wat heeft die rotzak nu weer uitgevreten?'

'Niets! Hij is dood.'

Ze verstijfde. 'Wat zeg je me nou?'

'Ja mevrouw, uw man is dood. Aan de schandpaal gestorven. De mensen hebben hem met van alles en nog wat bekogeld. Sneeuwballen, rot fruit, aardkluiten, paardenvijgen, noem het maar op. Uw man was blijkbaar niet erg geliefd in de stad, het spijt me dat ik het zeggen moet, mevrouw. Het was opeens een tumult van jewelste rond de schandpaal. Ze hebben ook met stenen gegooid en een daarvan moet hem dodelijk hebben geraakt. Wie dat was is natuurlijk niet meer te achterhalen. Zodra ze merkten dat alleen de paal hem nog overeind hield, maar dat de levensgeesten er al vandoor waren gegaan, werd het verrassend stil.'

'Ik moet even gaan zitten,' zei Bertha.

Cathelijne haalde een krukje voor haar. De bakkersvrouw zeeg erop neer en keek wazig voor zich uit.

'Het was geen fijne man, maar dit wenste ik hem niet toe,' zuchtte ze.

'Het spijt me, mevrouw.'

'Wie heeft u gestuurd?'

'Iemand van het stadsbestuur. Het lijk wordt morgen vrijgegeven, mevrouw, dan kunt u hem begraven. Ik moet er nu vandoor. Ik ben blij dat u het zo goed opneemt.'

Bertha kwam moeizaam overeind. 'Ik ga mijn kinderen vertellen dat ze nooit meer bang hoeven te zijn.'

Een uur later was ze hersteld van de schok.

'Ik ben God niet,' zei ze, 'en waarschijnlijk hebben al zijn schaapjes evenveel recht van bestaan. Maar deze man had zijn recht om te leven al lang geleden verspeeld, dat is mijn bescheiden mening. Zulke dingen mag je misschien niet hardop zeggen, maar ik doe het toch.'

Ze waren in de loods van de huursoldaten en deelden kommen roggepap uit. Een van de soldaten greep Cathelijne ruw bij de arm, terwijl ze hem een kom aanreikte. 'Tellement peu?' riep hij uit, vol afschuw naar de half gevulde kom kijkend. 'Je dois défendre ta ville et risquer ma vie!'

'Wat zegt hij...' onzeker keek Cathelijne naar Dominique.

Die grijnsde beschaamd. 'Hij vraagt of hij op zo'n zielig beetje jouw stad moet verdedigen en zijn leven wagen?'

'Er is niet meer,' zei Bertha, de ontevreden soldaat een vinnige tik met haar pollepel verkopend.

24

'Eet u niet?' klaagde Mechteld. 'Ik heb de hele avond op u gewacht en nog eet u niet.'

Kenau schoof het bord van zich af. Rode bieten en bonen, dat was alles wat erop lag – er was niets bij wat haar eetlust prikkelde. Ze was te moe om te eten. Daarbij zaten de geruchten over de op handen zijnde honger haar dwars, dat zou een grotere ramp zijn dan de voortdurende vijandelijke dreiging.

'Ik zal het voor u bewaren,' zei Mechteld. Ze stond zuchtend op en kiepte de bonen en de bieten terug in de grote smeedijzeren pan, die boven het langzaam uitdovende vuur in de haard hing. 'De vluchtelingen klagen dat er niet genoeg te eten is, hun kinderen zeuren en huilen van de honger. We moeten elke dag wonderen verrichten met het beetje voorraad dat er is.'

'Ik weet het,' zuchtte Kenau, 'ik pieker me suf wat we eraan zouden kunnen doen. En wat zo hatelijk is: voor de Spanjaarden is er alweer een groot transport onderweg, vanuit Utrecht. Die eten daar straks hun buiken rond, terwijl wij hier...'

'Hoe weet u dat er een transport verwacht wordt? Dat hangen ze toch niet aan de grote klok, die teringlijers?'

'Ik heb zo mijn bronnen,' zei Kenau kort.

'U zou iets moeten verzinnen om zo'n transport te onderscheppen. Als dat zou lukken zijn we voorlopig mooi uit de zorgen,' zei Mechteld, haar hoopvol aankijkend.

'Zo makkelijk gaat dat niet,' zei Kenau, 'reken maar dat zo'n rij sleden, volgeladen met voedsel, goed bewaakt wordt door een stel op alles voorbereide soldaten.'

'U verzint er wel iets op,' zei Mechteld vol vertrouwen. 'Als u het goed vindt ga ik nu naar bed. Ik ga lekker dromen van goudgeel gebakken parelhoenders, met jonge kapucijners, bieslook en spekjes.'

'Droom jij maar fijn, en laat de verwezenlijking ervan maar aan mij over,' zei Kenau.

Toen ze in bed lag en de slaap niet meteen kon vatten, besefte ze dat Mechteld hardop had uitgesproken wat ze zelf heimelijk ook dacht. Terwijl de groenteboer erover sprak was het door haar hoofd gegaan. Je ving twee vliegen in een klap: je bracht de belegeraars een gevoelige slag toe, of op zijn minst zette je ze voor gek, en was voorlopig uit de zorgen wat het eten betrof. Op zich een briljant idee.

Ze zou opnieuw een groep vrouwen op de been moeten brengen. Dat kon na de gezamenlijke overwinning niet moeilijk zijn, ze blaakten van zelfvertrouwen. Maar hoe overviel je een rij volgeladen sleden, bewaakt door goed bewapende soldaten? Zelf hadden ze geen haakbussen, geen musketten, geen degens, geen enkel denkbaar wapen. Aan deegrollen had je niets, aan keukenmessen misschien wel. Ze zag de vrouwen, hoeveel moed die misschien ook hadden, nog geen kelen doorsnijden. En zeker niet van bewapende mannen. Ze zouden het van vrouwelijke listigheid moeten hebben. Maar hoe...

Ze draaide zich van haar ene zij op de andere, maar hoe ze ook lag, haar hoofd ging koortsachtig door met het zoeken naar slimme strategieën. Pas toen haar gedachten een onverwacht rustpunt vonden bij haar tante Aldegonda, die bijna een halve eeuw geleden na een ongelukkige liefde was toegetreden tot de orde van de clarissen, kwam de overgave aan de slaap.

De volgende ochtend vroeg Kenau in de kille, donkere hal van het klooster van de clarissen toestemming om haar tante te mogen bezoeken. Dat ging moeilijker dan vroeger, toen het nog geen oorlog was. Sinds de geuzen overal kloosters geplunderd en verwoest hadden, waren de kloosterlingen op hun hoede. Ten slotte kwam haar tante haar zelf halen. Ze moest de zestig al ruim gepasseerd zijn, maar had nog steeds een mooi, rimpelloos gezicht dat tevredenheid uitstraalde. In haar nabijheid daalde er altijd een grote kalmte over Kenau neer. Ze voelde zich weer het meisje dat vroeger aan de hand van haar tante bij mooi weer door de stad wandelde, vrolijk babbelend over alledaagse dingen.

'Zo kind,' zei tante Aldegonda, 'het is fijn je weer te zien. Kom, er is een ruimte voor bezoek, dan gaan we even zitten.'

Kenau volgde haar gehoorzaam door een wirwar van gangen. Zolang er nog iemand was die 'kind' tegen je zei, waren er momenten waarop je zwak en kwetsbaar mocht zijn. Binnen de kloostermuren leek de tijd niet te bestaan, of minstens voor onbepaalde tijd opgeheven. De bewegingen werden trager, ongehaast, en ook Kenau voelde de spanning, die haar steeds maar voortdreef, langzaam wegebben.

Toen ze zaten, met een glas honingwijn in de hand, knikte haar tante haar bemoedigend toe. 'Vertel... Wat is er allemaal gebeurd? De oorlog heeft jullie vast niet ongemoeid gelaten. Zelfs wij hebben een vleugel ingericht voor vluchtelingen en proberen ons aan te passen aan de veranderde situatie.'

Kenau haalde diep adem en begon bij het begin. Het begin van alles was Geertruides blinde verliefdheid op een protestantse jongen, met als achtergrond de dreiging van een belegering door de Spanjaarden. Kenau sloeg niets over, ze gooide alles eruit zonder haar tante te sparen. Toen ze vertelde hoe haar dochter gestorven was en waarom, greep haar tante naar haar wangen van ontzetting.

'Ons geloof wordt wel op de proef gesteld,' mompelde ze.

Het deed Kenau goed alles te vertellen aan iemand die haar nog als kind gekend had. Aan het eind van haar verhaal wachtte ze even. Toen ontvouwde ze haar plan om aan voedsel te komen. 'U heeft me eens iets verteld over een saliesoort, die door zeelieden vanuit Mexico was meegebracht naar onze landen. De indianen daar gebruikten de plant om in een roes te raken bij hun primitieve rituelen en...'

'Ah, je bedoelt de *Salvia divinorum*!' onderbrak tante Aldegonda haar.

'Ja die,' zei Kenau.

Haar tante beheerde, samen met een andere begijn, de uitgestrekte kruidentuin van het klooster. Er werden medicinale kruiden en keukenkruiden gekweekt, in zulke grote hoeveelheden dat een deel ervan verkocht werd en een ander deel werd aangewend voor de productie van kruidenwijnen. Het klooster bezat prachtig geïllustreerde boekwerken met uitvoerige beschrijvingen van elke plant. Haar tante bracht, tussen de gebedsstonden en het lezen van de psalmen, veel tijd door met de bestudering ervan. Ze kende elke plant in de tuin en de werking ervan uit haar hoofd en wist, alleen door eraan te ruiken, met welk kruid ze van doen had. 'De indianen noemen het "de plant van de goden", hun priesters kauwen de droge bladeren. Mits je de juiste dosis gebruikt is het een plant die voor veel nuttige doeleinden kan worden aangewend. Men kan hem ook roken, in een pijp, dan kan het effect extreem sterk zijn.'

'Ik herinner me dat u dit ooit verteld hebt. Als je er te veel van rookt ga je allerlei dingen zien die er niet zijn, zei u toen.'

'Mensen gaan hallucineren, ze verliezen hun gevoel voor hoogte en diepte en verbeelden zich in een wereld van maar twee dimensies te zijn beland. Stel je voor, de wereld om hen heen is een plat vlak geworden. Er kan van alles met zulke mensen gebeuren, ze raken zichzelf helemaal kwijt, zolang de bedwelming duurt. Je hebt er die gaan slaapwandelen op klaarlichte dag.'

'Hoe lang houdt het effect aan?'

'Zo'n vijf tot tien minuten, tenzij ze doorgaan met roken natuurlijk.'

'Heeft u deze duivelse salie in voorraad?'

'Jazeker, in flinke hoeveelheden.'

Het lukte Kenau een strijdbaar groepje van zo'n vijfentwintig vrouwen om zich heen te verzamelen, precies zoals ze gedacht had. Het waren bijna allemaal moeders van hongerige kinderen, waardoor ze extra gedreven waren om het plan te doen slagen. Als het erop aankwam verschilden ze niet zoveel van de vogels, die af en aan vlogen naar het nest om de pasgeborenen van wormen te voorzien. Het was de roep van de natuur en dus de beste kwaliteit medestrijdsters die Kenau zich kon wensen. Er boden zich nog meer vrouwen aan, maar als de groep te groot was zou men elkaar alleen maar in de weg lopen, schatte Kenau. Er vond nog een aanvaring plaats met Cathelijne, die mee wilde doen. Kenau had het haar weer verboden en ze was huilend van woede weggerend. Er was geen tijd om haar achterna te gaan en Kenau had te veel aan haar hoofd om aandacht te besteden aan de grillen van haar dochter.

Ze had inmiddels informatie opgedaan bij Hendrik Bastiaensz en die had haar verteld dat men per slede op drie soldaten moest rekenen: een op de bok en twee achterin bij de zakken en tonnen met voedsel. Deze keer werden er vijf volgeladen sleden in het Spaanse kamp verwacht, wist hij daarbij te melden, de Haarlemmers hadden ook zo hun infiltranten. Kenau informeerde langs haar neus weg, zonder iets los te laten over haar plan. Ze bezocht hem regelmatig, om even bij te praten over de politieke ontwikkelingen. Hendrik miste zijn vrouw en dochters en ze was altijd welkom.

Op 7 januari, de dag van het transport, slopen de vrouwen al vroeg de stad uit, via een vermolmd poortje nabij de Schalkwijkerbrug, dat net breed genoeg was om een kar door te laten. Kenaus kar was volgeladen met strobalen en werd door haar paard getrokken. Het dier had sokken om zijn hoeven om te voorkomen dat hij op het ijs zou uitglijden, en de vrouwen hadden schaatsen bij zich. Ze waren allen dik ingepakt, en daaroverheen droegen ze een lichtgrijs tot wit laken met gaten erin voor hoofd en armen, om zo min mogelijk zichtbaar te zijn in een landschap van ijs en sneeuw. Ze hadden ook een natte boerenzakdoek bij zich, die ze voor mond en neus moesten binden wanneer het zover was. En aan de gordel onder hun mantel droegen ze allemaal een zakje met inhoud uit de kloostertuin. Zodra ze de vaart bereikt hadden waarover de sledes de stad zouden naderen, bonden de vrouwen hun schaatsen onder. Het paard stapte voorzichtig het ijs op, de kar wankelde even bij de overgang van de hobbelige oever naar het gladde ijs. De wind kwam nog steeds uit het oosten, merkte Kenau. Daarmee moest rekening gehouden worden bij de uitvoering van het plan. De strobalen moesten precies op de juiste plek worden geplaatst, om een maximum aan effect te sorteren. Ze keek geconcentreerd om zich heen, op zoek naar die ene, ultieme plek, en ontdekte hem, vlakbij een groep half door klimop overwoekerde struiken waarachter ze zich konden verbergen.

Ze togen aan het werk, precies haar aanwijzingen opvolgend. Aan de oostkant van de vaart, daar waar de oever te hoog was om vanaf het ijs betreden te kunnen worden, werd een lange rij strobalen geplaatst. Daarna staken ze de flambouwen aan die ze bij zich hadden. Vervolgens was het wachten geblazen, totdat er een stipje aan de horizon zou verschijnen. Kenau had uitgerekend op welk moment ze in actie moesten komen. Iedere vrouw wist precies wat ze moest doen. Ze staarden gespannen in de verte, naar dat ene denkbeeldige punt. Er werd nauwelijks gesproken, ze bewaarden hun energie tot het moment waarop ze die nodig hadden.

'Kijk,' wees een van hen, net toen sommigen klaagden dat ze het koud kregen.

En ja, daar in de verte doemde iets op, precies zoals Kenau voorspeld had. 'Nog even wachten, tot ik het sein geef,' zei ze, een vinger op haar lippen leggend.

Het wachten werd ondraaglijk, ze waren ieder voor zich als een kanonskogel die op het punt staat afgeschoten te worden.

'Nu...!' gebaarde Kenau.

Volgens de ingestudeerde regie staken ze met hun fakkels de strobalen aan, strooiden vervolgens de inhoud van hun zakjes in een rechte lijn eroverheen en schaatsten tot slot zo snel als ze konden naar de bosjes, om zich daarachter te verbergen. Het stro brandde meteen en verspreidde veel rook, die dankzij de wind over de vaart werd geblazen. Vanachter de wilgentakken zagen ze de karavaan steeds dichterbij komen, zo dichtbij dat ze de gezichten van de soldaten konden onderscheiden. Laat het werken, bad Kenau, laten die Mexicaanse goden met ons zijn.

Het was alsof de voedselkaravaan door een tunnel moest. Eerst werd de voorste slede aan het oog onttrokken, daarna de tweede en zo ging het door tot er niets anders meer te zien was dan alleen de dichte rook. Even leek het alsof de sledes door de aarde verzwolgen waren en er nooit iemand uit die tunnel tevoorschijn zou komen. De vrouwen gluurden gespannen naar de uitgang, klaar om in actie te komen. Op het schouwspel dat zich voor hun ogen vertoonde toen de eerste slede tevoorschijn kwam waren ze niet voorbereid, al had Kenau de wonderbaarlijke werking van de *Salvia divinorum* van tevoren uitvoerig beschreven.

Het paard brieste. Alhoewel het doorging de slede te trekken was het niet langer in een rechte lijn – de slede ging slingerend over het ijs. De voerman hing diagonaal op de bok, vreemde grimassen trekkend en wild trappelend met zijn benen. Hij gleed ineens van de bok en belandde met een doffe bonk op het ijs, waar hij op handen en knieën begon rond te kruipen. De twee mannen die bij het opgestapelde voedsel zaten gedroegen zich ook uitzonderlijk: de ene jankte en de andere lachte zich krom. Ze sloegen elkaar op de schouders, totdat de een de ander een zet gaf zodat die overboord viel en met zo'n harde klap op het ijs terechtkwam dat hij voor dood bleef liggen. Toen volgden de andere sleden, eveneens getrokken door verwarde paarden. Het was een wonder dat ze niet op elkaar botsten, maar toch hun weg vervolgden, al was het in een traag tempo. Ook de bemanning van de andere sledes gedroeg zich uiterst merkwaardig, op zijn zachtst uitgedrukt. Ze maakten kronkelende bewegingen, sperden hun mond wijd open om te kermen als een gewonde hond, of te huilen als een wolvin die haar jongen kwijt is. Een ander lachte als een debiel, terwijl hij met zijn handen op zijn hoofd heen en weer wiegde. Sommigen tuimelden gewoon uit de kar en probeerden tevergeefs om op te staan, of kropen als een peuter tegen de oever op.

Enkele vrouwen begonnen te giechelen om de belachelijke aanblik die de mannen boden. Dit was de vijand waar ze allemaal zo bang voor waren!

'Sta daar niet zo te ginnegappen,' riep Kenau, 'we moeten nu heel vlug handelen! We hebben maximaal tien minuten om met de hele karavaan uit hun blikveld te verdwijnen.'

Verschrikt haastten de vrouwen zich om de rest van het scenario af te werken. Ze deden hun schaatsen af en klommen op de bok om de teugels ter hand te nemen, of namen plaats in de sledes, bij het voedsel. De paar soldaten die nog in de sledes zaten werden er onzachtzinnig uitgewerkt. Kenau keerde haar kar, die ze voorzichtigheidshalve achter de struiken had geparkeerd, en ging de karavaan voor. Oorspronkelijk zou het transport de vaart hebben gevolgd, die verderop langs het Spaanse kamp stroomde, maar Kenau sloeg spoedig rechts af, over een kleine sloot die hen aan het oog onttrok voor de Spaanse bewakers van het transport, voor als ze uit hun roes ontwaakten.

'Ik zou hun gezichten wel eens willen zien als ze weer tot zichzelf komen,' zei een van de vrouwen.

'Als ze ontdekken dat de paarden met slee en al gewoon verder zijn getrokken,' viel een ander haar bij, 'ze zullen er niets van snappen.'

'Ik zal dit van mijn leven niet vergeten,' riep iemand vanaf de volgende slee.

'Ssst...' siste Kenau, om zich heen kijkend.

Er steeg een luid gejuich op uit de werf toen het konvooi arriveerde, geheel intact. Er ontbrak geen onsje meel aan, geen spekzwoerdje, geen pastinaakje. De vrouwen werden als heldinnen ingehaald en van alle kanten omhelsd. Jacob kwam met een brede grijns op zijn gezicht naar Kenau toe, opgelucht dat haar niets was overkomen. Mannen en vrouwen droegen de zakken en tonnen naar binnen en de werf stroomde vol burgers, die op het bericht afkwamen.

'Eén slede houden we zelf,' riep Kenau, 'de rest is voor de stad!'

'Hier moet op gedronken worden!' riep iemand.

Ook dat voorstel werd met gejuich ontvangen. Er kwam zomaar een feestje op gang, in de vroege middag, onder een winters zonnetje. Er werd bier getapt en een van de vluchtelingen begon op een luit te tokkelen. Een ander viel hem bij met een vedel, waarna een Waalse huurling die een houten fluit bij zich bleek te hebben het geheel met meeslepende melodieën aanvulde. Iemand begon te dansen, anderen volgden zijn voorbeeld en al gauw was de werf veranderd in een dansvloer. Er werd uitbundig feestgevierd, het was een mooie manier om de spanningen van de laatste weken af te reageren, en haast iedereen deed mee.

Zelfs Kenau keek, een pul bier in de hand, glunderend naar de feestvierders, totdat ze haar dochter ontdekte die in de armen van de Waal zwierige rondjes draaide. Haar hart sloeg een slag over bij die aanblik. De geschiedenis ging zich toch niet herhalen? Die twee waren verliefd, dat loog er niet om, zelfs wanneer je er van een afstand naar keek. Wat was het toch een gevaarlijke leeftijd, het leek wel of er nog geen enkele ruimte was voor verstandelijke overwegingen. Er was alleen het hart, dat op hol kon slaan voor de eerste de beste aantrekkelijke vreemdeling die toevallig in hun leven opdook. Het was alsof Cathelijne haar gedachten raadde, want ze keek kort Kenaus kant op. In de ogen van haar dochter zag ze hoe, in minder dan een seconde, dweepzieke verliefdheid plaatsmaakte voor haat. Kenau schrok er zo van dat ze bier morste. Ze zocht de muur van de loods op. Alles kon ze aan, maar dit niet. Het was fout gegaan tussen Cathelijne en haar, en ze moest iets ondernemen om het recht te zetten.

'Mevrouw Hasselaer, u doet me versteld staan.'

Kenau keek op, ineens erg vermoeid. Ripperda stond naast haar, een glimlach om zijn lippen. Ook dat nog.

'Wat u nu weer voor huzarenstukje heeft geleverd, ik ben sprakeloos.'

Zwijg dan liever, dacht Kenau bij zichzelf, maar ze haalde haar schouders op en zei: 'Ik had hulp, van een stel dappere vrouwen.'

'Maar het idee kwam van u. Een gouden idee, mag ik wel zeggen. Als u een man was geweest, had u een groot strateeg kunnen worden.'

'Ik ben nu eenmaal een vrouw,' zei Kenau ironisch.

'Gelukkig wel! En wat voor een...'

Hij keek haar aan en ze probeerde ongenaakbaar terug te kijken. Maar ze was de eerste die haar ogen neer moest slaan, want opnieuw raakte ze in verwarring. Ze dacht eraan hoe ze de laatste keer uit elkaar waren gegaan en wist van schaamte niet waar ze moest kijken.

'Staat u mij toe, een dans ter verhoging van de feestvreugde?'

Hij stak zijn arm uit.

Kenau schudde haar hoofd. 'Het zou aanleiding geven tot allerlei geruchten.'

Hij grijnsde. 'Misschien heeft u gelijk. Vertel me eens eerlijk, mevrouw Hasselaer, komt het wel eens voor dat het verstand bij u niet zegeviert?'

25

Cathelijne danste haar frustratie weg. Wat had ze graag deel uitgemaakt van het groepje moedige vrouwen, dat zo'n streek had uitgevoerd om aan eten te komen. Haar moeder had het haar niet gegund.

Dominique drukte haar dichter tegen zich aan. Ze voelde zijn mateloze energie en als ze haar ogen sloot kon ze zich voorstellen dat ze samen met hem vluchtte, de wijde wereld in. Het deed er niet toe waarheen, als het maar ver weg was van haar moeder en haar verleden. Ze zou een heel nieuwe persoon worden, aan zijn zijde, waar hij ook ging.

Kenau keek haar ineens aan. Die blik van haar moeder, vol kritiek en afkeuring, vervulde haar met weerzin en woede. Even later had de gouverneur haar moeder weten te vinden, hij staarde haar aan alsof ze het achtste wereldwonder was. De man moest eens weten, dacht Cathelijne bitter, hoe ze eigenlijk is.

Toen het begon te schemeren verliet ze de dansvloer. Er moest gekookt worden. Dat zou een stuk makkelijker zijn nu er weer volop voorraad was. Vlak voor de ingang van de loods stond haar moeder, met een gespannen uitdrukking op haar gezicht. Ze heeft me staan opwachten, schoot het door Cathelijne heen.

'Wacht even,' zei Kenau, 'ik wil met je praten, kom na het eten even naar huis.'

'Waarom?'

'Omdat ik het zeg.'

Cathelijne liep langs haar heen de loods in, zonder iets te zeggen.

'Ik reken op je,' riep haar moeder haar na.

Met lood in haar schoenen ging ze het huis in waar ze haar hele leven had gewoond. Het kwam haar nu voor als een gevangenis, waar ze het liefst mijlenver vandaan zou blijven. Haar moeder zat in de stoel bij de haard, met rode wangen van de gloed van het vuur.

'Zo, daar ben je dan,' zei ze.

Dat klonk niet erg uitnodigend en Cathelijne had het liefst meteen rechtsomkeert gemaakt. Ze ging op een kruk tegenover haar zitten en keek naar de vlammen.

Even was het bedrukkend stil, toen zei haar moeder: 'Ik wil niet dat je met die huurling omgaat.'

'Die huurling heeft een naam, dat weet u best. Hij heet Dominique.'

'Al zou hij de wijze Salomon zelf zijn, ik wil niet dat je je aan een vreemde hecht, wiens moedertaal Frans is en van wie wij verder niets weten. Bovendien is de kans groot dat hij de belegering van onze stad niet zal overleven, dat weet je zelf ook.'

'Ik hou van hem,' zei Cathelijne, haar moeder uitdagend aankijkend, 'en ik ben niet van plan hem te laten vallen omdat hij in uw ogen geen genade vindt.'

'Je wilt toch niet dezelfde fout maken als je zus? We leven in roerige tijden en moeten erg op onze hoede zijn, vooral met vreemdelingen.'

'Weet u wat Geertruide zei?' Cathelijne voelde zich nu zo geprovoceerd, dat ze ging staan om eens flink van zich af te bijten. 'Dat u altijd alles bepaalt en wat anderen denken of voelen doet er niet toe – u loopt er met zevenmijlslaarzen overheen. Ze had gelijk toen ze dat zei, en als u nog steeds boos bent op mij, omdat ik haar toen niet heb tegengehouden, dan moet u dat zelf weten. Maar eigenlijk hebt u haar zelf weggejaagd, 't is maar dat u het weet.'

Even was haar moeder met stomheid geslagen. Ze klemde haar lippen op elkaar en keek haar met een donkere, omfloerste blik aan. Toen kwam ze bliksemsnel overeind en sloeg haar hard in haar gezicht. De klap kwam zo onverwacht, zo helemaal uit het niets, dat Cathelijne geen tijd had om zich te verweren.

Tranen van pijn en vernedering sprongen haar in de ogen. Ze draaide zich bruusk om en liep naar de deur, gedreven door maar een gedachte: Weg! Weg van hier!

'Ach, mijn kind,' riep haar moeder schor, 'zo heb ik het niet bedoeld...'

Cathelijne keek nog één keer om. Haar moeder zag er ontredderd uit. Eerlijk gezegd deed het haar niets, helemaal niets. Zwelg maar fijn in uw heldendaden, dacht ze, voor mij bestaat u niet meer.

'Kom terug, ik wil met je praten... Jij bent alles wat ik nog heb,' hoorde ze haar moeder jammeren, net voordat ze de buitendeur achter zich dichttrok.

Dat had u dan eerder moeten bedenken, dacht Cathelijne.

De volgende ochtend kwam Dominique, in gezelschap van een groepje jonge geuzen, de geïmproviseerde keuken binnen. Cathelijne herkende ze aan hun mutsen met vossenstaarten en de penning waarop 'Liever Turks dan Paaps' stond. Er liep een rilling over haar rug, nu ze oog in oog stond met die kerels. Weliswaar steunden ze de Prins van Oranje in zijn strijd tegen Spanje, maar het feit dat ze kloosters plunderden en priesters vermoordden joeg haar angst aan.

'Dit is Govert,' zei Dominique, achteloos op een van hen wijzend. 'We willen je iets vragen... Kun je een kippetje missen?'

'Een kippetje? Hoezo?'

'We willen een grap uithalen met de Spanjaarden. Daarvoor hebben we een mooi, goudgeel gebraden kippetje nodig.' Zijn bruine ogen twinkelden schalks. Ze wist al dat dit de voorbode was van iets wat op de rand was, of net eroverheen.

'Wat voor grap?' vroeg ze.

Govert deed een stapje naar voren, waarop zij er intuïtief een naar achteren deed. Hij draaide aan zijn blonde knevel en keek haar met zijn felblauwe ogen vrijpostig aan. 'We willen een briefje aan de poot binden, met de uitnodiging hier in de stad bij de Waalse huurlingen kip te komen eten. De Spanjaarden kennen de faam van de Waalse keuken, vandaar.'

'Ik zie de grap er niet zo van in,' zei ze aarzelend.

'Ze mogen niet weten dat we met een groeiend gebrek aan voorraden te kampen hebben,' legde Dominique uit, 'het is slim te doen alsof we hier nog steeds in overvloed leven.'

'Ah!' knikte Cathelijne, 'ik snap het. Jullie mogen het kippetje zelf gaan vangen,' zei ze, 'dan zal ik hem in de reuzel goudbruin braden. Er is een ren hier achter de loods.'

Ze haastten zich naar de achterdeur. In het voorbijgaan drukte Dominique een vluchtige kus op haar lippen. 'Ma coquine!'

26

Dagenlang werd de stad hevig beschoten. Het was een waar pandemonium en voor sommigen was het of de hel was neergedaald op aarde. Er waren mensen die de schoten telden, dat gaf in ieder geval de illusie dat er iets in kaart werd gebracht. Op 11 januari waren het er maar liefst zeshonderdeenentachtig. De stadswallen waren permanent bezet, de alarmklokken luidden met vaste regelmaat en er heerste grote verwarring omdat een aantal huizen getroffen werd.

Soms was er een kleine pauze in de beschietingen. Ergens in de tweede helft van de maand maakte Kenau gebruik van zo'n kort staakt-het-vuren om Hendrik Bastiaensz te bezoeken. Ze wilde uit zijn mond horen hoe het ervoor stond. Het lijdzaam afwachten, terwijl de stad voortdurend onder vuur lag, maakte haar zenuwachtig. Er deden allerlei geruchten de ronde. Een daarvan was dat het Haarlems stadsbestuur niet langer alle soldaten en burgers onder controle had. Sommigen van hen uitten hun haat en bitterheid door middel van wreedheden, die het officiële beleid streng afkeurde en in verlegenheid bracht. Zo hadden ze een gevangengenomen soldaat aan een been opgehangen, boven op een bolwerk, opdat hij goed zichtbaar was voor de Spanjaarden. Een aantal geuzen en protestantse burgers vermaakten zich door voor het oog van de vijand de spot te drijven met buitgemaakte heiligenbeelden en crucifixen. Het meest verontrustend waren de speculaties met betrekking tot een nieuwe tactiek van de vijand: die zou bezig zijn zich een weg te banen onder de bolwerken en stadswallen door. Als mollen zouden ze zich een weg naar binnen graven, elke dag enkele meters verder.

De bediende liet Kenau binnen in een kamer naast de hal. Mijnheer was in het stadhuis aan het vergaderen, maar kon ieder moment thuiskomen. Of ze wilde wachten. Kenau knikte. Nadat hij was vertrokken staarde ze naar buiten, naar het marktplein. Er was weinig volk op het besneeuwde plein, dat was geen wonder, de beschietingen konden elk moment hervat worden. Het waren voornamelijk soldaten en schutters die zich buiten waagden, in groepjes. Aan de overkant van het plein zag ze een huis waarvan de gevel beschadigd was. Werklieden waren bezig met planken de gaten te dichten. Het plein en de huizen eromheen, zelfs de Sint-Bavo, maakten een mistroostige indruk.

Het wachten duurde niet lang. Al gauw kwam Hendrik binnen, energiek als altijd. Hij schudde haar krachtig de hand en informeerde belangstellend naar haar welzijn.

'Je bent me er een,' grinnikte hij.

'Hoezo?'

'Die overval op een Spaans voedseltransport! Er werd dagenlang over gesproken, vooral over de spitsvondige methode die je had bedacht.'

Kenau haalde haar schouders op. 'Ach,' zei ze, 'het was in ieder geval geweldloos, er vloeide geen druppeltje bloed.'

'Je hoeft het niet te bagatelliseren, het was gewoon een doeltreffende en originele stunt. Nanning zou trots op je zijn geweest. Hoewel hij ook zijn hart zou vasthouden'

Ze volgde hem naar de ontvangstkamer, waar ze als gewoonlijk bij de haard gingen zitten. Ze realiseerde zich dat dit in deze barre tijden de beste momenten waren. Met Hendrik, die als het ware een deel van Nanning representeerde, bij het vuur zitten om de recente gebeurtenissen de revue te laten passeren. Dat kon ze met niemand anders.

'Gelukkig heeft de Prins sindsdien verschillende transporten gestuurd, die ongehinderd zijn aangekomen,' zei Hendrik, 'in de nacht van elf op twaalf januari waren dat veertig sleden, en de zeventiende kwamen er maar liefst vijfenzestig de stad binnen, volgeladen met wapens en proviand. Eerder deze maand zijn de Spanjaarden er helaas in geslaagd een konvooi van honderdvijftig wagens te overvallen. En er zijn meer dingen die tegenzitten.'

Hij nam een slokje van de mede die de bediende had gebracht. Hierbinnen in het statige huis leek de oorlog ver weg. Het was er stil en opgeruimd, en de bediening verliep volgens de gebruikelijke rituelen. Het was ontspannend en rustgevend. Maar wat Hendrik haar te vertellen had was dat niet. Verre van dat.

'Je hebt misschien wel gehoord welk ongeluk ons heeft getroffen in de nacht van de veertiende op de vijftiende?'

Kenau schudde haar hoofd. Het merendeel van de oorlogshandelingen drong niet of nauwelijks door tot de werf of de vluchtelingen. Alleen de huurlingen wisten meer, maar die spraken er voornamelijk onder elkaar over. In dat vermaledijde Frans van ze, natuurlijk.

'De Prins had een leger gezonden, zeven vaandels in totaal, om een doorbraak naar de stad te forceren. Maar alles zat tegen. Er hing een dikke mist en ze bleken waardeloze gidsen bij zich te hebben. Onze poortklokken luidden en er brandden fakkels op de torens om ze de weg te wijzen, maar het hielp niet. Velen verdwaalden in de duinen of op de ijsvlaktes, anderen belandden al zoekend bij de voorposten van de vijand, waar ze natuurlijk niet vriendelijk verwelkomd werden.

Het ergste is dat het plan verraden bleek te zijn, al weten we niet door wie. De Spanjaarden stonden onze troepen gewoon op te wachten. Twee vaandels werden meteen al in de pan gehakt, waarbij kapitein Filips de Koning ook sneuvelde. Een Spaanse commandant kwam vervolgens op het duivelse idee een veroverd vaandel omhoog te houden. Zo lokte hij een aantal soldaten naar zijn kamp – een sterk staaltje misleiding, dat moet ik hem nageven, onze mannen liepen rechtstreeks in de val.' Hendrik pauzeerde even om zijn pijp aan te steken. Onder zijn grijze, borstelige wenkbrauwen stonden zijn ogen afwezig, alsof hij het in gedachten allemaal zag gebeuren. 'Een dappere poging om ons te ontzetten kreeg zo een tragische afloop. Voor de Prins, die steeds het geld bijeen moet zien te schrapen om een leger op de been te brengen, was het ook een flinke afknapper. En alsof het verlies van zoveel mannen niet erg genoeg was, hebben ze ons ook nog openlijk vernederd.'

'Vernederd?' stamelde Kenau.

'Ze hebben het hoofd van Filips de Koning naar onze soldaten in het bolwerk gegooid. Er was een briefje aan vastgemaakt waarop stond: 'Ziehier het hoofd van kapitein Koning die u met 2000 man kwam ontzetten.'

Kenau sloeg haar hand voor haar mond. 'Wat was jullie antwoord op zo'n verschrikkelijke provocatie?'

'De eerlijkheid gebiedt me je te vertellen dat dit een antwoord was op een provocatie van onze kant, hoewel het stadsbestuur daar niets van af wist. Het is allemaal onschuldig begonnen met een gebraden kippetje, dat door een stel jongelui als grap naar de Spanjaarden toe werd gegooid met een provocerende tekst erbij. Kort daarna kwam een aantal baldadige soldaten en burgers op het idee een gevangen genomen soldaat aan een voet op te hangen, goed in het zicht van de belegeraars. Dat was natuurlijk een fout signaal, waarvan je van tevoren had kunnen weten dat de vijand het niet over zijn kant zou laten gaan.'

'Daar heb ik iets over gehoord ja.'

'Toen werd het hoe langer hoe gekker, want het hoofd van de kapitein veroorzaakte zoveel woede dat ze door het dolle heen waren. Onze soldaten hadden bij een kleine uitval acht Duitse huurlingen, een Waal en drie Amsterdammers, die voedsel verkochten aan de Spanjaarden, buitgemaakt en in de gevangenis geworpen. Een groepje soldaten en burgers hebben hen zonder onze toestemming uit de gevangenis gehaald en op de wal opgehangen. Diezelfde nacht schijnen ze, nog steeds zonder dat wij er iets van af wisten, de gehangenen te hebben onthoofd, waarna ze de elf hoofden in een ton hebben gestopt en vanuit het bolwerk naar de vijand toe gerold. Eerst hadden ze nog de moeite genomen de haren van de doden in de stijl van de geuzen te knippen. Je weet wel: kort geknipte haren en baard, maar de knevel juist groot en prominent. En natuurlijk hadden ze er ook een briefje bij gedaan. Daar stond op dat de inhoud van de ton een cadeautje was voor Alva, als Tiende Penning, met het elfde hoofd als rente.'

'Wel geestig bedacht,' zei Kenau, er snel aan toevoegend: 'maar ook gruwelijk.'

'Je hebt gelijk,' zei Hendrik, aan zijn pijp zuigend, 'geestig is het wel, maar in het tactische spel van oorlogsvoering was het nutteloos provocerend en dom. Helaas is het ondoenlijk al die lui onder controle te houden. Straffen is ook moeilijk in zulke gevallen, bovendien hebben we elke strijdvaardige man hard nodig.'

Hij zweeg even en Kenau probeerde zich voor te stellen hoe het was om het haar van onthoofde mannen te knippen. Ze huiverde.

'Wat ons nu zorgen baart is de dooi,' vervolgde Hendrik. 'Door de stijgende temperatuur is het ijs al minder betrouwbaar. Binnenkort zal al het transport over water moeten.'

'Bij mij op de werf is een galei in aanbouw.'

'Ik weet het. Maar we zullen er meer nodig hebben, want het is niet ondenkbaar dat deze oorlog tenslotte op het water uitgevochten zal moeten worden. Het mooie van galeischepen boven zeilschepen is dat ze niet afhankelijk zijn van de wind.'

Kenau knikte. 'Het is nieuw voor ons, zo'n soort schip te bouwen. Maar mijn voorman heeft tekeningen gekregen van het stadsbestuur en hij vindt het eenvoudig.'

'Zou jij hout kunnen leveren voor de bouw van nog vier schepen?'

'Jawel, we hebben nog een prachtige partij hout uit Estland.'

Hendrik zuchtte.

Kenau vond dat hij er vermoeid uitzag. 'Je moet het zwaar hebben' zei ze, 'als burgemeester in oorlogstijd.'

'Dat kun je wel zeggen,' gaf hij toe, 'elke beslissing die je neemt kan mensenlevens kosten. Dat is een enorme verantwoordelijkheid. Gelukkig zijn er nog drie burgemeesters, alleen had ik het nooit aangekund.'

Hij sloot zijn ogen even en nam een diepe teug van zijn pijp. Toen hij ze weer opende keek hij haar zo strak en intens aan dat ze ervan schrok. 'Wees erop voorbereid dat we dit misschien met de dood gaan bekopen, jij en ik en allen die een actieve rol hebben gespeeld bij de verdediging van de stad. Als we verliezen, zijn wij degenen die moeten boeten.'

'We gaan niet verliezen, zo gemakkelijk geven we niet op,' zei Kenau, 'als je nu al rekening houdt met de mogelijkheid van een gedwongen overgave, dan verzwak je je wil om te winnen. Bovendien tart je het noodlot.'

Hendrik grinnikte. 'Van jouw soort is er maar een! Ik heb nog nooit zo'n onbevreesde vrouw ontmoet als jij. Maar je hebt gelijk, het woord "verliezen" moet ik uit mijn vocabulaire schrappen. Je geeft me nieuwe energie! Overigens, ik heb je nog niet verteld dat we een stormaanval verwachten ter hoogte van de Kruis- en de Sint-Janspoort. De Spanjaarden zijn druk bezig het bolwerk van de Kruispoort te ondergraven. Don Frederik schijnt zelfs al een vat vol stroppen besteld te hebben in Amsterdam, om gevangenen mee op te knopen. Maar wij zijn ze een stapje voor: wij graven ook gangen, nog dieper dan zij, en brengen daarin mijnen aan, op vaste afstanden. Een Duitser, die vroeger in de zilvermijnen heeft gewerkt, dient ons daarbij van advies. Ze zullen wat beleven, de Spanjaarden, zodra ze ons aanvallen! Domme Vreeck zal niet weten wat hem overkomt...'

'Wie is Domme Vreeck?'

'Weet je dat niet? Zo wordt Don Frederik genoemd, omdat hij een blaaskaak is. Hij dacht dat hij ons binnen enkele dagen onder de voet kon lopen, de domoor, vanwege de slechte staat van onze verdedigingswerken.'

'Dat is hem lelijk tegengevallen, ja.'

'Zo is het, en daar heb jij met je vaandel vrouwen een groot aandeel in gehad. Dat besef je toch wel, hoop ik.'

Kenau haalde haar schouders op. 'Je moet het niet groter maken dan het is,' zei ze nuchter, 'we hebben gewoon even flink de handen uit de mouwen gestoken. Een kind baren is gevaarlijker.'

'Weet je dat je de schrik van de Spanjaarden bent? Er zijn pamfletten in omloop waarin je wordt beschreven als een angstaanjagend fenomeen: een vrouw die vecht als een kerel.'

Kenau snoof vol verachting. 'Als we ons doel maar bereiken: alle Spanjaarden terug naar waar ze vandaan zijn gekomen.'

'Het schijnt dat Don Frederik heeft gezegd: "Als ik die vrouw levend in handen krijg...".'

27

'Dit is het land van de nachtmerries, u bent er zeer welkom,' zei de poortwachter tegen Cathelijne. Hij opende een zware houten deur met ijzerbeslag en liet haar binnen. In de nachtelijke duisternis brandden fakkels en vanuit alle richtingen klonk ijselijk geschreeuw, dat haar door merg en been ging. Ze keek om naar de poort waar ze zojuist doorheen was gekomen, maar die was alweer gesloten, dus liep ze door. Vreemd genoeg zag ze geen mensen. Het gekerm uit de zwarte holtes wekte het vermoeden van zware lijfstraffen en martelingen. De rillingen liepen haar over de rug terwijl ze verder liep, niet wetend waarheen.

'Niet doen, niet doen!' hoorde ze ineens. Ze verstijfde. Dat was de stem van Dominique, vol doodsangst, er was geen twijfel mogelijk.

'Waar ben je?' riep ze schril.

'Ma belle... Ik ben hier, help me!' smeekte hij.

Ze keek radeloos om zich heen. Ze zag geen enkele contour in de duisternis. 'Waar dan...?'

'Hier, haal me hieruit...' Zijn stem klonk zwakker.

Ze dacht dat ze gek werd, hoe kon ze hem in vredesnaam helpen als ze niet wist waar hij zat? Haar hoofd leek te exploderen. Ze opende haar handen en sloot ze weer, telkens opnieuw.

Toen werd ze wakker, kletsnat van het zweet, verward om zich heen kijkend. Het was de oude, vertrouwde loods, die ze zag, waarin enkele strategisch geplaatste vuurkorven voor een minimum aan licht zorgden. Naast haar stak het lichtblonde hoofd van Mathilde boven de dekens uit, in diepe rust verzonken. Cathelijne slaakte een zucht van verlichting. Het was weer zo'n droom geweest. Meer was het niet, dat moest ze zich goed voor ogen houden.

De volgende ochtend, terwijl ze druk was met het uitdelen van brood en roggekoeken, klonk er van de kant van de Kruispoort zoveel lawaai, dat ze samen met enkele vluchtelingen haastig naar de oever van het Spaarne liep om te kijken wat er aan de hand was. Omdat er over en weer hevig werd geschoten, hing er een dichte kruitdamp boven dat deel van de vesting. Van veraf waaiden strijd- en doodskreten over de rivier naar hen toe, die soms niet van elkaar te onderscheiden waren en eigenlijk niet zoveel verschilden van de huiveringwekkende geluiden die Cathelijne tijdens haar nachtmerrie gehoord had.

De onheilspellende droom zat haar nog vers in het geheugen. Ze staarde angstig in de richting van de Kruispoort. Er werd hevig gevochten, en de mogelijkheid dat Dominique deel uitmaakte van het strijdgewoel was groot, daarvoor was hij tenslotte aangenomen. Tot nu toe was hij met zijn lenige lichaam steeds de dans ontsprongen, maar zijn geluk kon toch niet onuitputtelijk zijn. Ze was banger voor het leven van haar Waalse vriend dan voor het voortbestaan van de stad, waarin ze geboren en getogen was. Die was zo abstract, vergeleken bij een geliefde van vlees en bloed, die je in je hals kuste en wiens handen je uit je jakje moest weg zien te houden.

'Kom,' zei Leida, haar aan haar arm meetrekkend. 'We kunnen toch niets doen. Vrouwen en kinderen mogen niet meer in de buurt van de wallen komen, zo luidt de verordening van het stadsbestuur nu eenmaal, ook al is het een kwelling werkeloos te moeten toezien.'

Cathelijne ging verder met het uitdelen van het ontbijt, bijgestaan door Mathilde en haar moeder. Ze was er met haar hoofd niet bij. Ineens ergerden haar de hongerige monden. Al die verschillende noden, van mensen die tot voor kort nog volslagen vreemden waren, werden haar even te veel. De een klaagde over kou, een ander dat gewassen kleren niet droogden, een derde had last van nachtelijk gesnurk van een buurman en zo ging het maar door. Waar haalden ze de moed vandaan om te klagen, terwijl anderen vlakbij hun leven waagden.

Later die ochtend werd er weer zo intensief geschoten, dat het leek of er een onweer boven de stad was losgebarsten. Cathelijne hield het niet meer uit en holde naar buiten, naar de rivier. Dit keer bleef ze daar niet staan. Ze rende de brug over, de stad in, achter de wallen langs totdat ze de Kruispoort dicht genaderd was. Soldaten renden langs haar heen, een Duitse huurling siste haar toe dat ze moest maken dat ze wegkwam. Maar ze voelde geen enkel spoor van angst, het enige wat haar dreef was dicht bij Dominique te zijn wanneer hij gewond raakte, of erger, op het moment van zijn dood.

Maar iemand trok haar een huis in met de woorden: 'Ben je helemaal gek geworden meisje, kom naar binnen!'

Ze liet zich meevoeren, enkele trappen op, tot op een verdieping waarvan de ramen onder normale omstandigheden over de wallen heen keken. Nu waren de luiken gesloten vanwege het beschietingsgevaar. Ze hadden kleine decoratieve openingen, in de vorm van een hart. Haar onverwachte gastheer gebaarde naar haar door zo'n hartje te kijken om de gebeurtenissen te volgen. Zonder zich te bedenken volgde ze zijn raad op. Eindelijk kon ze zien wat het krijgsbedrijf waarvan Dominique deel uitmaakte inhield.

Wat ze zag was beestachtig. Een kip sneed je netjes de keel af, een varken ook, maar hier werden alle denkbare methodes gebruikt om iemand te slachten – dat was het enige woord dat erop van toepassing was. Ze dacht aan die ene keer dat haar moeder hier een bijdrage aan geleverd had, samen met andere vrouwen, en gruwde. De soldaten van de vijand bestormden de stadsmuren, maar zodra het ze lukte eroverheen te klauteren werden ze met haken naar beneden getrokken en afgemaakt door de verdedigers, die hen aan de andere kant stonden op te wachten. Cathelijne kneep haar ogen samen om te zien of een van hen Dominique was, maar ze stond te ver af om gezichten te kunnen onderscheiden. Op het bolwerk voor de poort stonden zeker vijf vaandels Spanjaarden te wachten tot ze in actie konden komen en ook onderaan de muren zag het zwart van de troepen, die de gracht al waren overgestoken en zich verspreid hadden op het met struiken begroeide talud onder aan de stadsmuren. De dreiging van een invasie was levensgroot, zag Cathelijne, de overmacht van de Spanjaarden was zo enorm dat het aantal verdedigers erbij in het niet viel.

Terwijl ze zichzelf dwong te blijven kijken, ontplofte het bolwerk recht voor haar ogen. Het hele huis trilde op zijn grondvesten. Wat Cathelijne toen door het hartje te zien kreeg zou ze nooit van haar leven vergeten.

Waar het bolwerk was, omringd door water, vlogen de Spaanse vaandels met alle militaire attributen die ze voor de aanval bij zich hadden de lucht in. Het was een gruwelijke aanblik, regelrecht afkomstig uit de hel. Hele lichamen schoten, dwars tegen de aantrekkingskracht van de aarde de winterse hemel in – maar ook armen, benen en hoofden, omgeven door sabels, rapieren, musketten, hellebaarden, aardkluiten, gruis, stof en damp. Ze wist al wat dynamiet kon aanrichten, maar dat het op deze manier binnen enkele seconden korte metten kon maken met de levens van honderden soldaten had ze zich nooit voorgesteld. Het was een diabolische uitvinding, dacht ze nu, overmand door medelijden met de soldaten.

Onmiddellijk na de explosie heerste er enkele seconden lang een vreemde, haast bovenaardse stilte. Het was of de duivel even zijn adem inhield, dacht Cathelijne. Meteen realiseerde ze zich dat zij het zelf waren, de Haarlemmers en hun soldaten, die verantwoordelijk waren voor de explosie, als middel om zich te verdedigen. In dat licht bezien miste die zijn uitwerking niet: het was in een keer afgelopen met de bestorming. Een enorm tumult brak los, de lucht was vol geschreeuw, gekerm en gehuil, zo ondraaglijk dat Cathelijne haar handen tegen haar oren legde.

'We hebben gewonnen!' hoorde ze haar anonieme gastheer roepen, dwars door haar handen heen. Zijn ogen straalden een uitzinnige vreugde uit. Hij was al een oude man, met een grijze baard en een gerimpeld gezicht.

Zijn vreugde ergerde haar. Hoe kon je blij zijn als er zovelen voor je ogen waren gedood, al was het de vijand?

'Ik ga het stadsbestuur verslag uitbrengen, dat is mijn taak,' zei hij, zo gehaast dat hij bijna over zijn eigen woorden struikelde, 'kom, je kunt nu veilig terugkeren naar huis, het goede nieuws overbrengen.'

Goed nieuws bestaat niet, dacht Cathelijne terwijl ze de trappen af liepen, wat voor de een goed nieuws is, is voor de ander een tragedie. De man, wiens naam ze nooit zou kennen, nam afscheid en verdween in de stroom van soldaten die van de wallen waren afgedaald en opgelucht pratend naar hun kosthuis liepen. Het was geen doen te midden van hen Dominique te gaan zoeken, begreep Cathelijne.

Later die middag zag ze Dominique door de hekken van de werf komen, samen met de andere Walen. Niemand leek gewond, ze maakten een montere indruk. Ze schoot op hen af. Het liefst was ze hem openlijk om de hals gevallen, uit pure dankbaarheid dat hij nog leefde. Maar dat kon niet in het openbaar, dus naderde ze hen met gepaste afstandelijkheid. Ze had al besloten niets over haar eigen ervaring te vertellen, Dominique zou zo'n eigengereide actie afkeuren, vermoedde ze.

'Hoe was het?' vroeg ze, zich van de domme houdend. 'We hoorden hier een vreselijke explosie.'

'C'était magnifique!' riep een van de huurlingen uit.

De anderen vielen hem enthousiast bij, maar ze begreep niets van wat ze zeiden, behalve de onomatopee 'Boum', die ze maar bleven herhalen.

'We hebben ze opgeblazen,' legde Dominique uit. 'Er zit een Duitser in een van onze vaandels, die alles weet van mijnen leggen. Terwijl de Spanjaarden ijverig in de weer waren met het graven van gangen onder de vestingmuren door, hebben wij onder zijn leiding ongemerkt het bolwerk ondermijnd. Voor vandaag hadden de spanjolen een zware stormaanval georganiseerd en die hebben we succesvol afgeslagen. Een goede reden om een feestje te bouwen, ma chérie! La vie est courte, il faut en profiter!'

De geus kwam bij hen staan, net zo uitgelaten als de rest. 'Domme Vreeck zal raar op zijn neus kijken vandaag, het zou me niet verbazen als de vijand nu aftaait en ons verder met rust laat.'

Cathelijne staarde hem aan. Zijn heldhaftige knevel, zijn felblauwe ogen, zijn gespierde lichaam, alles aan hem ademde overmoed en geloof in de overwinning. Dat was goed, zulke jongens hadden ze nodig, maar zelf zag ze het somberder in. Don Frederik moest razend zijn over het gruwelijke lot van zijn mannen. Hij zou op vergelding zinnen en proberen de explosie van vandaag te overtreffen. Daar had hij alle middelen voor, en als hij ze niet had zou zijn koning vast wel een genereuze greep in de schatkist doen.

Ze hield haar mening wijselijk voor zich. Na wat ze vandaag gezien had, geloofde ze niet meer in een goede afloop.

28

Zwarte dagen volgden. Don Frederik had, naast honderden soldaten, een paar van zijn beste mannen verloren: kapitein Lorenzo Perea en Maestro de Campo Don Rodrigo de Toledo. Drie andere kapiteins waren ernstig gewond afgevoerd naar Amsterdam, samen met ontelbare anderen. De wonden waren zo ernstig dat het ernaar uitzag dat velen alsnog zouden sterven. De Amsterdamse kloosters lagen vol kermende gewonden, nonnen en priesters waren zonder adempauze bezig met het toedienen van de laatste sacramenten.

Daarbij stierven velen aan griep en ondervoeding, omdat het voedsel schaars en eenzijdig was. Vooral de nachten waren zwaar vanwege de bittere kou, waartegen de primitieve tenten te weinig bescherming boden. Anderen konden de voortdurende spanning niet verdragen waaraan ze werden blootgesteld tijdens patrouilles, in het akelig platte, vijandige landschap waar vanachter iedere struik of rietbos een geus tevoorschijn kon schieten. Velen gingen er gewoon vandoor, vooral onder de Walen, Bourgondiërs en Duitsers was de desertie groot. Vanwege dit slechte imago werd het moeilijker voor de Spanjaarden nieuwe huurlingen te werven.

Er werd al gesuggereerd dat opgeven van het beleg, dat nu twee maanden duurde, een optie werd. Het aantal hoge officieren dat nog slagvaardig was, was op één hand te tellen. Daar kwam bij dat duizenden soldaten dagelijks onderweg waren om transporten te bewaken – zij konden niet ingezet worden voor de strijd.

Wat de vijand betrof: de Haarlemmers waren niet verzwakt, maar stonden er juist veel beter voor dan aan het begin van het beleg. De Prins en zijn broer Lodewijk van Nassau voorzagen de stad regelmatig van nieuwe garnizoenen en ammunitie, er was na een periode van schaarste weer voldoende voedsel en het moreel van de Haarlemmers was, vooral na de recente overwinning, ongebroken.

Er werd een krijgsraad gehouden, waarbij Don Frederik een flinke tegenwind het hoofd moest bieden. Het beleg hing aan een zijden draadje en diep in zijn hart had hij het liefst geroepen: 'Ik geef er de brui aan. We kappen ermee, mannen, we gaan naar huis!' Maar zo simpel stonden de zaken er niet voor. Don Bernardino de Mendoza, een hoog officier, maar ook schrijver van analytische betogen over de oorlog, bracht boze brieven van zijn vader, die met een hardnekkige ziekte kampte en niet in staat was zelf te reizen. Woede om de verliezen voerde daarin de boventoon, en van overgave was geen sprake: Haarlem was, zoals hij steeds herhaalde, de poort naar de Hollandse steden, die eveneens gestraft en onderworpen moesten worden, in naam van de koning. Aan deze opdracht kon niet getornd worden.

'Als jij de zaak verknalt en het nu al opgeeft, kom ik zelf naar Haarlem. Of ik laat je moeder uit Spanje overkomen, om het van je over te nemen!' Zo luidde de boodschap van zijn vader.

Het idee dat zijn heerszuchtige moeder, de oude hertogin, helemaal uit Spanje zou moeten komen om de leiding over de troepen over te nemen was zo'n aantasting van zijn mannelijkheid en zijn gevoel van eigenwaarde, dat Don Frederik tijdens de krijgsraad de voortzetting van het beleg te vuur en te zwaard verdedigde.

Hij voelde zich ook niet goed. Zijn keel deed zeer, vooral wanneer hij het woord voerde, hij zweette als een otter en hij was totaal uitgeput. Hij leed al een tijdje aan neerslachtigheid, ten gevolge van de moord op Alda en de diep kwetsende manier waarop men hem daarvan kond had gedaan. Hij zou nooit vergeten hoe een van zijn soldaten hem de jurk was komen brengen die haar zo prachtig stond. Het drong tot hem door dat hij meer van haar gehouden had dan hij wilde toegeven. Ze was er telkens weer in geslaagd hem in vuur en vlam te zetten, met haar weelderige, blanke schoonheid en haar wulpse ingetogenheid. Nu moest hij zich behelpen met surrogaatvrouwen, wat zo onpersoonlijk en voorspelbaar was, dat hij nog liever zijn toevlucht nam tot zijn eigen handwerk.

Haar zoontje had hij naar Spanje laten brengen, waar hij een gedegen katholieke opvoeding zou krijgen. Wie weet school er een getalenteerde officier in het blonde kereltje.

Het bleek dat Don Frederik een lelijke griep onder de leden had. Dagenlang lag hij met hoge koorts in bed en moesten anderen het opperbevel voeren. Door kleine aanvallen en de verovering van enkele transporten moest de indruk worden gewekt dat het Spaanse leger nauwelijks aan kracht had ingeboet door de mislukte bestorming.

De Don lag te ijlen en slechts enkele vertrouwelingen werden bij hem toegelaten om hem te verzorgen, omdat men bang was dat de zieke in zijn koortsdelirium staatsgeheimen zou verraden. Die zorg was overbodig, want de zieke zag voornamelijk naakte vrouwen aan zijn geestesoog voorbijtrekken, in de meest uiteenlopende verleidelijke houdingen en al ijlend moedigde hij hen aan tot het ondergaan van seksuele handelingen. Een beetje pijn hoorde daarbij, hij had het altijd lekker gevonden hen vast te binden en zo te dwingen zich op alle mogelijke manieren te laten nemen. Het was natuurlijk niet meer dan een spel en vooral Alda was er erg bedreven in geweest. Hoe strakker het touw, des te geiler waren de kreetjes die ze erbij slaakte. Het was een groot offer van hem geweest haar eropuit te sturen om de Marimacha te vermoorden en hij had er nu spijt van als haren op zijn hoofd. Hij zag haar vreemde lichtgrijze ogen weer voor zich, wanneer ze met gebonden polsen onder hem lag, terwijl hij bij haar naar binnen drong... Zelfs in zijn koortsdromen voelde hij nog de waanzinnige opwinding die dat bij hem teweegbracht.

Haarlem móést veroverd worden, al was het alleen maar om er weer net zo'n lekker mokkel als oorlogsbuit aan over te houden als na de slag om Zutphen. Dat doel bleef hem nu helder voor ogen staan en bespoedigde zijn genezing. Toen hij rechtop in de kussens zat, omgeven door zijn militaire raadgevers, en spoedberaad hield, kreeg hij een lumineus idee. 'Ik weet wat ons te doen staat,' zei hij met een twinkeling in zijn ogen, 'we zullen ze uithongeren!'

'Maar ze hebben nog steeds sluipweggetjes om ongezien de stad binnen te komen,' wierp een van zijn commandanten tegen.

'Daar gaan we dan een eind aan maken! We sluiten de stad hermetisch af van de buitenwereld, zodat er geen graankorreltje meer in komt. Noch over land, noch over het water. Wacht maar af hoe ze dan piepen, daar binnen die muren.'

Het leek of zijn nieuwe elan meteen werd beloond, want de dag daarop ontving hij het nieuws dat er vier vaandels Spanjaarden, die in Nijmegen gelegerd waren, de troepen rond Haarlem zouden komen versterken, naast enkele compagnieën voor de versterking van het Duitse regiment.

III

29

Op 10 februari ging van de gemeenteraad het bevel uit dat alle burgers en soldaten, met uitzondering van hen die bij de actieve verdediging van de stad betrokken waren, tewerkgesteld werden bij de aanleg van een nieuwe, halvemaanvormige verdedigingswal achter de Kruispoort. Burgers van alle leeftijden, zelfs potige kinderen die goed konden sjouwen en graven, droegen hun steentje bij. Onder hun ijverige handen verrees een indrukwekkende wal, voor de Haarlemmers was het het achtste wereldwonder. Er waren dertig huizen voor afgebroken, waarvan het puin werd gebruikt voor de versterking van de wal. De benodigde aarde werd uit de gracht gehaald, aangevuld met rijshout en takken.

Onder de mannen die de wacht liepen op de vestingmuren en wallen was een stel papenhaters, dat het liefst de tijd doodde met het bespotten van het katholieke geloof. Ze maakten vogelverschrikkers, die ze een monnikspij over de schouders hingen, en leverden hiertegen spiegelgevechten, waarbij de in elkaar geknutselde priester natuurlijk het onderspit moest delven. 's Nachts zongen ze de Bijbelse psalmen in vertaling van de Franse calvinist Clement Marot, zo luid dat ze tot ver in het Spaanse kamp te horen waren. Hun meest provocerende actie was het verbranden van een beeld van de Heilige Maagd, ten aanschouwen van de vijand.

Hoewel Kenaus geloof in een katholieke God ernstig wankelde en ze zelf in een vlaag van wanhoop haar lievelingsbeeld van de Maagd van de sokkel had getrokken, voelde ze zich door dit soort antipaapse demonstraties toch gekwetst. Maar ze was machteloos – deze jonge kerels verdedigden de stad en velen van hen zouden dat op een dag met hun leven bekopen. Wie was zij om hun deze vorm van vermaak kwalijk te nemen?

Kenau zwoegde of haar leven ervan afhing. Ze droeg puin vanuit de ruïnes naar de wal, een zware klus die haar goeddeed omdat haar hoofd er leeg van werd. Ze was een van die mensen bij wie verdriet en frustraties zich omzetten in energie, een alchemistisch proces dat haar in staat stelde veel werk te verzetten zonder moe te worden.

Wanneer ze thuiskwam wachtte haar een beloning in de vorm van gebakken vis. Sinds de dooi was ingetreden gingen de transporten over water. Er waren maar liefst veertien boten in de stad gearriveerd, volgeladen met voedsel. Kort daarvoor hadden ze nog brood van mout en haver moeten eten, tot groot vermaak van de soldaten van de vijand, die spottend geroepen hadden: 'Is het haverbrood nog steeds niet op?' Het weerwoord van de Haarlemmers was: 'Komt de kool jullie nog niet de strot uit?'

Maar nu was er een brede keus van haring en kabeljauw tot schelvis, zalm en snoek. Kenau at 's avonds thuis, samen met Mechteld. Claes at liever bij zijn leeftijdgenoten, in de loods van de huurlingen, en Cathelijne at bij de vluchtelingen voor wie ze kookte. Kenau deed haar best niet in weemoed te vervallen door terug te denken aan de tijd dat haar beide dochters 's avonds nog samen met haar aan tafel zaten.

De galei waaraan met alle beschikbare mankracht gewerkt was, werd een dag na de voltooiing al meteen ingezet bij de strijd op het water, die rond half februari losbarstte. Het was bekend dat de Amsterdamse vloot ongeduldig lag te wachten om zich bij de Spaanse te voegen. Het enige probleem waarop men daar stuitte was de moeizame toegang tot het Meer. Een flink aantal schepen lag op de Liede, die bij Penningsveer was afgedamd. Er was alleen een nauwe doorgang waar grotere schepen niet doorheen konden.

Ripperda was langsgekomen op de werf en Claes was op een holletje Kenau gaan halen. Een tegenstrijdige reflex bracht haar in verwarring: ze wilde even graag vluchten als in zijn nabijheid zijn. Ze verfoeide zichzelf erom. Twee mannen had ze overleefd, het was oorlog en haar lichaam reageerde op die zelfingenomen Groninger als dat van een hitsige tiener. Toch liep ze zo neutraal mogelijk naar hem toe.

'Het doet me plezier te zien dat de galei klaar is,' zei Ripperda, nadat ze elkaar de hand hadden geschud, 'we hebben hem meteen nodig. De vijand is bezig de omringende dam bij Penningsveer af te graven, onder het toeziend oog van een vaandel van Juan de Ayala. Als dat lukt kan de Amsterdamse vloot het Meer op om aan Spaanse zijde slag te leveren. Tegen ons natuurlijk. Zoals u weet kunnen de Amsterdammers en de Haarlemmers elkaars bloed wel drinken. We moeten dus alles doen wat in ons vermogen ligt om die graafwerkzaamheden een halt toe te roepen.'

'Mooi dat onze galei onmiddellijk wordt ingezet,' zei Kenau, over de rivier starend.

'Ik kom bovendien een tweede bestellen,' voegde hij eraan toe, 'en hout, want op alle werven worden op het ogenblik schepen gebouwd. We verwachten dat de beslissende strijd vroeg of laat op het water zal plaatsvinden.'

Eigenlijk viel er verder niets meer te bespreken, maar hij vertrok niet. Hij stond daar zonder verdere tekst.

Ze schraapte haar keel. 'Neemt u me niet kwalijk, ik moet verder met mijn werk. Ik hoop dat de galei een lang leven is beschoren, en de bemanning ook.'

Hij nam de hand die zij hem toestak in zijn hand en hield hem vast.

Kenau keek schichtig om zich heen, maar er was niemand die er notitie van nam. Als iemand je hand langer vasthoudt dan de beleefdheid vereist, is het moeilijk zijn blik te blijven ontwijken. Ze keek hem dus aan en voelde hoe ze bloosde. In zijn ogen zag ze een hevig verlangen, waaraan het moeilijk was weerstand te bieden. Het was ongepast, zeker in oorlogstijd – ze droegen allebei veel verantwoordelijkheid en hoorden andere dingen aan hun hoofd te hebben. Ze trok haar hand terug en liep van hem weg.

'Ik droom 's nachts van u, dat mag u best weten,' riep hij haar na.

'Dat is in ieder geval beter dan nachtmerries over een aanstormende vijand,' riep ze over haar schouder. Ze ging naar huis, om bij te komen van de ontmoeting. Ze ademde diep in. Met de dooi was er ook een vage, lenteachtige geur gekomen.

In de dagen die volgden bewees de galei goede diensten. De Haarlemmers gingen erop af, vastbesloten een eind te maken aan de bedreiging. Er waren zelfs ruiters in hun midden, die op speciaal gemaakte ponten werden overgezet. Toen ze bij de dam ter hoogte van Penningsveer aankwamen ontbrandde er een vinnige strijd tussen beide partijen, die uiteindelijk in het voordeel van de Haarlemmers uitpakte. Nadat kapitein De Ayala gewond was geraakt en een aantal anderen gedood, sloeg een groot deel van het Spaanse leger op de vlucht. Van degenen die gevangen werden genomen ontdeed men zich snel door ze aan een paar populieren ter hoogte van de Fuik op te knopen.

Het gat in de dijk bij Penningsveer, dat al dertig voet breed en vier voet diep was, dempten ze met enkele schepen vol puin. In een jubelstemming keerden ze terug naar Haarlem, waarbij een geus die had deelgenomen aan de strijd triomfantelijk het leeggebloede hoofd van een Spanjaard aan zijn roer had hangen, alsof het tot zijn dagelijkse parafernalia behoorde.

Het verhaal van de strijd zoemde de volgende dag rond op de werf, nadat Dominique het aan iedereen die het wilde horen had rondgebazuind. Hij had er zelf aan deelgenomen en verkeerde in een overwinningsroes. Die sloeg ook over op de scheepsbouwers. Hun galei had zich goed gehouden en dat was een extra motivatie om aan de bouw van een nieuwe te beginnen.

De illusie dat de strijd te water nu al half gewonnen was bleek geen lang leven beschoren. Er volgden meer gewelddadige ontmoetingen op het water die, zoals later zou blijken, een aanloopje waren tot het grote werk.

De lente deed beschroomd zijn intrede, onder regelmatige explosies van de hervatte mijnenoorlog. Er werd een taaie onderaardse strijd gevoerd, een onzichtbaar duel, waarbij aan beide zijden slachtoffers vielen. Ook gingen de beschietingen door, hoewel met verminderde intensiteit omdat er van de veertien indrukwekkende Spaanse kanonnen al negen gebarsten waren. De Haarlemmers zeiden spottend dat de 'Vliegen van Namen' elke dag meer lawaai uitstootten dan hun keel verdragen kon.

Zo'n ijzeren kogel, ter grootte van een kinderhoofd, kon een hoop ellende aanrichten. Op 16 maart werden twee mensen door dezelfde kogel gedood: de geschiedschrijver van kapitein Christoffel Vader en de dochter van jonkheer Jan van Schoten, die haar beide benen verloor. Het adellijke meisje werd met militaire eer begraven in het koor van de Sint-Janskerk. Iedereen die er maar enigszins toe deed was bij de uitvaart aanwezig: de complete gemeenteraad en de burgemeesters, de schutterij en de al sinds maanden in de stad gelegerde kapiteins, zowel de Hollandse als de Duitse.

Toen het Kenau ter ore kwam ging er een vlaag van verbittering door haar heen. Het onnozele wicht, dat een beschermd leventje had geleid en nog nooit in haar leven haar handjes had laten wapperen, kreeg een uitvaart alsof er een vorstin gestorven was, terwijl zij haar dochter niet eens had kunnen begraven.

Al gingen de gewelddadige schermutselingen rondom de stad door, het brandpunt van de strijd verplaatste zich naar het water. Dankzij de ingekwartierde huurlingen en hun spreekbuis Dominique was Kenau aardig op de hoogte van wat zich daar afspeelde. Voor achtergrondinformatie en analyse bleef ze warme mede drinken met Hendrik Bastiaensz, die helaas steeds vaker in een vergadering of krijgsraad was omdat, zoals hij zei, de oorlog als een monster met vele armen was: had je er een afgehakt dan kwamen er twee voor terug.

De grote geuzenleider en papenhater Diederik Sonoy, die gouverneur was van het noorden van Holland, kreeg van de Prins de opdracht om een grote aanval te wagen op de Diemerdijk. Als dat lukte zouden de Hollanders meester zijn van het Diemermeer en de Amstel, en zo de route tussen Amsterdam en Utrecht blokkeren, waarover de bevoorrading voor het Spaanse kamp plaatsvond. Het was een waagstuk, maar de bemanning op de galeien, oorlogsschepen en krapschuiten vertrok de twaalfde maart vol goede moed vanuit Hoorn naar de Diemerdijk. Tijdens een verrassingsaanval lukte het hun om de dijk door te graven en een begin te maken met het bouwen van een schans. Wetend dat Amsterdam niet lijdelijk zou blijven toezien, zeilde Sonoy twee dagen later terug naar Hoorn en Edam, waar hij na veel bidden, smeken en dreigen in een halve dag veertig schepen ter beschikking kreeg. Hiermee haastte hij zich terug naar de Diemerdijk.

Inmiddels hadden de Spanjaarden in de gaten gekregen dat er daar een gevaar dreigde. De bevelhebber van de Spaanse troepen, de graaf van Bossu, die rechtstreeks ressorteerde onder Don Frederik, repte zich naar Amsterdam. In allerijl verzamelde hij alle scheepskapiteins uit Amsterdam en omstreken en wist hen ervan te overtuigen zo snel mogelijk een flinke vloot klaar te maken voor de strijd. Ze speelden het klaar om de benodigde schepen snel bijeen te brengen, bemand en wel, alsmede een ruime voorraad artillerie. Daar kwam nog eens de compagnie van Bossu bij, naast tweehonderd Walen en vierhonderdtwintig Spanjaarden. Een indrukwekkende strijdmacht voer kort daarop met bolle zeilen uit om de geuzen een halt toe te roepen bij hun poging een schans te bouwen op een van de meest strategische punten.

Het liep uit op een hevig gevecht ter hoogte van Durgerdam, waarbij tien Hollandse schepen verloren gingen. De rest van de schepen zocht zijn toevlucht bij de nog niet voltooide schans, die van alle kanten onder vuur werd genomen. De geuzen verdedigden zich fanatiek, maar velen moesten het met de dood bekopen. Ten slotte naderde Sonoy zelf, met zijn nieuwe vloot van veertig schepen, vastbesloten degenen die nog stand hielden bij de schans te ontzetten. Maar de wind woei niet in zijn voordeel en het zag ernaar uit dat ze de Spaanse vloot regelrecht in de armen voeren. De geuzenvloot begreep op het nippertje dat het slimmer was te vluchten, dan een strijd met onzekere afloop aan te gaan. Sonoys grote probleem was een gebrek aan goed opgeleide soldaten, het ging voortdurend mis op het vlak van de coördinatie. Aan motivatie en vechtlust ontbrak het de mannen niet die zijn schepen bevolkten, maar wel aan training en ervaring.

De zo glansrijk begonnen expeditie eindigde in een tragedie. Sonoy slaagde er nogmaals in een vloot bijeen te krijgen, wat een ware aderlating was voor de Hollandse steden. Toen hij daarmee degenen die op de schans waren achtergebleven wilde gaan bevrijden, werd zijn goede voornemen ingehaald door het bericht dat de schans al was ingenomen door de Spanjaarden.

Zij die de schans zo lang en dapper hadden bezet, hadden hun honger met leren schoenzolen en riemen gestild, omdat ze maar voor drie dagen eten bij zich hadden gehad. Toen de Spanjaarden hen in het nauw dreven, hadden ze, ondanks de honger en de uitputting, slimme vluchtpogingen ondernomen, maar het geluk was niet aan hun kant.

Ze moesten hun schepen opgeven en verdronken, of werden tot op de Waterlandse kust achtervolgd en alsnog afgemaakt. Zo'n honderd man overleefde het, maar een paar honderd keerde nooit meer terug naar huis. In het hele noorden van Holland waren familieleden en vrienden te betreuren. Er werd alom gerouwd en gebeden en Sonoy, die zo zijn best had gedaan, kreeg de schuld.

'Die arme man,' zei Hendrik Bastiaensz, 'ik bedoel: hij is natuurlijk een schurk, maar hij heeft naar beste vermogen gehandeld. Als de expeditie gelukt was, zou hij terecht als een held de geschiedenis zijn ingegaan.'

'Een held? Hij?' snoof Kenau. 'Ik hoef alleen maar aan de martelaren van Alkmaar te denken en ik krijg zin om te kotsen van afschuw. Wat Alva met de protestanten doet, doet Sonoy met de katholieken. Ze zien iemand met een ander geloof niet meer als mens, maar als een handlanger van de duivel die vernietigd moet worden. Ik begrijp niet dat de Prins zich met zulk rapaille inlaat. Hij is toch voor godsdienstvrijheid?'

'Lieve, je hebt gelijk, aan een kant. Maar hij kan niet zonder de hulp van de geuzen. Ze zijn moedig, ze hebben bravoure en zijn bereid hun leven te geven voor zijn zaak, die ook de onze is.'

'Voor mij zijn het nog steeds piraten, ik ga ze liever uit de weg.'

Als pleister op de wonde boekten de Haarlemmers kort daarop een groot succes bij een verrassingsaanval op het kamp in de Haarlemmerhout, waar voornamelijk Duitse huurlingen gelegerd waren die in dienst waren bij de Spanjaarden. Zij hadden zich juist die dag, wegens grote ontevredenheid over het uitblijven van de soldij, naar het Huis ter Kleef begeven om zich bij Don Frederik te beklagen. Ze dreigden zelfs over te lopen naar de Haarlemmers, tijdens de onderhandelingen die volgden.

Honderden haakschutters en piekeniers verlieten inmiddels Haarlem, via de Waterpoort, de Zijlpoort en de Kleine Houtpoort, en veegden in minder dan geen tijd het bos schoon. Degenen die nog in het kamp aanwezig waren vluchtten alle kanten op, het leek wel of iemand een zakje dynamiet in een mierenhoop had gegooid. Velen werden achtervolgd en alsnog gedood, bij het tellen bleken er zo'n driehonderd gesneuvelden te zijn. De buit was overweldigend. Toen de triomferende Haarlemmers door diezelfde poorten de stad weer in kwamen, voerden ze een heel arsenaal aan wapens met zich mee: vuurwapens, kanonnen, degens en dynamiet. Verder de meest uiteenlopende goederen: kleren, geld, waardevolle voorwerpen, voedingsmiddelen, paarden en koeien, kortom alles wat er in de tenten van de soldaten was aangetroffen. Er werden zelfs twee vrouwen meegenomen. Om de mooiste en jongste van de twee werd fanatiek gedobbeld tussen twee Walen. De andere, die bij nader inzien oud en lelijk was en ook nog eens slecht gekleed, werd buiten de deur gezet.

Deze vrouw werd naar Kenau doorverwezen, om haar te behoeden voor een zwerversbestaan. Ze was helemaal overstuur, maar het werd niet duidelijk of dit het gevolg was van de doorstane angsten of doordat ze zo smadelijk afgewezen was. Kenau bracht haar naar de loods met vluchtelingen, waar Leida zich met de woorden 'Hierna kan er echt geen piepkuiken meer bij' over de onfortuinlijke vrouw ontfermde en haar sussend toesprak.

De tenten in het vijandelijke kamp waren brandend achtergelaten en de buitgemaakte vaandels werden op de wallen tentoongesteld, om bij de vijand het verlies er nog eens extra in te wrijven.

In de loods van de huurlingen kwam er een Vlaming bij uit hun eigen vaandel, die tijdens een van de bestormingen gevangen genomen was en bij de succesvolle actie door de Haarlemmers bevrijd. Toen Kenau hem te midden van de overige huurlingen naar zijn bevindingen vroeg, bracht hij verslag uit van het leven van een krijgsgevangene die alleen voor een losgeld van tweehonderd daalders zou worden vrijgelaten. De vijand had zich het merendeel van zijn kleding toegeeigend, en hem vervolgens een gevang onder de blote hemel gegeven, waar hij aan handen en voeten geketend de kou moest zien te trotseren op een dieet van water en brood. De man was meer dood dan levend, maar herstelde snel door de goede voeding en de luxe van een dak boven zijn hoofd – zijn jeugdige leeftijd had hem gered.

Kenau werd steeds door het gevoel beslopen dat God, in zijn toorn over de godsdiensttwisten, meer en meer terrein verloor aan de duivel. De respectloze en wrede manier waarop er met mensenlevens werd omgesprongen kon alleen maar worden toegeschreven aan een toenemende macht van het kwaad. Zelfs in haar eigen gezin was de mentale ondermijning een feit. Haar enige dochter had zich tegen haar gekeerd. Erger dan dat: er straalde haat en minachting uit haar blik, waar ze geen enkel verweer tegen had. Ze begreep niet waarom Cathelijne zo hard en stuurs geworden was. Het deed pijn zo van haar te vervreemden, juist nu.

Lang duurde de overwinningsroes bij de Haarlemmers niet. Aan het eind van de maand lukte het admiraal Bossu met een overmacht aan schepen uiteindelijk toch het Meer te bereiken en de in allerijl wegvluchtende Hollandse vloot terug te drijven tot in de Kaag. Meteen daarna begonnen ze de stad hermetisch in te sluiten door het bouwen van schansen, die met veel tromgeroffel en musketvuur werden ingewijd. De Haarlemmers, die het met lede ogen aanzagen, begonnen het benauwd te krijgen. De kring om de stad begon zich te sluiten. Zelfs bij de ingangen van de waterwegen, zoals de Fuik, stonden schansen vol goed bewapende soldaten. Het werd voor voedsel- en munitietransporten onmogelijk de stad binnen te komen of te verlaten, alle sluipwegen werden scherp in het oog gehouden. De gevolgen van deze wurggreep lieten niet lang op zich wachten.

De Hollandse vloot, die ter hoogte van Vijfhuizen lag, popelde om de insluiting ongedaan te maken. Er werden verschillende uitvallen gedaan, maar de Hollanders hadden het geluk nog steeds niet aan hun kant. Ze hadden te kampen met ongunstige wind, geheime aanvalsplannen werden verraden, en het contact tussen de soldaten in Haarlem en de vloot verliep door de insluiting moeizaam.

Toch was het elan van de Haarlemmers nog steeds ongebroken. Er moesten nieuwe aanvalsplannen worden gemaakt, waarvoor een beter functionerend overleg tussen leger en vloot onontbeerlijk was. Maar wie wilde de onderlinge boodschappen overbrengen, oftewel zijn leven hiervoor wagen? Zo iemand moest ongezien langs de Spaanse schansen zien te komen en over vijftig sloten springen om de Prinselijke vloot te bereiken. Wie dit waagstuk ondernam was een ware schietschijf.

Een flink uit de kluiten gewassen, zelfverzekerde soldaat bood zijn diensten aan zonder hiervoor betaling te verlangen. Commandanten en burgemeesters gaven hem brieven mee, die hij zorgvuldig opborg. Gewapend met een polsstok verliet hij de stad. Gelukkig paarde hij een ijzeren conditie aan stalen zenuwen en lukte het hem, ondanks achtervolgingen en een spervuur van Spaanse kogels, heelhuids de vloot te bereiken.

Hierna lukte het nog enkele waaghalzen 's nachts met schuitjes vol buskruit de stad binnen te komen, maar de Spanjaarden ontdekten de laatste lekken in hun omsingeling en sloten ook deze af.

Er ontstond een nijpend gebrek aan buskruit en de soldaten die de wallen moesten bewaken kregen bevel geen kruit te verspillen aan zinloze beschietingen. Regelmatig ging er een oproep uit van het stadsbestuur met de mededeling, dat er een wanhopige behoefte was aan springers voor het overbrengen van brieven, en het mee terugbrengen van zakjes buskruit. De duivenpost, waarvan intensief gebruik werd gemaakt, was niet voor honderd procent te vertrouwen, omdat het nogal eens voorkwam dat er een verdwaalde en de geheime boodschap regelrecht de Spanjaarden in de handen viel.

Het was inmiddels volop lente. Op 1 mei hadden de Haarlemmers een meiboom op het bolwerk van de Kruispoort geplant, en toch wat kruit verspild om het ritueel vreugdevol te begeleiden. De Spanjaarden wezen spottend op hun galg, die een eindje verderop stond, alsof ze wilden zeggen dat er geen enkele reden was voor optimisme omdat de Haarlemmers daar binnenkort zouden hangen.

De eerste scheurtjes ontstonden in de veerkracht van de burgers. De belegering duurde nu al zo lang, ze wilden zorgeloos naar buiten kunnen en genieten van het mooie weer zonder die eeuwige dreiging.

De vader van Cathelijnes vriendin Mathilde leed aan neerslachtigheid. Hij miste de ploegtijd en de zaaitijd, hij miste zijn vrijheid onder de wijde hemel, de geboorte van kalfjes. 'Ik word gek hier, ik stik nog in die rotschuur!' riep hij tegen wie het maar horen wilde. Leida kwam Kenau halen om hem te kalmeren, want de andere vluchtelingen hadden er last van, het was slecht voor hun moreel.

'Dirk, het kan niet lang meer duren,' zei ze sussend, 'de slag wordt nu op het Meer uitgevochten. De Prins zorgt voor nieuwe schepen en versterking, hij loopt zich de benen uit het lijf om ons uit deze benarde toestand te redden, je moet nog even geduld hebben.'

Haar geduld begon eerlijk gezegd ook op te raken. Haar handen jeukten om iets te doen, iets substantieels, dat een bijdrage zou leveren aan de strijd, zodat er eindelijk schot in kwam. Maar wat? Die vraag kwelde haar tot er weer een oproep rondging dat kapitein De Raedt urgent een springer zocht, voor het overbrengen van boodschappen naar de vloot.

'Waar kan ik me melden?' vroeg Kenau, zich tegenover de stadsomroeper posterend.

'U?' stamelde de man. 'Maar u bent een vrouw!'

'Nou en?'

'Het gaat om een erg gevaarlijke missie, en uiterst moeilijk bovendien. Ze kunnen er zelfs geen mannen meer voor vinden.'

'Vertel me nu maar bij wie ik me kan melden,' zei Kenau ongeduldig.

'In het hoofdkwartier. Als u zegt waarvoor u komt, brengt men u regelrecht naar de kapitein.' Hij grijnsde. 'Of niet, omdat u een vrouw bent.'

Kenau beende weg. Ze beet op haar onderlip. Wat was ze moe van dat mannelijke superioriteitsgevoel! Zelfs een onnozele stadsomroeper keek neer op haar sekse. Wat moest je bewijzen om te laten zien dat je niet voor een man onderdeed?

Diezelfde middag meldde ze zich bij het hoofdkwartier. Ze was inmiddels zo wijs de poortwachter niet aan zijn neus te hangen waarvoor ze kwam. 'Ik heb een boodschap voor kapitein De Raedt,' zei ze kort. 'Het is dringend.'

De poortwachter staarde haar taxerend aan, zonder aanstalten te maken om de poort te openen.

'Je ogen vallen nog uit je hoofd,' waarschuwde Kenau, 'doe nou maar open, zoveel tijd heb ik niet.'

'Weet hij van uw komst?' zei de man.

'Nee, maar hij zal er erg blij mee zijn.'

'Als u geen afspraak heeft kan ik u niet binnenlaten.'

Kenaus geduld was op. 'Als je niet meteen opendoet haal ik burgemeester Bastiaensz erbij,' blufte ze. 'Die weet wel hoe je met onwillige poortwachters om moet gaan.'

Hij verbleekte en opende zonder nog een woord te zeggen de zware deur.

Eenmaal binnen werd haar geen strobreed meer in de weg gelegd. Ze werd doorverwezen naar een grote kamer waarvan de deur openstond. Soldaten liepen in en uit, haar tersluiks een verwonderde blik toewerpend. Kenau schreef hun verbazing toe aan het feit dat er verder geen enkele vrouw te bekennen was. Ze liep achter een van hen aan en bleef midden in het vertrek staan, totdat ze werd opgemerkt. Er brandde een groot vuur in de schouw. Desalniettemin was het er kil. Ze huiverde, zonder te weten of het van de kou was of van een belachelijke, plotselinge verlegenheid. Aan een grote tafel met zware, gedraaide poten zaten verschillende hooggeplaatste heren waarvan ze de rangen niet kende. Er lag een kaart van de stad en omgeving voor hen. Ook het Meer en het IJ stonden erop, en de kronkelende rivier. Een van de heren wees iets aan met zijn pijp, en stopte hem daarna weer onder zijn knevel.

Ineens zag de man die in het midden zat haar staan. Hij trok zijn wenkbrauwen hautain op en stootte zijn buurman aan. Alle blikken werden, als bij een executie, op haar gericht en even voelde ze zich alsof ze poedelnaakt voor hen stond.

'Mevrouw?' zei de man in het midden met een diepe stem. Een echte stem om bevelen mee uit te delen, dacht Kenau. In tegenstelling tot de anderen had hij baard noch knevel. Zijn haar was kortgeknipt, hij had een krachtige kop, doorsneden door de nodige lijnen, en zijn ogen stonden koel, maar niet afwijzend. Een intelligente man die zijn sporen had verdiend, concludeerde Kenau.

'Neemt u mij niet kwalijk dat ik hier ongenood binnenval,' begon ze, 'mijn naam is Kenau Simons Hasselaer en ik bezit een werf, aan de overkant van het Spaarne. We hebben een galei gebouwd voor de Prins, en er staat een nieuwe op stapel. Wie van u is kapitein De Raedt als ik zo vrij mag zijn?'

De man in het midden stak kort zijn hand op. 'En wat verschaft ons de eer van uw bezoek, mevrouw?' vroeg hij hoffelijk.

'Ik heb begrepen dat u een springer zoekt,' zei Kenau.

'En u heeft er een voor ons gevonden?'

'Ja.'

'En wat voor moedig man mag dat wel zijn?'

'Geen man, mijnheer, een vrouw... Ikzelf. Ik bied u mijn diensten aan als springer.'

Er viel een korte stilte. Dit moesten de heren even tot zich door laten dringen, begreep Kenau.

Een van hen begon te lachen. Het leek wel of daarmee een vuurtje was aangestoken, want de anderen volgden meteen, ja zelfs de soldaten die toevallig aanwezig waren lachten. Het was nog net geen hoongelach, maar het scheelde niet veel.

Ze gaf geen krimp en wachtte geduldig tot men was uitgelachen.

De kapitein hernam het woord. 'Neemt u ons niet kwalijk, mevrouw, met alle respect... U denkt toch niet dat wij uw aanbod serieus in overweging kunnen nemen? We hebben zelfs moeite een man te vinden voor deze buitengewoon gevaarlijke onderneming.'

'Ik kan polsstokspringen als geen ander,' zei Kenau, hem trots in de ogen ziend, 'ik heb het als kind geleerd van mijn broers en won zelfs van hen. Totdat het beleg begon deed ik het nog regelmatig, omdat ik een paar stuks vee in een van de polders had staan. Ik kan ook zwemmen, in geval dat... Maar het meest belangrijke van allemaal is dat ik mijn bijdrage wil leveren, nu mijn stad bedreigd wordt. Ik kan het niet aanzien dat de vijand de ene overwinning na de andere boekt, terwijl wij burgers in een hermetisch afgesloten stad lijdzaam moeten afwachten. Misschien pleit het in mijn voordeel dat ik niet bang ben voor de Spanjaarden. Het klinkt misschien niet vrouwelijk, maar de beste spanjool is voor mij een dode spanjool.'

Iemand achter de tafel fluisterde iets in het oor van de kapitein.

'Is het waar dat u als een kerel op de wallen hebt gevochten, in het begin van het beleg? Dat dankzij u, en twee vaandels door u gerekruteerde vrouwen, de eerste bestorming is afgeslagen?'

Kenau beperkte zich tot een knikje.

'Waarom wist ik dit niet?' Hij keek in het rond.

'U bent pas later gekomen, kapitein,' zei iemand.

De kapitein keek haar verbluft aan, heel even van zijn stuk gebracht.

Kenau voelde zich genoopt een en ander nader toe te lichten. 'Uw mening over vrouwen is misschien een beetje aan herziening toe,' zei ze voorzichtig. 'Wij zijn een sterk geslacht. Het baren van een kind, weet u, is veel hachelijker dan een paar brieven door de vijandelijke linies heen naar de vloot brengen.'

Na deze woorden staken de heren de koppen bij elkaar en beraadslaagden een tijdje, half fluisterend. Kenau stond al die tijd midden in de kamer en kreeg het gevoel dat ze haar vergeten waren, tot de kapitein ineens het woord tot haar richtte.

'Wij zijn onder de indruk van uw bereidheid om deze precaire missie op u te nemen. Ik zal open kaart met u spelen. De huurlingen die in onze stad aanwezig zijn en die we zouden kunnen bevelen de taak op zich te nemen, kennen het natte terrein niet, noch beheersen ze de kunst van het polsstokspringen. Helaas is dat niet iets wat men iemand in een paar dagen bij kan brengen.'

Kenau knikte. In haar jeugd had ze jarenlang geoefend. De felle competitie met haar broers had haar techniek steeds meer verbeterd en ze hadden altijd meedogenloos commentaar op elkaar geleverd. Een nat pak was een verschrikkelijke blamage.

'Er zijn Haarlemse schutters die het kunnen, en een aantal burgers, maar geen van hen durft zo'n solitaire actie aan, of ze missen de conditie en taaiheid om over vijftig sloten te springen. En een mislukking kunnen we ons niet permitteren, dan zouden de brieven in verkeerde handen terechtkomen. Dus ja, we nemen uw aanbod aan, u bent onze enige optie en er is grote haast bij. Kunt u morgen vertrekken?'

'Wanneer u maar wilt,' zei Kenau.

'Wij hebben een polsstok voor u.'

'Dat hoeft niet. Ik heb er zelf een, gemaakt van het beste essenhout.'

'Maar die van ons is hol, de documenten voor de Prins passen er precies in, in opgerolde toestand.'

'Ik begrijp het. Er is iets wat ik u wil vragen.'

'Ik ben een en al oor.'

'Kan een van u me misschien een broek lenen?'

Alom gefronste wenkbrauwen. 'Een broek?'

'Ja, dacht u soms dat je hiermee,' ze wees op haar lange rok, 'over een sloot van vier meter kunt springen?'

Alle ogen waren nu op haar rok gericht, alsof het een zeer exotische dracht was. Toen knikte de kapitein langzaam. 'Voor dit typisch mannelijke kledingstuk kunnen wij wel zorg dragen, nietwaar heren?'

Er klonk instemmend gemompel. 'Wilt u misschien een wapen mee voor onderweg, een musket of zo?'

'Nee, dank u, dat is alleen maar ballast. Een goed mes is genoeg.'

'Voorts moet u weten dat de eerste Spaanse schans het moeilijkst is om te passeren. We geven u daarom een groepje soldaten mee, die met een gespeelde aanval de bewakers van deze schans zullen afleiden. Op dat moment glipt u er ongezien langs en zet u alleen de tocht voort. U krijgt een schets mee voor onderweg, waarop uw route staat aangegeven alsmede de schansen waar u met een grote boog omheen moet. De Hollandse vloot ligt bij Vijfhuizen, bent u daar bekend?'

'Mijnheer, ik ken dat gebied als mijn achtertuin. Ik zou er zelfs in het donker de weg weten.'

'Mooi zo. Dan verwachten wij u bij de Schalkwijkerpoort, morgenochtend om acht uur en eh... We zijn bereid er goed voor te betalen, indien u levend terugkeert in Haarlem.'

'Ik hoef er geen geld voor. Mijn beloning komt wanneer de allerlaatste spanjool sterft, met de naam van zijn moeder op zijn lippen.'

30

Nu ben ik een vrouw, dacht Cathelijne. De gedachte vervulde haar met trots, maar ook met een gevoel van verlies. Een maagd zou ze nooit meer worden. Het was een definitieve verandering, zowel in haar lichaam als in haar bewustzijn als vrouw. En volgens de kerk was het een grote zonde vleselijk contact te hebben voor het huwelijk. Maar sinds diezelfde kerk de zonde had begaan haar onschuldige zus op de brandstapel te brengen nam ze die niet meer serieus. Ze verachtte de kerk en zijn zogenaamde gezagsdragers.

Het was begonnen met gefrutsel aan de knoopjes van haar jakje en grappige troetelwoordjes in het Frans. Eigenlijk leek het net of ze aan het spelen waren. Steeds een stukje verder, totdat ze in de greep van het verlangen kwamen en er geen weg meer terug was. Dat hij elke dag zou kunnen sterven speelde ook een rol in haar meegaandheid. Hij was erbij geweest toen de Haarlemmers een uitval deden naar het vijandelijke kamp in de Hout en het was gelukkig goed afgelopen, maar het had ook anders kunnen zijn. Iedere dag kon er een zijn van een dodelijke missie. Moest zij dan preutsheid veinzen en hem een halt toeroepen? De schuchtere maagd spelen?

Wat haar moeder ervan zou kunnen denken liet haar koud. Die deed trouwens ook waar ze zin in had. Ze hing de heldin uit wanneer ze maar kon, zonder eraan te denken dat ze als eigenares van een werf en een houthandel haar verantwoordelijkheden had. Om over die als moeder nog maar te zwijgen... die hielden op te bestaan toen het lichaam van haar jongste dochter in vlammen opging.

Het grootste deel van haar dagen bracht Cathelijne door in de twee loodsen, bijgestaan door Mathilde en wisselende vrouwen. Mechteld had het al gauw opgegeven.

'Heer o Heer, dat ik dit allemaal nog moet doen op mijn ouwe dag,' lamenteerde ze.

'Zo oud bent u helemaal niet,' had Mathilde gezegd. 'Als u goed rondkijkt ziet u heel wat vrouwen die echt oud zijn. Die hebben het pas moeilijk. Ze zijn van huis en haard verdreven, ze moeten slapen op een brits zonder te weten of ze nog kunnen terugkeren naar huis.'

'Er zijn er al twee gestorven,' voegde Cathelijne eraan toe.

'Ik overleef dit ook niet, als het zo doorgaat,' dreigde Mechteld, 'dan hebben jullie spijt, maar is het te laat.'

'Je gaat helemaal niet dood,' zei Cathelijne, 'krakende wagens lopen het langst.'

'Je zult nog aan me terugdenken, als het te laat is.'

'Ga dan maar naar huis, als het echt zo zwaar voor je is,' had Cathelijne ten slotte gezegd. 'Dan hoef je alleen maar voor mijn moeder te zorgen.'

Mechteld knikte opgelucht. 'Daar heb ik mijn handen vol aan!'

Naarmate het beleg langer duurde werd de stemming onder de vluchtelingen er niet beter op. De meesten waren boer en met de lente was ook het verlangen naar buiten gekomen. De werkzaamheden die in dat jaargetijde moesten worden verricht waren als ingesleten gewoonten. Het zaad moest de grond in en de koeien moesten kalveren en nog duizend en een andere dingen, die met het leven op het land verbonden waren en de boeren in het bloed zaten. Ze werden nerveus en prikkelbaar, en dat had zijn weerslag op hun familieleven. Daarbij nam, na het aanvankelijke optimisme, de ongerustheid toe dat het beleg een verkeerde wending zou kunnen nemen. De stad was nu helemaal van de buitenwereld afgesloten en dat was een benauwend idee.

Op een ochtend kwam Dominique naar haar toe gerend, buiten adem. 'Die moeder van jou, dat is me er een! Elle est folle!' riep hij.

'Wat doet ze nu weer?' vroeg Cathelijne.

'Ze staat bij de Schalkwijkerpoort met een polsstok, klaar om naar de vloot te vertrekken, met post voor de Prins.'

'Wat? Maar dat is levensgevaarlijk!'

Dominique knikte opgewonden. 'Daarom zeg ik dat ze gek is. Bij ons zou dat niet kunnen, een vrouw eropuit sturen voor zo'n missie.'

'Ik ga erheen,' zei Cathelijne, 'ik moet haar zien tegen te houden! Dit overtreft alles.'

Ze waren er zo, de poort was vlakbij. Daar wachtte een groep soldaten, bewapend en wel, klaar om te vertrekken. Haar moeder stond kalm te praten met een man op een paard, een of andere hooggeplaatste figuur uit het leger. Wat? Droeg haar moeder een broek? Het werd hoe langer hoe gekker!

'Ma!' riep ze, terwijl ze aan kwam rennen.

Haar moeder keerde zich om, een grote frons tussen haar wenkbrauwen. 'Wat doe jíj hier?'

'Wat doet ú hier? In een broek?'

'Die broek?' Kenau wierp een onverschillige blik naar beneden, naar de ongebruikelijke dracht. 'Oh, dat is niks.'

'Is het waar dat u post gaat bezorgen bij de vloot?'

'Ja, en wat dan nog?'

'Ma... Dat overleeft u niet! U weet niet wat u doet!'

'Ik weet heel goed wat ik doe. Ga jij terug naar de werf, daar ben je hard nodig.'

'Ik wil niet dat u iets overkomt. Ma, doe het niet!'

Er verscheen een glimlach om haar moeders lippen. Cathelijne zag dat haar moeder niet ongevoelig was voor haar smeekbede. Maar niet voldoende, want ze zei vastbesloten: 'Er staat te veel op het spel, het gaat om onze stad, niet om ons.'

De man op het paard bemoeide zich ermee. 'Mevrouw, het moment van vertrek is gekomen, we hebben geen tijd te verspillen.'

Cathelijne zag hoe haar moeder zich van haar afkeerde en aandachtig naar de laatste instructies luisterde. Op dat moment hoorde ze de hoeven van een galopperend paard. Ze keek naar links en zag dat het de gouverneur was die naderde. Hij was bleek en er lag een grimmige uitdrukking op zijn gezicht. Haar hart maakte een sprongetje – misschien kon hij haar moeder afbrengen van haar dwaze plan?

'Wat is hier gaande?' bulderde zijn stem, toen hij bij de poort was aangekomen.

'Er word post verstuurd naar de vloot, met alle details over de volgende aanval,' antwoordde de man die eruitzag als een kapitein.

'Moet ik uit die belachelijke broek concluderen dat u dat gaat doen?' vroeg Ripperda bars, haar hautain aankijkend.

'Inderdaad, iemand moet het toch doen,' antwoordde Kenau, evenzeer uit de hoogte.

‘Mevrouw, ik verbied het u! Laat een ander dat maar doen.’

‘We kunnen er verder niemand voor vinden,’ zei de kapitein, ‘en mevrouw wil het zelf. Ik zie niet waarom we niet van haar diensten gebruik zouden maken, zoals u ziet is ze bepaald niet van suikergoed.’

‘Ze weet niet waar ze aan begint. Dit overleeft ze niet.’

‘Ik ken de gevaren,’ zei Kenau kalm, ‘en ik laat me er door niemand van weerhouden om de post veilig naar de vloot te brengen. Ook door u niet!’

‘U kunt het haar niet verbieden,’ vulde de kapitein aan, ‘ze wil het zelf. Bovendien is alles tot in de puntjes voorbereid. We kunnen nu niet meer terug.’

Cathelijne slikte. Waarom heb ik geen gewone moeder, vroeg ze zich wanhopig af, maar een die voortdurend met de dood wil spelen. Dat moet een keer verkeerd aflopen. Wat moet ik beginnen als zij er ook niet meer zou zijn, waarom denkt ze nooit aan mij?

31

Kenau hoorde Ripperda knarsetanden. Zo had ze hem nog nooit gezien. Omdat het haar uit haar concentratie dreigde te halen, wendde ze haar blik af en zei: 'Kunnen we nu eindelijk vertrekken?'

De kapitein knikte. 'Mannen? Jullie weten wat je te doen staat – ingerukt mars!'

De mannen tikten aan hun helmen, draaiden honderdtachtig graden en marcheerden door de poort naar buiten. Er waren harkebusiers bij, musketiers en piekeniers, als het ware een privéleger om trots op te zijn.

'Mevrouw, houd het hoofd koel, het gaat u lukken!'

Voordat Kenau de soldaten volgde, zag ze nog net dat Ripperda zijn paard kwaad de sporen gaf en weg galoppeerde. Ook zag ze Cathelijne staan, met tranen in de ogen, naast Dominique die een arm om haar schouders legde. De tranen van haar dochter troffen haar als een teken dat ze haar nog niet helemaal verloren had, maar de intimiteit tussen haar en de huurling verontrustte haar. Ze vermande zich. Ze moest het hoofd koel houden.

Terwijl ze door de poort liep herademde ze. De weilanden, de horizon! Wat leek het lang geleden dat ze buiten de stad was geweest, in de natuur. Wat had ze het gemist! Het was een schitterende dag, met enkele wolken aan een blauwe hemel. De knotwilgen hadden lichtgroene bladeren, en de berm werd gesierd door een overdaad aan boterbloemen die behaagziek wiegden in de wind. Er hing een geur van groei en bloesem. Geen dag om te sterven, zoveel was zeker. Ze voelde zich bijna bevoorrecht omdat ze de stad uit kon, terwijl de anderen gevangen bleven achter die geteisterde stadsmuren en wallen.

Kort daarop nam ze afscheid van het groepje soldaten dat met haar mee was gelopen. Ze moest verschillende Spaanse schansen passeren. Daarom moest ze het pad verlaten en dwars door de weilanden met een grote boog eromheen lopen. En springen natuurlijk, want het waren smalle percelen land, die van elkaar gescheiden waren door lange, rechte sloten.

Behoedzaam verplaatste ze zich, genietend van de geur van vers gras. Ze was nog niet eens halverwege haar boog toen in de verte, ter hoogte van de eerste schans, een schietpartij losbrak. Haar bliksemafleiders deden hun werk, zij moest nu voortmaken. Het springen leverde geen problemen op. Weliswaar was de ene sloot breder dan de andere, maar ze beheerste de kunst nog steeds. Ze plaatste de stok schuin in de sloot en, terwijl ze het andere uiteinde met beide handen omklemde, nam ze een aanloop en sprong. Zodra de stok rechtop stond klom ze nog iets hoger. Dat was een wankel moment, vooral in een brede sloot. Ze wist niet eens precies hoe ze het deed, maar het lukte altijd haar gewicht naar de andere kant te verplaatsen, op zo'n manier dat de stok volgde en naar de overkant zwiepte. Dat heikele moment in het midden leek het leven te symboliseren. Je voelde de dunne lijn tussen een goede en een verkeerde afloop. Een seconde later boog de stok door in de juiste richting, waarna je heelhuids op de andere oever landde, alsof je zojuist het noodlot had overwonnen.

Toen het geluid van de schermutselingen rond de eerste schans langzaam wegstierf, vloog er ineens een kogel rakelings langs haar oor, net op het moment dat ze hoog op de polsstok hing. Ze schrok zich wild, het leek of de kogel uit het niets gekomen was. Ze liet zich er niet door van de wijs brengen en voltooide in een reflex haar sprong zoals het hoorde. Denkend aan de vlucht van een haas rende ze zigzaggend verder, zo hard als haar benen haar konden dragen. Er volgden nog meer kogels en even ging het door haar heen dat ze zichzelf en het gevaar had onderschat, en dat het waar was dat dit geen missie was voor een vrouw, en dat dit waarschijnlijk de laatste minuten van haar leven waren. Heel stompzinnig, in een drassig weiland, op een mooie lentedag. Ze durfde niet om te kijken, maar vanuit haar ooghoek ontdekte ze dat ze, zonder het in de gaten te hebben, te dicht in de buurt van een andere schans was gekomen. Op zo'n zeventig, tachtig meter afstand zag ze in een flits een groep soldaten, gewapend met musketten of harkebusiers.

Ze rende in de tegenovergestelde richting, om buiten schootsafstand te komen. Bovendien moesten ze steeds herladen, wist ze. Pas toen ze ver genoeg van hen verwijderd was waagde ze een nieuwe sprong. Ze moest nu op haar hoede blijven, één moment van onoplettendheid kon fataal zijn. De volgende sloot die ze over moest was de veertigste. Ze telde ze, want iedere sloot bracht haar dichter bij haar doel.

Toen ze in de verte de eerste masten van de Hollandse vloot zag, tussen Vijfhuizen en de Ton, kreeg ze een brok in haar keel. De Prinsenvlag wapperde bovenin. Toch werden die laatste tien sloten, zo dicht bij het doel, onverwacht nog een uitputtingsslag. Haar krachten leken het ineens te begeven. Haar spieren begonnen te protesteren, haar sprongen werden slordiger en de angst dreigde haar langzaam in zijn greep te krijgen. Nu mocht het niet meer mis gaan, ze was er bijna! Een van de Hollandse schansen doemde op, daar zou ze al veilig zijn, haar komst werd verwacht.

Enkele meters voor haar landde een pijl in het gras. Ze keek om en zag drie achtervolgers, waarvan er één een lange plank droeg en de anderen beiden een gespannen boog voor zich hielden. Dit moesten de gehate 'Cuerpos de guardia' zijn waarvoor de kapitein haar had gewaarschuwd. Het waren Spaanse patrouilles, die met planken of ladders over de sloten kwamen, en een kruisboog of een ander licht wapen bij zich hadden. Ze bukte, net op tijd, want er zoefde een pijl over haar hoofd.

'Para!' werd er geroepen, maar ze peinsde er niet over om te kijken en nam opnieuw haar toevlucht tot de strategie van de haas, al haar kracht naar haar benen sturend die bijna mechanisch onder haar heen en weer bewogen. Zonder om te kijken voelde ze dat ze afstand won. Bij de volgende sloot sprong ze zonder erbij na te denken. Ze kwam onhandig neer aan de overkant, op haar buik, met een voet in het water. Ze loerde voorzichtig tussen het riet door. Ze zag de mannen op de rug, verder van haar verwijderd dan ze gedacht had. Ze gaven de achtervolging op!

Hijgend bleef ze liggen. Een dergelijke vermoeidheid had ze niet eerder gevoeld. Alles deed pijn. Begin ik oud te worden, dacht ze met afschuw. Voor haar bloeide een gele lis, het zonlicht danste op de wiegelende bloem, die glansde alsof er een zijdeachtige lak op was gesmeerd. Wat was dit voor een wereld, waarin de mensen erop uit waren elkaar om te brengen. Dat kon toch nooit de bedoeling zijn geweest van een schepper die zoiets moois als deze lis had gecreëerd, zo teer, maar krachtig. Als deze ene bloem vertrapt werd, kwamen er volgend jaar twee of drie voor terug, omdat lissen dikke, knolachtige wortels hadden. Zo wilde ze ook zijn: niet uit te roeien!

Die gedachte gaf haar de kracht om moeizaam overeind te komen en haar tocht voort te zetten. De laatste sloten nam ze zonder verdere problemen. Toen ze de eerste schans naderde hoorde ze iemand roepen: 'Het is een wijf!' Al snel werd ze omringd door verbaasde soldaten die haar aanstaarden alsof ze het achtste wereldwonder was.

'Bent u helemaal alleen?' vroeg een van hen ten slotte.

'Ja, wat dacht je, dat ik mijn hele familie zou meebrengen?'

Er werd gegrinnikt. Wat een achterlijke kerels, dacht Kenau, moesten die de veiligheid van de vloot bewaken?

'Ik moet bij admiraal Marinus Brandt zijn, kan een van jullie me naar hem toe brengen? Ik heb post voor hem.'

Een van hen maakte zich los uit het groepje, een blonde, bruingebrande geus met felblauwe ogen. 'Ik breng u wel, mevrouw, zal ik de polsstok van u overnemen?'

'Die draag ik zelf wel,' zei ze, de stok extra omklemmend, 'hij heeft me veilig hier gebracht.'

'Ik sta paf,' zei hij hoofdschuddend.

'Zo bijzonder is het niet,' zei Kenau nuchter, 'we wagen allemaal ons leven, ieder op zijn eigen manier.'

Ze had nog nooit zoveel schepen bij elkaar gezien. De aanblik overweldigde haar. Galjoenen en galeien lagen te glanzen in de zon, gestreken zeilen klapperden tegen de mast, de driekleur wapperde en op het uitgestrekte Meer – hún meer – rolden golfjes in de bries. De overdaad aan prachtige schepen vervulde haar met een gevoel van triomf: die oorlog gingen ze winnen, zoveel was zeker!

'Wilt u hier even wachten?' vroeg haar begeleider. 'Dan zoek ik de admiraal voor u.' En weg was hij.

Ze keek hem na, de vossenstaart danste op zijn schouders. Ze vulde haar longen met de geur van het water, zo zoet vergeleken met de geur van de zee. De bemanning van de schepen was druk in de weer. Het waren voornamelijk jongemannen, die haar in het voorbijgaan bevreemd bekeken en aarzelend groetten.

Gelukkig duurde het niet lang of de jongen keerde terug met een imposante man, die een stuk ouder moest zijn, want zijn haar was grijzend aan de slapen. Er liepen diepe groeven door zijn gezicht. Zijn glimlach was even charmant als behoedzaam. De glimlach van een man die in zijn leven al heel wat keren in aanraking was gekomen met de onbetrouwbaarheid van zijn medemens en daaruit zijn conclusies getrokken had.

'Mevrouw, neemt u me niet kwalijk. Ik geloof mijn ogen niet...' zei hij, terwijl hij perplex haar hand bleef schudden.

Kenau maakte zo beleefd mogelijk haar hand los uit zijn ferme greep. Ze pulkte het opgerolde document uit haar polsstok en overhandigde het hem. 'Ik kan u niet vertellen hoe gelukkig ik ben u dit te kunnen geven. Ik had een paar minder fijne ontmoetingen onderweg, die het bijna onmogelijk hadden gemaakt...'

'Dat ons volk vrouwen zoals u heeft voortgebracht! Vrouwen die zelfs niet terugdeinzen voor dit soort onmogelijke missies! U verdient uw gewicht in goud, mevrouw, ik overdrijf het niet!'

Het was te veel lof. Kenau wist niet hoe ze ermee om moest gaan en voelde zich uiterst ongemakkelijk.

'Waarom staan we hier nog? Als u mij wilt volgen, dan breng ik u naar een plek om uit te rusten en te eten.'

Ze knikte en liep achter hem aan, de loopplank van een indrukwekkende tweemaster over, van een model dat op haar werf nog nooit gemaakt was. Via een trapje belandde ze in een fraaie, met gevernist hout afgetimmerde kajuit. Er waren comfortabele banken langs de wanden ingebouwd.

'Dit is mijn domein op het ogenblik,' zei Brandt, 'ik zou zeggen: maak het u gemakkelijk. Ik zal u brood, kaas en bier laten brengen, dan kunt u een beetje op krachten komen.'

Hij had haast om het document te lezen, begreep ze. Na zijn vertrek strekte ze zich uit op een van de banken. Het was een beetje hard, maar nadat ze op haar zij was gaan liggen viel ze, door het wiegen van het schip en door pure uitputting, meteen in slaap. Ze droomde van haar broers, die beiden lang geleden gestorven waren. De ene was na een reis door een met de pest besmet gebied overleden, de andere had gedurende een lange koude winter griep gekregen, die hem in enkele dagen fataal was geworden. In haar droom waren ze weer met zijn drieën aan het polsstokspringen. Het was warm en zonnig, zoals het alleen in de zomer kan zijn, en een van haar broers miste de andere oever. Hij plonsde in het water, waarop ze alle drie in lachen uitbarstten. Hun lach schalde over de weilanden, zonder op te houden, totdat ze merkte dat het geen lachen meer was, maar één langgerekte klaagzang die in golven tot aan de horizon reikte. Ze schrok wakker. Het zweet liep in straaltjes over haar rug, in haar knieholtes en ellebogen. Ze schoot overeind met een warm, rood hoofd en het duurde even voor ze terugkeerde in het hier en nu. Grote droefheid overviel haar. Waarom zijn alle mannen in mijn leven gestorven, vroeg ze zich af. Mijn vader, mijn broers, de mannen met wie ik getrouwd was, hoe kon het gebeuren dat ik alleen achterbleef?

Marinus Brandt kwam de kajuit binnen met een houten dienblad vol eten.

'Wie had ooit gedacht dat ik in mijn leven nog eens bediend zou worden door een admiraal?' zei ze met een lachje, om het katterige gevoel dat de droom naliet te verdrijven.

'Ja mevrouw, het zijn barre tijden,' grijnsde Brandt. 'Ik kom u even gezelschap houden, als u er niets op tegen hebt.'

Hij kwam tegenover haar zitten met een pul bier. 'Wordt u vandaag nog terugverwacht?' vroeg hij, haar onderzoekend aankijkend.

Kenau had haar mond vol brood. Ze schudde haar hoofd en antwoordde pas toen haar mond leeg was. 'Het staat me vrij om vandaag al terug te gaan of morgen pas. Ik onderneem de tocht het liefst in het donker, dat lijkt me veiliger.'

'Maar dan kunt u zich moeilijk oriënteren,' wierp Brandt tegen.

'Dat valt best mee, gisterenavond was het bijna volle maan. De hemel is helder, dus als hij dat vanavond nog is, kan ik het er rustig op wagen.'

'Daar zit iets in,' knikte Brandt.

'Bovendien,' Kenau aarzelde, 'ik heb beloofd buskruit mee terug te nemen, daar is in de stad een schrijnende behoefte aan.'

'Ik weet het. En de voedselvoorraad begint ook al te slinken. We doen er alles aan om de omsingeling te doorbreken maar, afgezien van kleine successen, zit het ons niet mee. De vijand is sterk en sluw en heeft bovendien Amsterdam aan zijn zijde, met een enorme vloot en veel manschappen. Als ik echt eerlijk tegen u ben, en dat wil ik, omdat u een bijzonder moedige en pientere vrouw bent, dan moet ik toegeven dat ik niet erg optimistisch ben. Onze vloot is weliswaar groot, maar een flink deel van onze manschappen heeft nauwelijks enige militaire training ontvangen. We moeten het zien te redden met een allegaartje van burgers, geuzen en huursoldaten, die niet op elkaar zijn ingespeeld. Bovendien blijft het doorgeven van berichten en commando's een probleem, waardoor onze acties nogal eens chaotisch verlopen. Bij een ontmoeting op het water zijn die uitgekookte spanjolen steeds in de aanval. Zij zijn goed in het enteren van onze schepen, waardoor wij steeds in de verdediging zijn. Maar we zullen zien. Velen van ons vechten vanuit de heilige overtuiging dat de vijand hoe dan ook verdreven moet worden uit onze contreien, en we zijn bereid ons leven daarvoor te geven. Aan motivatie ontbreekt het ons niet. Daarbij weten we ons gesteund door de Prins, die er alles aan doet om ons bij te staan.'

'De vloot ligt er zo schitterend bij,' zei Kenau peinzend, 'je zou denken dat we met al die prachtig gebouwde schepen de overwinning al half in handen hebben.'

Toen de schemering viel was ze zozeer hersteld van de vermoeienis van de heenreis dat ze popelde om te vertrekken. Ze wilde het achter de rug hebben, zo simpel was het. Er was afgesproken dat ze dynamiet mee terug zou nemen, verpakt in kleine zakjes. Een secondant van de admiraal knoopte ze zorgvuldig vast aan haar ceintuur, ze netjes verdelend rond haar middel.

'Als ze op me schieten explodeer ik,' zei Kenau met een glimlach, 'dan hebben de Spaanse patrouilles ook een verzetje.'

'Dat overkomt een vrouw als u niet,' zei Brandt. 'U bent ongrijpbaar en onbereikbaar, dat is uw kracht.'

Over die woorden dacht ze nog lang na terwijl ze door de weilanden trok, zonder te begrijpen wat hij er precies mee bedoelde. Het leek of ze alleen op de wereld was. De vogels en de kikkers zwegen en de vijand bleef op afstand. Ze zigzagde tussen de schansen door. Soms zag ze de fakkel of olielamp van een patrouille, maar altijd veraf. De volle maan hing aan de hemel alsof hij haar medeplichtige was. In ieder geval was ze hem oneindig dankbaar voor het licht dat hij over de sloten en polders wierp. De hele tocht verliep zo gladjes, dat het leek of ze zich in een vage droom bevond, waarvan ze zich de volgende dag niets zou herinneren. Tegen het einde begon haar lichaam weer te protesteren, maar de opdoemende contouren van de stad hielpen haar het vol te houden.

De Schalkwijkerpoort was gesloten, maar ze wist dat er een kleine deur was, iets verderop, die de Haarlemmers gebruikten om naar hun vee te gaan. De deur ging zonder piepen open en ze glipte naar binnen. Een enorm gevoel van opluchting nam bezit van haar. Het was gelukt! Ze was in veiligheid, voor zover je dat van een door vijanden omsingelde stad kon zeggen.

32

De bevoorrading werd steeds moeilijker. Weliswaar ontving Kenau regelmatig geld van het stadsbestuur om proviand in te slaan voor de bij haar ingekwartierde huurlingen en ontheemde families, maar wat ze ermee kon kopen werd steeds schaarser. Rond half mei werd het brood per decreet op rantsoen gesteld. Mannen hadden per dag recht op een pond brood, vrouwen op een half pond, en kinderen moesten hun honger zien te stillen met een kwart. Voor de rest waren ze aangewezen op moutkoeken.

Het ergste was dat de vijand lucht had gekregen van de toenemende schaarste. De soldaten van de vijand gooiden uit leedvermaak twee broden over de wal, vergezeld van de spottende woorden: 'Eet er maar lekker van, want binnenkort worden jullie sowieso opgehangen!'

Dominique was erbij en vertelde het later op de werf aan iedereen die het maar horen wilde. Kenau stond met Jacob te praten over de galeien die in aanbouw waren.

'En, wat deden jullie?' vroeg Kenau.

'We gooiden ze terug en riepen: 'Klootzakken, we hebben jullie brood niet nodig. We hebben zelf nog in overvloed!'

'Denk je dat ze het geloofden?'

Dominique haalde zijn schouders op. 'Je l'espère...'

'Het is niet zo mooi als de spanjolen weten dat hun uithongeringstactiek vrucht begint af te werpen,' bromde Jacob.

'We zouden ze op de een of andere manier moeten laten zien dat we hier nog voldoende van alles in voorraad hebben,' peinsde Kenau.

'Oui madame, zoiets hebben wij ook al overwogen,' knikte Dominique. 'We zouden een theaterstuk moeten opvoeren. *Le théatre de l'abondance!* Het theater van de overvloed!'

'Kunnen we er niet een stel uitnodigen voor een feestelijke maaltijd? Of is dat te gevaarlijk?'

'Niet als u het bijvoorbeeld op het bolwerk voor de Kruispoort zou doen, terwijl wij op de wallen met de wapens in de aanslag staan, goed zichtbaar voor de vijand.'

'Als het alleen vrouwen zijn die de maaltijd opdienen, verleidelijk gekleed en uitnodigend lachend, zouden we ze dan misschien kunnen overhalen?'

'Zeker weten! Een stel lekkere mokkels, dat werkt altijd. Vooral als de wijn er rijkelijk bij vloeit!' Dominique wreef zich in de handen bij de gedachte.

En dat maakt mijn dochter het hof, dacht Kenau geërgerd. Ze beheerste zich en vroeg: 'Hoe groot is het risico dat ze lopen?'

'Och,' hij tuitte zijn lippen, terwijl hij een afweging maakte. 'Absolute veiligheid bestaat natuurlijk nooit, wat dat betreft kunnen wij niets garanderen. Maar wij doen vanaf de muren alles om de boel onder controle te houden. Bovendien: de Spanjaarden krijgen zelf ook heel povertjes te eten door de langdurige belegering, dat is allang bekend. En hun lichtekooien schijnen syf te hebben, dus ook op dat gebied wordt er honger geleden.'

'Dus als ik zo'n maaltijd zou organiseren kan ik Cathelijne gerust inzetten om te serveren,' zei Kenau sluw.

Ze zag een lichte aarzeling over zijn gezicht trekken. Hij keek haar scheef aan en zei toen snel: 'Oui, natuurlijk.'

'Zouden de Spanjaarden ons niet wantrouwen? Misschien zijn ze bang dat ze in de val gelokt worden?'

'Ik denk van niet. Tijdens zo'n maaltijd zou er een soort machtsevenwicht heersen. Enerzijds bevinden de Haarlemse vrouwen zich buiten de stadsmuren, daarbij stellen ze zich bloot aan vijandelijk vuur. Anderzijds zullen de vijandelijke soldaten die aanschuiven bedreigd worden door ons, vanaf de wallen. Er is dus een equilibre, een mooi evenwicht, waarbij beide partijen veilig zijn door wederzijdse bedreiging, als het ware. Tenzij een soldaat ineens zomaar iemand zou neerschieten. Maar ik zie dat zo gauw niet gebeuren, met zoveel delicatessen voor zijn neus.'

Kenau knikte. 'Het is geen gek idee. Ik zal erover nadenken.'

'Als u ervoor voelt moeten we het gauw doen. Er gaan geruchten dat we snel door de vleesvoorraad heen raken, vooral sinds de spanjolen een aantal koeien gestolen hebben.'

Kenau legde het plan voor aan verschillende vrouwen die door de natuur goed bedeeld waren. Sommigen boden zichzelf aan, zoals de energieke freule die op de stadswallen met haar kruisboog zoveel aanstormende soldaten geveld had. Maar met haar lange pezige gestalte was ze ongeschikt om een feestje op te fleuren waarbij de nadruk lag op overvloed, zowel qua eten als qua vrouwelijk schoon. Kenau moest alle tact die ze in huis had aanwenden om voor het genereuze aanbod te bedanken.

In korte tijd had ze tien geschikte vrouwen bij elkaar, waaronder Cathelijne en haar vriendin Mathilde. Er waren ook enkele oudere vrouwen bij, zoals zijzelf. Van het begin af aan leek haar eigen aanwezigheid bij de maaltijd haar onontbeerlijk, niet alleen om alles in goede banen te leiden, maar ook in geval van nood – als er iets mis zou gaan en er geïmproviseerd moest worden.

Mechteld kwam weer in beeld, zij het mopperend en klagend. Haar kennis van de keuken en de meest uiteenlopende gerechten was nu eenmaal van onschatbare waarde. Ze was gespecialiseerd in verfijnde recepten op basis van duivenvlees. Helaas had het stadsbestuur verboden om duiven te schieten, omdat elke duif die overvloog een boodschap van de Prins kon bevatten.

Het lukte Claes in de polder enkele eenden te schieten, die al goed in het vet zaten. Daarnaast tikte Kenau een heel schaap op de kop, voor een woekerprijs weliswaar, en zonder dat iemand haar kon vertellen wat de herkomst van het dier was. De benodigde kruiden groeiden in haar eigen achtertuin, naast uien en prei. Ook had ze nog steeds kippen, en kon Mechteld met eieren wonderen verrichten.

De dag werd vastgelegd en aan iedereen doorgegeven, naast het uur waarop ze zich in hun mooiste feestjurken moesten verzamelen bij de Kruispoort. Er waren muzikanten in hun midden, zowel bij de vluchtelingen als onder de huurlingen. Die oefenden alvast in het samen spelen en dat klonk zo ritmisch en meeslepend dat iedereen ervan opfleurde. Kenau nam met Dominique nauwkeurig de strategie door: de exacte plaatsing van de tafel, en van de vuurkorven waarop het eten warm gehouden werd. Waar hij zich zou bevinden, samen met zijn peloton Vlaamse en Waalse huurlingen. Zelfs over de schootsafstand moesten ze het eens worden, want Kenau wilde elk mogelijk risico uitsluiten.

Dominique en zijn maten hadden pamfletten uitgestrooid in de buurt van de vlak bij de Kruispoort gelegerde soldaten. De inhoud was zorgvuldig opgesteld, in drie talen. Daarin werden ze hartelijk uitgenodigd voor een feestmaal op het bolwerk van de Kruispoort om, in aanwezigheid van aantrekkelijke vrouwen, de oorlog en de tegengestelde belangen even te vergeten. Er werd nadrukkelijk uitgelegd dat het een initiatief was van onschuldige burgers. Degenen die zich niet veilig voelden mochten gerust een wapen meenemen. Er was voedsel voor maximaal veertig mannen, dus mochten er meer liefhebbers zijn dan moesten ze er maar om dobbelen.

Op de bewuste dag stond de zon in een blauwe hemel zonder wolken en Kenau verbaasde zich er opnieuw over hoe misleidend het weer kon zijn. Het rook overal naar lente en de zon wierp een vreedzaam en verleidelijk licht over de stad en het water van de rivier. Het was net of alles normaal was.

Maar zo normaal was het niet, een feestmaal organiseren voor je ergste vijanden. Om twaalf uur was Kenau al bij de poort, in een bordeauxkleurige jurk waarmee ze Nanning – een eeuwigheid geleden – het hoofd op hol had gebracht. Ze beklom de wal en keek vanboven neer op de voorbereidingen. Dominique en twee van zijn maten, geholpen door enkele mannen van de werf, bouwden een lange tafel op schragen. Ernaast werden krukken en banken neergezet. Mechteld, Cathelijne en Mathilde roerden in de pannen boven het vuur, bijgestaan door enkele oudere vrouwen wier gezichten ze uit de loods met de vluchtelingen kende. Cathelijne droeg de laag uitgesneden groene jurk, die ze vorig jaar – toen Geertruide nog leefde – in de pinksterweek gedragen had. Kenaus adem stokte. Wanneer was ze die uit het huis komen halen? Werd zijzelf dan helemaal nergens meer bij betrokken?

'Madame? On peut passer s'il vous plait?'

De huurlingen betrokken hun stellingen op de wal. De een na de ander keek haar bij het passeren aan met een schuwe blik waarin begeerte doorschemerde, waardoor ze zich ineens erg naakt voelde in haar verleidelijke uitdossing. Beschaamd daalde ze de trappen af. Eigenlijk was dat wel het laatste waar ze naar taalde, de seksuele aandacht van jonge kerels naar zich toe trekken. Gelukkig arriveerden nu ook de jongere schoonheden uit de stad, allen met een blos van opwinding op hun gezicht, waardoor ze nog mooier werden.

Even later bevonden alle vrouwen zich op het geïmproviseerde feestterrein. Het eetgerei was op de tafels van schragen gezet, die een vierkant vormden. De muzikanten hadden terzijde een plek gevonden en begonnen te spelen. Van bovenaf werd op hen neergekeken door tientallen goed bewapende huurlingen, die iedere vierkante meter van het bolwerk en de naaste omgeving onder schot hielden. Nu moesten ze afwachten.

Ze dronken vast wat bier en begonnen, onder de indruk van de bizarre situatie, half fluisterend met elkaar te praten, totdat Kenau riep: 'Waarom praten jullie zo zachtjes? Ze mogen jullie stemmen best horen, dat zal ze alleen maar aantrekken.'

'Naast de heerlijke geuren die uit onze pannen opstijgen,' voegde Mechteld er met een bezweet gezicht aan toe.

'Ze komen eraan!' werd er van bovenaf geroepen. De vrouwen schikten haastig hun kleren en Kenau slaakte een zucht van verlichting.

Het waren gewone mannen, voor het merendeel jong tot zeer jong, die bewapend met musketten en degens het bolwerk naderden. Ze zagen er eigenlijk niet anders uit dan hun eigen huurlingen, hooguit waren ze iets magerder en lichtelijk verfomfaaid. De vrouwen maakten uitnodigende bewegingen in de richting van de tafels en zeiden 'bienvenu', 'willkommen' en 'bienvenidos', precies zoals ze het de vorige dag van enkele soldaten hadden geleerd.

Schuchter en op hun hoede namen de soldaten plaats op de lange banken. Hier en daar ging een van de jonge vrouwen tussen hen in zitten. Anderen zetten goed gevulde stoofpotten van aardewerk op tafel, elke soldaat kreeg een kan bier, naast een paar dikke sneden roggebrood met reuzel. De gasten begonnen er zichtbaar zin in te krijgen. Hun ogen glansden bij het zien van al dat eten, sommigen glimlachten zelfs en begonnen grapjes te maken tegen de meisjes die, hoewel ze er niets van verstonden, beleefd lachten.

Kenau stond naast Mechteld en sloeg het tafereel van een kleine afstand gade. Wat waren ze jong! Er zaten maar enkele oudere mannen tussen, voor de rest waren het jongens die gisteren nog bij hun moeder weggelopen leken. Wat een vreemd beroep eigenlijk, soldaat, in dienst bij degene die het best betaalde, maar diep in zijn hart onverschillig tegenover het doel of ideaal waarvoor hij vocht. Doden als dagelijks werk, wat een ontgoochelende bezigheid voor iemand die de leeftijd had iets op te bouwen en het leven te omhelzen.

De maaltijden en het bier misten hun uitwerking niet. Binnen de kortste tijd ontstond er een feestelijke roes, die extra aangewakkerd werd door de muziek. Er werd druk gepraat en gegesticuleerd, er vlogen allerlei talen over de tafel, men probeerde te vertalen, er werd gelachen en geproest, er werd geflirt, sommigen nodigden een meisje uit om te dansen op de aangestampte lemen aarde. Kortom, je zou niet zeggen dat de feestgangers op voet van oorlog leefden met elkaar.

Kenau herademde. Alles verliep naar wens, wanneer deze jongens terugkeerden in hun kampement zouden ze zeker hoog opgeven van de overvloedige maaltijd en de gastvrijheid van de Haarlemmers. En bovendien vertellen dat de vrouwen weldoorvoed en mooi waren, en verre van noodlijdend.

Ze vroeg Mechteld een kom voor haar te vullen en drukte haar op het hart zelf ook iets te eten. Ze nam juist een eerste hap toen er van boven af de wallen werd geroepen.

'Er komen nog een paar Spanjaarden bij! Van de cavalerie!'

Nog geen halve minuut later kwamen ze galopperend het bolwerk op, bruusk tot stilstand komend ter hoogte van de feestgangers. Die zwegen geschrokken en keken met angst in de ogen op. 'El commandante...' bracht een van hen uit.

Het waren drie Spanjaarden, twee met een dikke bos zwart haar en donkere ogen, de ander bijna kaal, mager en met een gezicht waarin chronische spanning was gebeiteld. Barse, verweerde koppen, die niet veel goeds beloofden. Ze lieten hun ogen rond gaan over de aanwezigen, met een onpeilbare blik. Kenaus hart klopte in haar keel. Wat wilden deze mannen? Het was duidelijk dat ze niet gekomen waren om mee te eten.

'Dónde está la mujer?'

'Qué mujer?'

'La Marimacha.'

Het antwoord bleef uit. De huurlingen keken elkaar verbaasd aan, zich duidelijk afvragend: waar gaat dit over? De jonge vrouwen begrepen niet eens wat er gezegd werd en keken nerveus in het rond. Er viel een onheilspellende stilte. Iedereen was opgehouden met eten en drinken, de muziek was stilgevallen en je hoorde alleen nog het pruttelen van de stoofschotels boven het vuur.

'Ahí está!' riep de magere ruiter, op Kenau wijzend.

Ineens waren alle ogen op haar gericht. Had ze met een lange baard op de kermis gestaan dan had ze niet meer aandacht kunnen trekken. Ze voelde zich slecht op haar gemak onder al die nieuwsgierige blikken. Wat was er ineens aan de hand?

'Debemos llevarla.'

'Quién ordens?' riep een soldaat, die tussen de anderen aan tafel zat.

'Don Fadrique!'

'Wat is er aan de hand?' riep Kenau.

'U moet meekomen,' vertaalde dezelfde soldaat, 'het is een bevel van Don Fadrique.'

'Maar waarom?'

De soldaat haalde zijn schouders op en at verder.

De dunne, kale man, die de commando's leek te geven, siste een onverstaanbaar woord, waarop de twee anderen op Kenau af schoten om haar ruw bij de polsen te grijpen.

Kenau schudde zich los, hen woedend aankijkend. 'Ik kan het wel alleen af,' riep ze, 'blijf van me af!'

Op haar bekende, eigenzinnige manier beende ze weg, in de richting van de paarden. Ze maakte een kalmerend gebaar naar de huurlingen op de muren, om te voorkomen dat ze zouden gaan schieten. Het laatste wat ze wilde was een gewelddadige reactie van hun kant, die op een bloedbad zou kunnen uitlopen. Om dat te voorkomen zat er maar één ding op: zonder morren met de ruiters meegaan, ongeacht wat de consequenties zouden zijn. Hoewel alles in haar in opstand kwam tegen zo'n gedweeë overgave, begreep ze dat ze dit offer moest brengen.

'Eet rustig door,' gebaarde ze in het voorbijgaan naar de genodigden, 'let maar niet op mij.'

'Maaa, blijf bij ons!' schreeuwde Cathelijne, in paniek achter haar moeder aanlopend. De twee soldaten duwden haar terug.

Toen Kenau ter hoogte van de man die het bevel voerde was aangekomen, wierp hij haar een koele dreigende blik toe, die zij beantwoordde met een blik vol minachting en onverschilligheid.

'Vamos!' riep hij, waarop de anderen op hun paarden sprongen en zich op weg begaven. Voor Kenau zat er niets anders op dan gehoorzaam mee te lopen. Ze hoorde hoe op het bolwerk de muziek hervat werd en ademde iets lichter.

Het was niet ver naar het Huis ter Kleef. Iedereen in Haarlem wist dat dit het hoofdkwartier was van Don Frederik. Zonder hem zou haar leven er heel anders hebben uitgezien en dat gold voor duizenden, tienduizenden anderen in deze contreien. Ze haatte hem zoals ze nog nooit iemand gehaat had, met een enorme kracht, die ze helaas nooit tegen hem had kunnen gebruiken, en die daarom vanbinnen aan haar vrat, haar levenslust en optimisme langzaam vernietigde en de bodem onder haar bestaan geleidelijk verbrokkelde.

Nu wilde hij haar dus ontmoeten. Op een vreemde manier had ze er zin in. Het leek alsof haar leven vanaf het moment waarop ze Geertruide voor haar ogen had zien sterven hierop had aangestuurd, als een onontkoombaar fatum dat onherroepelijke gevolgen zou hebben. Die gevolgen zouden vooral in haar eigen nadeel zijn, voorvoelde ze, maar die gedachte boezemde haar geen angst in. Integendeel, hij gaf haar kracht.

Nadat ze het Leprooshuys en een Spaans kampement gepasseerd waren, kwamen ze via een grote toegangspoort op een binnenplein van bescheiden afmetingen. De mannen stegen van hun paarden en de bevelhebber gaf haar met een teken van zijn hand aan hem te volgen. Ze was nog nooit in het kasteel geweest, maar wist dat het eigenlijk van de heer van Brederode was. Enkele jaren geleden was hij met zijn gezin verbannen omdat, waarschijnlijk op dezelfde binnenplaats, hagenpreken werden gehouden. Toen had ze over de gebeurtenis geen oordeel gehad, behalve misschien de gedachte dat het onverstandig van hem was geweest gastvrijheid te verlenen aan protestanten. Wat was ze dom, kortzichtig en ongeïnteresseerd geweest.

Hoewel de Spanjaarden hun intrek hadden genomen in het kasteel hingen de familieportretten van de Brederodes nog aan de muren.

Ridders en jonkvrouwen keken op haar neer terwijl ze in een van de woontorens een trap beklom, in het kielzog van de Spanjaard. Haar harte klopte in haar keel.

Ze doorkruisten een grote overloop met een vloer van mooie brede planken, een prachtig soort eiken, uitermate geschikt voor de scheepsbouw. De man klopte op een van de deuren, er werd iets geroepen en de deur werd van binnenuit geopend. Haar begeleider trok zich terug en ze werd uitgenodigd om binnen te komen door een bleke man van middelbare leeftijd.

Eerst zag ze zijn gezicht niet goed. Hij zat aan een grote tafel met zijn rug naar een glas-in-loodvenster, waardoor zijn gelaatstrekken moeilijk te onderscheiden waren. Ze naderde hem beschroomd, omdat ze er geen idee van had hoe de etiquette was wanneer je je grootste vijand in levenden lijve ontmoette, vooral wanneer het een hertog was uit een ander land, wiens taal je niet sprak.

'Aquí está la Marimacha,' zei de man die haar had binnengelaten op een zachte, zalvende toon.

Er verscheen een minzame lach op het gezicht van de man achter de tafel. Haar ogen wenden snel aan het schemerige licht in de ruimte en konden hem geleidelijk beter zien. Ze verroerde zich niet. Misschien werd er van haar verwacht dat ze een buiging zou maken, maar er was geen haar op haar hoofd die eraan dacht dat te doen – niet voor hem.

'Bravo Pascual,' zei hij, haar strak aankijkend.

Don Frederik was niet onknap, stelde ze vast. Hij had een regelmatig gezicht, donkere ogen met lange wimpers, een gebogen, aristocratische neus en een elegant, lichtelijk grijzend puntbaardje. Aan niets was te zien dat hij een man was die alom angst en terreur zaaide.

'Por fin...' zuchtte hij.

'De hertog is tevreden u eindelijk te zien,' vertaalde de bleke man.

Tja, wat moest ze daarop terugzeggen? Haar gevoel van onbehagen groeide onder zijn strakke blik. Waarom droeg ze uitgerekend nu haar zijden feestkleding, die weinig aan de fantasie overliet?

'Así que Usted es la mujer que la matado a Alda?' vroeg Don Frederik kalm.

'Don Fadrique vraagt u te bevestigen dat u de vrouw bent die Alda heeft vermoord.'

Kenau knikte, haar kin hoog geheven. 'Het was zelfverdediging.'

'En defensa propria,' vertaalde de man.

'En wie bent u?' vroeg Kenau. Al was het een retorische vraag, dan nog kon de man zich toch wel fatsoenlijk voorstellen?

Don Frederik begon te lachen. 'Madre de Dios.'

'Het is Don Fadrique nog nooit overkomen dat iemand die vraag stelde.'

Het lachen hield halverwege abrupt op, het gezicht van de hertog verstrakte en hij vuurde een vraag op haar af.

'Dus u doodde Alda en tweehonderd van mijn soldaten?'

Kenau knikte. 'Ik geloof dat het er meer waren.'

Don Frederik keek haar verbluft aan. Kenau zag hem denken: ze doet er zelf nog een schepje bovenop, is die vrouw gek?

Toen kwam er een betoog in het Spaans, dat stukje bij beetje door de adjudant, zoals Kenau hem inschatte, vertaald werd. De man was een Waal, begreep ze, want hij had hetzelfde accent als Dominique en maakte dezelfde soort fouten in het Hollands.

'Als u in het begin van het beleg de Kruispoort niet verdedigd had met een legertje hysterische vrouwen, dan waren we de stad zo binnengewandeld. Want uw commandant zat op de verkeerde plek op ons te wachten. Wij hebben onze spionnen, weet u, ze zitten letterlijk overal en zijn van elk plan dat de vijand maakt op de hoogte. Als u toen niet het initiatief genomen had die wrakke poort te verdedigen, was ons allemaal een hoop leed bespaard gebleven. Een duur en uitputtend beleg aan onze kant, en in Haarlem zouden de burgers allang weer de gewone routine van hun dagelijks leven hebben opgepakt.'

Hij pauzeerde regelmatig om zijn adjudant de gelegenheid te geven om te vertalen.

'Als u onze stad niet belegerd had, bedoelt u zeker,' zei Kenau verontwaardigd, 'want u bent deze oorlog begonnen.'

Er trok even, nauwelijks zichtbaar, iets grimmigs over zijn gezicht. Maar hij herstelde zich snel. 'Ik mag dat wel, vrouwen die flink van zich afbijten. Die hebben tenminste hartstocht.' Hij wachtte even en vervolgde toen, zonder op de inhoud van haar woorden in te gaan: 'U hebt dus een onnoemelijke hoeveelheid ellende veroorzaakt, waarvoor de gewone doodstraf niet toereikend is.'

Was ze bereid te sterven? schoot het door Kenau heen. Nee, maar als het onontkoombaar was, hoopte ze dat het vlug zou gebeuren. De Spanjaarden waren berucht om de wreedheid van hun marteltechnieken en ze huiverde bij de gedachte eraan. Hoe moedig ze ook was, ze wist dat het mogelijk zou zijn haar te breken.

Maar Don Frederik ging verder. Hij sprak op zo'n kalme toon, met een geamuseerde glimlach rond zijn mond, dat het leek of hij een aardige anekdote aan het vertellen was. Zijn ogen stonden vriendelijk en af en toe pauzeerde hij even om een slokje wijn te nemen uit een kristallen glas dat hij binnen handbereik had.

'Maar omdat ik er niet van houd vrouwen te zien lijden, heb ik iets bijzonders bedacht. Kijk, u bent een aantrekkelijke vrouw, het zou zonde zijn zoiets te versmaden. Bovendien mis ik mijn Alda, en dat is ook uw schuld. Een welgeschapen vrouw uit de Lage Landen vormt voor mij een welkome afwisseling met de Spaanse vrouwen. Het tekort aan vuur en hartstocht van de vrouwen uit deze streken wordt gecompenseerd door hun blanke, ivoorkleurige huid en de weelderigheid van hun vormen. Vrouwen uit een land van melk, boter en honing. Dus om kort te gaan: u bevalt me en ik ben van plan een nacht lang van u te genieten, totdat u er dood bij neervalt. Bij wijze van spreken natuurlijk. Voor zo'n trotse vrouw als u zal het een geweldige vernedering zijn en voor mij een zoete wraak. De volgende dag wordt u dan snel en pijnloos ter dood gebracht, waarna uw stoffelijke resten zullen worden bezorgd bij de opperbevelhebber van de in Haarlem gelegerde troepen. Hoe heet die vent ook alweer?'

'Ripperda,' antwoordde de adjudant.

'Men zal u vast naar mijn slaapvertrek brengen, waar u onder bewaking het eind van de dag moet afwachten. Ik heb nog enkele dingen te doen, voordat ik me aan het liefdesspel kan overgeven. Ik verheug me erop en u kunt ook tevreden zijn, dunkt me, want er zijn akeliger manieren om aan je einde te komen. U kunt nu gaan.'

Na de vertaling van deze mededeling kreeg Kenau geen tijd om te bevatten wat haar lot zou zijn, omdat de adjudant haar bij de arm greep en meetrok naar de deur. Don Frederik keek zoetsappig lachend toe hoe zij met zachte druk uit zijn werkvertrek verwijderd werd.

Ze had nog nooit zo'n vorstelijk slaapvertrek gezien. Een hoog balkenplafond, plavuizen, een grote dekenkast met bloemenranken van fijn houtsnijwerk, een geweven wandkleed waarop een luitspeler en een aandachtig luisterende jonkvrouw waren afgebeeld, een hemelbed met zware gordijnen van fluweel. De hoge heren wisten wel te leven.

Ze ging op een houten, met kussens beklede bank zitten en wachtte, vervuld van inwendige opstandigheid. Had ze niet mee moeten gaan? Steeds weer hoorde ze de klaaglijke roep van Cathelijne... Als ze had geweigerd waren beide partijen in een schietpartij verwikkeld geraakt, waarbij waarschijnlijk talloze doden en gewonden waren gevallen, zeker ook onder de vrouwen. Zij was verantwoordelijk, want zij had het feestje bedacht en al die vrouwen voor haar karretje gespannen.

Hoe ze het wendde of keerde, het ene sproot logisch voort uit het andere. En nu zat ze hier als een goedkope snol te wachten tot ze haar lichaam kon verkopen. Het was in ieder geval uitstel van executie, Don Frederik had haar ook meteen kunnen laten afvoeren naar zijn beulen. Het vooruitzicht zich te laten nemen door de man die ze op aarde het meest verafschuwde was zo weerzinwekkend dat even de gedachte door haar heen ging er liever zelf een einde aan te maken – een gedachte die ze meteen weer verwierp. Zoiets lag niet in haar natuur en bovendien zou ze niet weten hoe. De deur zat op slot, daarbuiten stond een soldaat op wacht, er waren geen wapens of scherpe voorwerpen in de kamer te bekennen. Het enige wat haar opviel waren twee lange koorden waarmee de gordijnen, die het privaat aan het oog onttrokken, open en dicht konden worden geschoven. Ze zag geen haak aan het plafond, dat trouwens ook te hoog was om erbij te kunnen. Met opeengeklemde kaken begon ze door de kamer te ijsberen.

Het kon toch niet waar zijn dat ze zo'n smadelijk einde tegemoet ging. Gebeurde dit omdat haar geloof sinds de dood van Geertruide wankelde, was dit haar straf? O mijn God, bad ze, vergeef me mijn hoogmoed en mijn zonden, laat me een oplossing vinden om mezelf uit deze netelige situatie te redden.

Haar oog viel op het raam. Het hang-en-sluitwerk was wat roestig, maar na een flinke duw ging het raam geruisloos open. Ze gluurde naar beneden. Daar liepen soldaten de wacht door het hoog opgeschoten gras. Niemand nam blijkbaar de moeite het te maaien. Een sprong in het gras vanuit de eerste verdieping zou niet dodelijk zijn, schatte ze, hooguit zou ze iets breken.

Vluchten kon nu echter niet, met zoveel parate manschappen beneden. In de nacht zou dat misschien anders zijn, ze was dan minder zichtbaar. Ze keek nog eens naar de touwen van de gordijnen en ging uiteindelijk zitten. Ze zat in de val.

De minuten leken uren, beelden uit haar leven trokken aan haar voorbij. Alles leidde uiteindelijk naar deze benarde, beschamende situatie waarvoor ze vooralsnog geen uitweg wist. Zij, Kenau, de vrouw die voor alles een oplossing had, zat braaf te wachten op haar verkrachter. Al haar wapens waren haar uit handen geslagen.

Iemand bracht haar een kom brood met reuzel en een kan water. Ze at met lange tanden zonder iets te proeven. Daarna ijsbeerde ze weer door de kamer, zich geen raad wetend. Kon ze maar onzichtbaar worden, oplossen in het niets.

Toen de schemering geleidelijk overging in de nacht hoorde ze het geluid van laarzen op de gang. Ze kwam haastig overeind, haar hart beukte in haar borstkas. De deur ging open en Don Frederik kwam binnen, gevolgd door zijn schaduw, de adjudant, die een dienblad met een karaf rode, flonkerende wijn droeg.

'Aaah, Marimacha... Finalmente ha llegado el momento!' verzuchtte Don Frederik, zich nog net niet in de handen wrijvend. Hij kwam dicht bij haar staan, tilde met een vinger haar kin op en kuste haar op haar mond.

'Eindelijk is het zover,' vertaalde de adjudant plichtsgetrouw. Daarna zette hij het dienblad op een tafeltje naast het bed, stak enkele kaarsen aan en nam plaats op een fraai bewerkte dekenkist, die tegenover het voeteneinde van het bed stond.

De bevelhebber droeg een zijden kamerjas met borduursels van bloemen en vogels. Hij geurde naar rozenwater, en het kwam Kenau voor dat hij zich nog eens extra geschoren had voor de gelegenheid, want eerder die dag had ze nog de glans van een zware zwarte baardgroei op zijn kaken gezien. Hij liep naar het bed en ging languit liggen, haar met een hand uitnodigend zijn voorbeeld te volgen. Het leek of ze over een pad vol hete sintels liep, zoveel moeite kostte haar elke stap die ze in de richting van het bed zette.

33

Hij knoopte haar jurk open, voorzichtig en teder. Op zijn gezicht lag een uitdrukking van grote concentratie, alsof hij een belangrijke beslissing in de krijgsvoering moest nemen. Zij sloot haar ogen en bad dat ze niets zou voelen. Ze probeerde zich in te beelden dat ze niet meer dan een stuk hout was, zoals ze op de werf in grote hopen lagen opgetast. Een stuk hout voelt niets, doet niets en wacht af wat zijn lot zal zijn: deel uitmaken van de romp van een schip, mast worden of boegbeeld.

'Mira estas tetas!' zuchtte hij, haar borsten in zijn handen nemend.

'Wat een tieten,' vertaalde de adjudant vanaf de dekenkist.

Hij had de kamer niet verlaten! Hij was er de hele tijd bij, dat kon toch niet waar zijn! 'Kan die andere heer de kamer niet beter verlaten?' vroeg ze aan Don Frederik.

Het antwoord was een verstrooid nee. Hij moest erbij blijven om te vertalen, woorden speelden een belangrijke rol bij het bedrijven van de liefde, dat werd vaak onderschat. Hij ging door met het uittrekken van haar kleren en zij liet hem begaan, terwijl ze naar het plafond staarde en haar tanden stevig op elkaar klemde. Dit ben ik niet, zei ze steeds in zichzelf, degene die dit overkomt dat ben ik niet.

Toen ze helemaal naakt was begon hij haar lichaam te strelen, overal waar hij zijn vingers wilde laten gaan gingen ze. Die vingers waren erg nieuwsgierig en kenden geen scrupules. Ze had hem door, hij probeerde haar op te winden, dat zou zijn ultieme overwinning zijn. Maar hij kon doen wat hij wilde, ze was niet van plan iets te voelen.

Zijn brutale vingers gingen bij haar naar binnen. 'Ah, me das la bienvenida...'

'Ah, ik ben welkom, zegt hij...' klonk het bijna simultaan.

Kenau dacht dat ze zou exploderen van verontwaardiging. Die

smeerlap verbeeldde zich dat ze er zin in had. Het liefst had ze hem een enorme optater gegeven, maar het lukte haar zich in te houden. Ik ben een stuk hout, herhaalde ze als een bezwering, niet meer dan een stuk hout.

Toen liet hij zijn kamerjas van zich afglijden. God mijn hemel wat een torso, het was gespierd en behaard en deed haar denken aan het lichaam van een halfnaakte berentemmer die ze eens op de kermis had gezien. Hij was meegekomen met een groep vaganten, die jongleerden en muziek maakten, maar zijn act met de beer had de meeste indruk op haar gemaakt.

'Te la voy a merer,' kondigde hij aan. Hij hing boven haar, op een arm steunend, terwijl hij de andere gebruikte om zijn lid de weg te wijzen, 'hasta que pidas clemencia.'

'Hij gaat heel diep in u doordringen, totdat u om genade smeekt.'

De vertaling was nog niet helemaal voltooid of hij drong al met zo'n kracht bij haar binnen, dat ze naar adem moest happen. Daarna werkte hij hard om zijn dreigement waar te maken. Af en toe kuste hij haar wild op de mond of drukte zijn hoofd tussen haar borsten. Hij ademde zwaar en diep, kreunde af en toe, vertraagde of versnelde zijn tempo, en het leek haar eindeloos te duren totdat zijn lichaam zich ineens spande in een langgerekte kreet van genot, waarna hij zich hijgend boven op haar liet zakken.

Ze had niet om genade gesmeekt. De diepe vorm van genot waar hij op doelde was achterwege gebleven, sterker nog, ze had alleen een lichte pijn gevoeld die in de verste verte niets met genot te maken had. Het was gewoon pijn die veroorzaakt werd door hardhandige wrijving, met andere woorden de pijn die een vrouw voelde wanneer ze gedwongen werd, zonder lust te voelen.

Hij rolde van haar af en even hoopte ze dat hij in slaap zou vallen, zoals dat bij Nanning altijd ging, herinnerde ze zich ineens. Bij de gedachte aan hem schoten haar ogen vol, wat een geluk dat hij niet wist in wat voor situatie ze terecht was gekomen...

Maar ineens kwam Don Frederik weer tot leven. 'Muéstrame tus manos,' zei hij zacht.

'Hij wil uw handen zien.'

Aarzelend stak ze haar handen in zijn richting. Hij pakte ze beet alsof ze van porselein waren en bestudeerde ze bij het licht van de kaarsen.

'Met deze handen heeft u gloeiende pek over de hoofden van onze jongens gegooid,' zei hij hoofdschuddend, 'weet u wel wat voor afschuwelijke brandwonden dat teweegbrengt?'

Kenau staarde hem aan zonder te reageren. Moest ze daar nu aan herinnerd worden? Dacht hij soms dat ze niet wist wat voor gruwelijk wapen dat was? Begreep hij niet dat ze geen andere wapens hadden?

'Er liggen nu nog talrijke jongens in Amsterdamse huizen, niet dood, niet levend, ten gevolge van deze verwondingen.'

'Wie een oorlog begint, kan verwachten dat men zich verdedigt,' zei ze schor.

Hij stootte een kort lachje uit. 'Wat een vrouw! Gewetenloos, maar verleidelijk... Ik heb nooit geweten dat het zo opwindend is de liefde te bedrijven met iemand die je kort daarna laat doden. Kom hier, dan pak ik u nog een keer. Dat was heel erg fijn, of niet soms? Van alle wapens, die ik kan hanteren, is mijn lid verreweg het beste en het meest doeltreffende.'

Het begon van voren af aan. Terwijl ze als een pop werd omgedraaid en in allerlei schier onmogelijke houdingen werd gemanoeuvreerd, maakte ze noodgedwongen kennis met de meest krankzinnige manieren om de liefde te bedrijven. Tussendoor slaakte hij allerlei uitroepen, die ze niet begreep. Schold hij haar uit, moedigde hij haar aan? Ze wist het niet en de adjudant had inmiddels zijn gitaar aan de wilgen gehangen. Hij zat te dommelen op de dekenkist en vertaalde niet langer.

En toen was het ineens voorbij. Don Frederik draaide zich op zijn rug en zei hartgrondig: 'Aaaaah... Qué bien me lo pasé!'

Kenau verstond inmiddels al zoveel Spaans dat ze ook zonder vertaler begreep dat hij dik tevreden was.

'Ahora dormiremos bien,' voegde hij eraan toe. 'Hé Carlos!' riep hij.

De adjudant schrok wakker.

'Puedes irte!' Hij maakte een gebaar met zijn hand dat de adjudant kon gaan.

Dwars door de totale uitputting heen kreeg Kenau een sprankje hoop. De adjudant slofte de kamer uit en trok de deur achter zich dicht.

'Mañana sera otro dia,' zei Don Frederik, terwijl hij zich op zijn zij draaide en als een blok in slaap viel.

Kenau herademde. Ze bleef bewegingloos liggen, vol walging van haar eigen lichaam. Het voelde aan als een scheepswrak. Dit beurse lichaam had nog een paar uur te leven, maar ze wilde helemaal niet sterven, ondanks alles. Ze had nog van alles te doen op deze wereld, haar tijd was nog niet gekomen. Bovendien had ze haar trots. Hij had haar al genoeg vernederd, ze gunde hem de triomf van haar dood niet.

Toen ze er zeker van was dat haar bedgenoot in een diep stadium van de slaap beland was, stond ze heel behoedzaam op. Alles deed pijn, haar binnenste leek verschroeid en gemangeld en er liep een warm straaltje over de binnenkant van haar dij. Ze keek naar beneden bij het licht van de langzaam dovende kaarsen. Het was bloed, gemengd met het hatelijke Spaanse vocht van de Don. Ze kokhalsde – wat zou ze zich graag willen wassen. Op haar tenen liep ze naar het raam en trok het voorzichtig open. Wat een zegen dat het niet piepte of knarste. Ze keek de duisternis in. Er waren geen soldaten te bekennen. Waarschijnlijk patrouilleerden ze in kleine groepjes, terwijl de anderen sliepen. Ze sloop terug naar de plek waar haar jurk op de grond lag, naast haar onderkleding. Het viel niet mee alles aan te trekken, elke beweging herinnerde haar pijnlijk aan het afgedwongen liefdesgevecht. Aan de binnenkant van haar jurk zat een vastgenaaid zijden zakje. Daarin zat haar mes, dat ze er die ochtend speciaal in had gestoken.

Ze haalde het mes eruit en draaide zich om. Als ze het nu eens in zijn nek stak? Zoals je de keel van een varken openhaalde? Dat had ze meermalen gedaan, zo snel en pijnloos mogelijk. Het zou niet alleen haar persoonlijke genoegdoening zijn, maar ook een soort zuivering. Ze zou zich nergens meer voor hoeven schamen, de vernederende nacht zou in één keer uitgewist zijn. Kwam er dan ook een einde aan het beleg? Ze wist het niet, misschien zou er een verschrikkelijke strafexpeditie op gang komen, van Spaanse zijde. De hertog van Alva zou wraak eisen voor de dood van zijn zoon, en het was niet te voorzien wat de gevolgen ervan zouden zijn.

Zo stond ze daar, eindeloos weifelend, met het mes in de hand. Haar hart wilde het, maar haar hoofd zei nee. De gevolgen waren te onvoorspelbaar, haar trots en eer kwamen na het algemeen belang.

Met een zucht capituleerde ze. Ze sloop naar de gordijnen voor het privaat, en sneed de twee koorden zo hoog als haar armen konden reiken doormidden. Daarna knoopte ze ze aan elkaar en sloop naar het raam, steeds omkijkend of de slapende Don niet wakker werd. Er stond een zware houten bank onder het raam. Aan de bovenste dwarslat van de rugleuning knoopte ze het koord vast, waarna ze de rest uit het raam hing. Ze stapte op de bank, en vandaar op de vensterbank waar ze het touw pakte. Ze wachtte met ingehouden adem, maar hoorde alleen het ruisen van de wind. Nu moest ze snel zijn. Met op elkaar geklemde tanden liet ze zich naar beneden glijden. Het touw sneed in haar handen. Toen ze geland was keek ze schichtig om zich heen. Ze hoorde stemmen, nog een eind van haar verwijderd. Zich zo klein mogelijk makend kroop ze op handen en voeten door het gras, totdat ze bij de omheining van de kasteeltuin kwam. Het was een middelhoge muur, overwoekerd met klimop. Daaraan hees ze zich op, viel weer naar beneden toen een tak brak en begon opnieuw. Ze dacht weer aan Nanning – als hij eens wist wat ze ooit voor fratsen zou uithalen in de feestjurk die hij haar lang geleden gegeven had.

Nadat ze aan de andere kant van de muur beland was begon ze om het kampement heen te sluipen, steeds tot het uiterste op haar hoede. Maar alles was in diepe rust, het was opvallend hoe zeker die Spanjaarden waren van hun zaak, want ze kwam niemand tegen. Zo vervolgde ze haar weg, waakzaam, en zich afsluitend voor de pijn die iedere beweging vergde.

Ten slotte stond ze voor de gracht die de stad omgaf. Mijn stad, onze stad, dacht ze. Ze zakte op haar knieën en huilde bij het zien van de zwarte contouren van de gebouwen en huizen, die ze haar hele leven gekend had. Nog steeds huilend liet ze zich in het water zakken. Het was niet koud, ze zwom zonder moeite naar de overkant, waar ze zich op de andere oever hees, die van oudsher met stekelige struiken beplant was om eventuele indringers af te schrikken. Ze zocht een plek waar iets meer ruimte was en begon van daaruit zachtjes de aandacht van de soldaten te trekken, die 's nachts de wacht hielden op de muren en de wallen.

34

Ze was niet naar huis gelopen, maar naar de werf. Daar was ze neergezonken op de verweerde bank, vanwaar je uitzicht had over het Spaarne. Haar lichaam was versteend van de kou en de natte jurk wilde maar niet drogen in de kilte van de vroege ochtend. Toen ze eenmaal zat had ze het gevoel dat ze zich in geen honderd jaar meer zou kunnen verroeren, ze was een marmeren beeld geworden dat zijn definitieve plek had gevonden. Als er zoiets als tijd bestond, dan gold dat niet voor haar. Ze was tijdloos geworden en toegetreden tot de wereld der dingen, gevoelloos, zielloos. Met een holle blik staarde ze naar het water en de contouren van de stad daarachter. Maar ze zag niets, ze nam niets waar, op een grote, onpeilbare leegte bij zichzelf na, vanbinnen. Tot en met de geslaagde vlucht was ze wakker en vindingrijk gebleven, maar toen ze de werf naderde was er ineens iets in haar geknakt en had ze geen energie meer gehad om door te lopen naar huis.

Een van de timmerlieden verscheen op de werf, een vroege vogel, die altijd als eerste aan het werk ging. Hij schudde aan haar schouder en ze ontwaarde vaag zijn bezorgde gezicht, vlak voor het hare. Ineens was hij weg en keerde de rust weer. Het enige wat ze wilde was met rust gelaten worden. Geen andere menselijke wezens meer, vooral geen mannen. Even later hoorde ze de stem van Jacob. Eerst opgelucht, maar toen verontrust.

'U bent weer terug! U leeft! Wat hebben ze met u uitgespookt? U bent drijfnat!'

Kenau antwoordde niet. Wat moest ze zeggen? Tegen een man, al was die nog zo vertrouwd?

'Kom met me mee naar mijn huis, dan zal ik het haardvuur voor u aanmaken.'

Ze schudde haar hoofd, haar lippen stijf op elkaar geklemd.
'Maar u kunt hier niet zo blijven zitten, u wordt doodziek zo!'
'Kan ik iemand voor u halen? Cathelijne? Ik zal haar wekken.'
Hij kwam al in beweging, toen ze hem bij zijn arm greep. 'Magdalena, haal Magdalena voor me.' Ze zag hem aarzelen, omdat hij het een raar verzoek vond.
Maar hij deed wat ze vroeg. Even later keerde hij terug met Magdalena, die een deken onder de arm had.
'Hemeltjelief, wat is er met u gebeurd? Wat ziet u eruit! Och arme, u bent steenkoud...' Ze drapeerde een deken om Kenau heen. Toen ging ze op haar hurken recht voor haar zitten, nam haar handen in de hare en keek haar recht in de ogen. 'Wat is er gebeurd? Wat hebben ze u aangedaan? Wilt u het mij vertellen? Ik kijk nergens van op, dat weet u, hoe erg het ook is. En ik zal het niet verder vertellen, dat zweer ik, het blijft tussen u en mij.'
Magdalena's zachte, geruststellende stem raakte iets bij Kenau. Ergens in haar verkilde bewustzijn wist ze dat als ze zich nu niet opende, ze voor altijd gesloten zou blijven, alleen met haar weerzinwekkende, beschamende geheim. Magdalena wist wat vernedering was, wat het betekende in iemands macht te zijn, in de macht van een man voor wie je niets dan haat en verachting voelde. Magdalena was de enige die het kon begrijpen.
Na de eerste moeizame zin werd het makkelijker. Ze gooide alles eruit, toonloos, emotieloos alsof het een ander was overkomen. Ze sprak als in een roes, in woorden die over elkaar heen struikelden. Het was de enige manier om van de recente gebeurtenissen verslag te doen. Magdalena bleef haar bemoedigend aankijken, af en toe knikkend en in haar handen knijpend. Soms slaakte ze een uitroep van afschuw, een keer vloekte ze zelfs, waarna ze zich meteen verontschuldigde. Maar het deerde Kenau niet, Magdalena mocht zoveel vloeken als ze wilde, zelfs de ergste vloek was nog niet genoeg.
Kenau was uitgeput nadat ze haar verhaal had gedaan. Magdalena kwam naast haar op de bank zitten, sloeg een arm om haar heen en trok de deken wat vaster om haar schouders.
'U heeft zich kranig geweerd,' zei ze met haar zachte hese stem, 'beter had u het niet kunnen doen. U heeft een bloedbad op het bol-

werk voorkomen, U heeft Don Frederik aardig wat weerwoord gegeven in plaats van te proberen met onderdanigheid uw hachje te redden, en u heeft ook nog weten te ontsnappen. Ik ken geen vrouw die u dat zou nadoen. U hoeft zich nergens voor te schamen, u kunt trots zijn op uzelf.'

Kenau zuchtte. Ze voelde zich iets minder ellendig dan voorheen, maar nog steeds ellendig. 'Ik voel me zo bezoedeld, zo vies...'

'Kom,' zei Magdalena, 'dan breng ik u naar huis. Dan kunt u zich wassen en droge kleren aandoen. En dan opwarmen bij een goed opgestookt haardvuur, daar zult u van opknappen. Eten en drinken, slapen. Net als toen u mij de helpende hand toestak, dat zal ik nooit meer vergeten.'

Kenau sliep de hele dag. Toen ze uit haar peilloos diepe slaap ontwaakte was er nog een kort moment waarin ze zich niets herinnerde. Ze merkte dat ze leefde en bestond, dat was alles. Terwijl ze tussen de half openstaande deurtjes van de bedstee door naar buiten keek, waar het al schemerde, kwam het allemaal weer terug. Minder vlijmend dan die ochtend, maar als een onontkoombaar gegeven, dat nooit meer terug te draaien was. Een beschadiging, die niet gerepareerd kon worden en waarmee ze verder zou moeten leven, als iemand met een lelijk litteken in zijn gezicht.

Moeizaam stapte ze uit bed. Haar spieren deden pijn bij elke beweging die ze maakte. Iemand had schone kleren voor haar over de stoel gehangen en even later slofte ze aangekleed naar de woonkamer.

Mechteld schoot op haar af, haar gezicht vol paniek. 'O lieve Moeder Maria. Wat ziet u bleek! Wilt u niet liever in bed blijven? Wilt u iets drinken? Eten? O mijn God...'

Wist zij het ook, dacht Kenau. Ze liet het gejeremieer van de meid over zich heen komen en ging in haar stoel bij de haard zitten.

'Ik heb het vuur steeds opgepord, zodat u het lekker warm zou hebben,' zei Mechteld zenuwachtig. 'Magdalena is net weg. Ze is de hele dag hier gebleven, voor als u ineens wakker zou worden.'

Kenau knikte. 'Dat is lief van haar.'

'Zal ik iets te eten voor u maken?'

Ze schudde haar hoofd. 'Alleen drinken, ik heb een ontzettende dorst.'

Terwijl Mechteld bier voor haar inschonk, mompelde ze allerlei verwensingen aan het adres van de vijand, meer aan zichzelf dan aan Kenau gericht.

Kenau had met haar te doen, tot haar eigen verbazing. Het drong tot haar door dat dit de manier was waarop de meid met haar gevoel van machteloosheid omging. Sinds enige tijd wist ze zelf wat dat was, nadat ze er een heel leven fel tegen had gestreden. Wanneer ze oog in oog stond met de dood had ze deze emotie, die haar dreigde te overweldigen, te vuur en te zwaard in zichzelf bestreden. Er waren altijd redenen geweest om flink te blijven en anderen te troosten en er waren verantwoordelijkheden die op haar wachtten. Alleen al het nuchtere feit dat het leven doorging had haar gaande gehouden. Maar tijdens de terechtstelling van Geertruide had ze het gevoel van machteloosheid voor het eerst in haar leven recht in de ogen gekeken. Kort daarop had het zich omgezet in woede, en in de vurige wens de Spanjaarden te vernietigen tot de laatste man. Daar was al haar energie naartoe gegaan en uit die strijdbaarheid had ze oneindig veel kracht geput.

Nu was ze verslagen, dat viel niet te ontkennen. Haar strijdbaarheid was verdwenen, voelde ze, en wat er overbleef was kwetsbaarheid. Ze was nu net als de andere vrouwen, ze hoefde geen oplossingen meer te bedenken, ze hoefde haar hals niet meer uit te steken. Ze kon in haar eentje niet opboksen tegen grotere machten, dat zag ze nu scherp, en met dit inzicht viel er een last van haar schouders. Een vreemde mildheid kwam ervoor in de plaats. Die gold niet alleen voor de mensen uit haar dagelijks leven, maar ook voor haarzelf, dacht ze, verwonderd naar het vuur starend.

Mechteld bracht haar schoorvoetend de kroes met bier.

'Dank je wel,' zei Kenau zacht, 'zou je me nu alleen willen laten?'

De meid knikte opgelucht. 'Dan maak ik een avondwandeling, het is zo zacht buiten. Kan ik u echt alleen laten?'

Voordat Kenau kon antwoorden ging de deur open en stoof Cathelijne naar binnen. Zonder de deur achter zich te sluiten, rende ze op haar moeder af en viel haar om de hals. Zo bleef ze staan, voorovergebogen, met haar armen om haar moeders hals, haar wang tegen de wang van haar moeder.

'Ik weet alles. Magdalena heeft me in vertrouwen genomen, alleen mij,' fluisterde ze, 'en ik vind het zo erg voor u... Maar u leeft, dat is het allerbelangrijkste...'

Tot voor kort zou Kenau moeite hebben gehad met zo'n spontane omhelzing, die meer weg had van een bestorming. De intieme nabijheid van uitgerekend deze dochter zou haar afgeschrikt hebben en in grote verwarring gebracht. Tot voor kort was een dergelijke hartstochtelijke toenadering ondenkbaar geweest.

Het wonderlijke was dat Kenau, juist op dit moment, de omhelzing ervoer als het meest troostrijke wat haar had kunnen overkomen. Ze voelde hoe de opgehoopte spanning wegstroomde en daarmee de schaamte, de vernedering, het verlies. Het gevoel dat ze iets verloren had was het ergste geweest. Maar nu sloeg ze, zonder erbij na te denken en alsof het de meest vanzelfsprekende zaak op aarde was, zelf ook haar armen om haar dochter heen. Ze voelde de warmte van haar lichaam, de zachtheid van haar wang, ze rook een vertrouwde geur. De ergernis, de boosheid, de verwijdering, de vervreemding zelfs, de frustratie. Het leek of al die belemmeringen waren opgelost. Een vertrouwd gevoel van diepe verbondenheid was ervoor in de plaats gekomen, een soort thuiskomen na een lange afwezigheid.

'Mijn lieve kind,' zei ze zacht, Cathelijnes haar strelend.

'Ik was zo bang...' Cathelijne kwam overeind uit haar ongemakkelijke houding, schoof een kruk dicht bij haar moeder en ging zitten. 'Ik dacht dat ik u nooit meer terug zou zien toen u met ze meeging.'

'Ik moest wel,' zei Kenau gelaten, 'anders hadden ze een bloedbad aangericht, van beide kanten.'

Cathelijne legde haar handen op die van Kenau. 'Dat snapte ik later pas. Maar het was pure opoffering van uw kant, het is een godswonder dat u het heeft overleefd. Ik zou helemaal alleen zijn achtergebleven...'

Ze keken elkaar aan en glimlachten op hetzelfde ogenblik, allebei even opgelucht dat ze elkaar hadden teruggevonden, al was er grote rampspoed voor nodig geweest. Daarna zaten ze tot diep in de nacht met elkaar te praten. Mechteld was teruggekomen van haar wandeling en naar bed gegaan, het vuur in de haard werd levend gehouden door Cathelijne, die er af en toe een paar blokken hout op legde, en toen ze allebei haast omvielen van de slaap zochten ze hun bed op, voldaan, hoe ongerijmd dat misschien ook leek, na alles wat hen daarvoor uiteen had gedreven.

Cathelijne sliep vanaf die nacht weer in haar eigen bedstee.

35

Er verschenen barstjes in het geloof in een goede afloop. Dominique vertelde aan Cathelijne dat er veel gemor was onder de Waalse huurlingen, ze begonnen zenuwachtig te worden. Dat zij als eersten gestraft zouden worden, wanneer Haarlem zich zou moeten overgeven, ondermijnde hun moreel.

Cathelijne merkte ook dat de huurlingen gespannen waren, als ze in de loods verscheen om eten te brengen. Dat had allang niet meer de kwaliteit van het begin. De Walen, die bekend stonden om hun verfijnde keuken, mopperden steeds vaker wanneer ze in de pannen keken. Er werden minder grappen gemaakt en ze kregen regelmatig ruzie om niets.

Volgens Dominique trokken ze zich steeds minder aan van het gezag van hun kapiteins. 'In het leger komt het aan op absolute gehoorzaamheid en orde, anders kun je niet als een militaire eenheid opereren. Bovendien moet je elkaar blindelings kunnen vertrouwen en respect hebben voor je meerderen. Enkele kapiteins hier hebben niet genoeg overwicht, het lukt ze niet meer om hun troepen onder de duim te houden. Dat is griezelig in oorlogstijd, omdat iedereen onder spanning staat. Onder die omstandigheden kan zomaar de vlam in de pan slaan.'

Hij had het nog niet gezegd of zijn woorden werden bewaarheid. Een Waalse schutter, Jean Leduc, die groot aanzien genoot onder zijn maten omdat hij op ruime oorlogservaring kon bogen, werd er ten onrechte van beticht zijn kapitein, Vimy, verraden te hebben. Die liet hem ophangen aan de galg op het marktplein. De maten van Leduc waren woedend. Ze mochten hem graag en wisten dat de enige fout die de man had gemaakt was, dat hij op een avond wat te diep in het glas had gekeken en een paar dubbelzinnige opmerkingen had gemaakt in de richting van zijn kapitein. Een judas onder hen, die misschien jaloers was op de populariteit van Leduc, had het doorgebriefd aan de leiding, met alle gevolgen van dien.

De soldaten uit Leducs vaandel sneden het touw van de galg door en zetten zijn lichaam rechtovereind tegen de paal. Het was een regelrechte provocatie aan het adres van de kapiteins in het algemeen en Vimy in het bijzonder, maar het was wel hun manier om duidelijk te maken dat Leduc groot onrecht was aangedaan. Daarna werd het lijk van Leduc met alle denkbare krijgsmanseer door hen begraven. Nog steeds woedend gingen de Walen daarna terug naar de markt, waar ze met geheven vaandels massaal protesteerden. De dreigementen waren niet van de lucht, zelfs de commissaris van de Prins die het oproer probeerde te sussen, liep een aantal flinke klappen op. Ten slotte werd een Waal, die gevangen zat, door een van de burgemeesters vrijgelaten om erger te voorkomen, en nam het protest langzaam af, waarna iedereen terugkeerde naar zijn logies. Dominique was erbij geweest en had in kritische bewoordingen verslag uitgebracht aan Cathelijne, die het weer verder vertelde aan de mensen op de werf.

Deze mannen moesten de stad verdedigen en wanneer er zo'n deuk was ontstaan in de onderlinge betrekkingen was dat een slecht teken. Op de werf werd druk gediscussieerd en gespeculeerd over deze zaken, en ook over het gerucht dat er steeds meer overlopers waren: gewone burgers, die heimelijk de stad verlieten omdat ze meer heil verwachtten van aansluiting bij de vijand.

Het was duidelijk dat het elan, waarmee de Haarlemmers steeds vertrouwd hadden op een uiteindelijke overwinning, aan het afbrokkelen was en de regering, die zich daar ook van bewust was, beraadde zich wat ze eraan kon doen. Om te beginnen besloten ze tot een scherpere bewaking van een aantal Spaansgezinde Haarlemmers, die al vanaf het begin van het beleg opgesloten zaten in hun eigen huizen en door officieel beëdigde beambten nauwlettend in de gaten gehouden werden. Er waren vooraanstaande burgers bij, die in het verleden hoge functies bekleed hadden in de stad. Deze mensen werden in het holst van de nacht onverwacht uit hun huizen gehaald en overgebracht naar een kerker in de Barteljorisstraat, die in normale tijden diende voor het opsluiten van misdadigers. Onder hen bevonden zich twee bejaarde mannen, de vierentachtigjarige meester Lambert van Roosveld en de achtenzestigjarige meester Quirijn Dirksz, van wie bekend was dat hij als jongeman vriendschappelijke betrekkingen had onderhouden met Erasmus. Laatstgenoemde werd vergezeld door zijn dochter Ursula, die begijn was. Ook Adriaan Groeneveen, voormalig lid van de vroedschap, werd naar de kerker overgebracht. Het was een koud en oncomfortabel onderkomen daar in de 'Dievenkelder', zoals hun verblijf in de volksmond genoemd werd.

Een van de geliefde tactieken van de Spanjaarden was de psychologische oorlogsvoering. De maand mei liep al op zijn einde toen ze in één keer veertien huurlingen uit Haarlem ophingen, die ze bij een mislukte actie gevangen hadden genomen. Ze werden opgehangen aan galgen, die goed zichtbaar waren vanuit de stad, sommigen aan de hals, anderen aan een been – wat een extra vernedering was en een trage manier van sterven.

Het toch al diep gezonken moreel van een aantal Waalse, maar ook Hollandse soldaten, kwam daardoor tot een uitbarsting waar de overheid op dat moment machteloos tegenover stond. Ze drongen door tot in de Dievenkelder en sleurden de twee bejaarde, prominente Haarlemmers naar buiten, alsmede Adriaan Groeneveen, het begijntje en nog negen anderen, waaronder vijf Duitse krijgsgevangenen en een vrouw uit Wallonië.

Cathelijne had een vriendin bezocht die vlak bij de Doelen woonde. Toen ze, huiswaarts kerend, op de weg achter de wallen liep, kwam ze ter hoogte van een van de bolwerken terecht in een samengedromde menigte. Ze bleef staan om te zien wat er aan de hand was. Later had ze er spijt van dat ze niet was doorgelopen, want voor haar ogen ontrolde zich een wreed schouwspel dat haar, hoewel anders van aard, sterk aan de openbare terechtstelling van haar zus deed denken. Een groep gevangenen liep moeizaam het bolwerk op, waarop een aantal galgen, goed zichtbaar voor de Spanjaarden, in een rij stonden opgesteld. De gevangenen werden voortgeduwd en gestompt door een stel huurlingen, waarvan ze sommigen van gezicht kende. Er waren veel Walen bij, zag ze in een oogopslag.

Onder de gevangenen waren twee oude mannen, die vooruitstrompelden ondanks het ongeduld waarmee de soldaten ze opjoegen. Waaraan konden bejaarde mannen zo'n behandeling verdiend hebben, vroeg Cathelijne zich af, wat hadden ze misdaan? Haar hart klopte in haar keel. Er was iets niet pluis, voelde ze, kijkend naar de mensen om haar heen.

'Verraders! Verraders!' werd er geroepen. Sommigen hieven hun gebalde vuisten, een woedende schittering in hun ogen. Ze zag ook burgers die bedrukt, geschokt of in stille machteloosheid naar het tafereel keken.

'Waar blijft de schout?' vroeg een man naast haar zich af.

'De gouverneur zul je bedoelen,' zei een ander, 'dit is toch ontoelaatbaar!'

'Waarom doet niemand iets?' jammerde een vrouw, zich de handen wringend.

'Hou je domme waffel, mens,' riep weer een ander, 'of ben je zelf een verrader...?'

Het groepje gevangenen was nu onder aan de galgen beland. Er werd een ladder tegen een van de galgen gezet en de alleroudste, in wie Cathelijne ineens de voormalige burgemeester herkende, werd ruw gesommeerd de ladder te beklimmen. Hij kon het niet, hoezeer hij ook in zijn rug gestompt werd. Het lukte hem niet eens de onderste trede te bestijgen. Twee beulen daalden nu af van het schavot om hem gezamenlijk op te hijsen, terwijl hij van beneden omhoog werd geduwd. De gekweldheid in de ogen van de oude man was moeilijk om aan te zien.

'Wat een schande!' hoorde ze.

'Die arme Van Roosveld, dat hij zo aan zijn eind moet komen,' viel een ander bij.

De strop werd om zijn hals gelegd en Cathelijne wendde haar hoofd af. Op het moment dat hij werd gehangen joelden velen uit leedvermaak en wraakzucht, of zomaar, om de sensatie een oud-bestuurder te zien boeten. Sommigen liepen kwaad weg, om het niet langer aan te hoeven zien, anderen staarden verstomd naar het bungelende lichaam van de grijsaard.

Hierna volgde een ander hartverscheurend tafereel. De andere bejaarde man, die nu aan de beurt was, omarmde het begijntje ten afscheid. Even leek het of ze zich niet bewust waren van de situatie, er straalde een grote tederheid van beiden af.

'Zijn dochter,' riep iemand, 'die arme Ursula!'

Aan de omhelzing werd een ruw einde gemaakt. Ze werd huilend van haar vader af getrokken en door een soldaat stevig in bedwang gehouden, waarop haar vader gelaten aan de beklimming van de ladder begon. Toen hij gehangen werd keek Cathelijne naar de grond. Opnieuw klonk er geestdriftig gejuich om haar heen. Het was niet om aan te horen en ze overwoog weg te gaan. Maar er was iets wat haar daar hield, een vreemd gevoel van noodzakelijkheid, een innerlijk verbod om te vluchten voor wat hier gaande was.

Het ergste bleek nog te moeten komen. Een andere bekende burger van de stad, ook al op leeftijd, stond met een van de soldaten te praten, druk gebarend. Het zag ernaar uit dat hij zijn hachje probeerde te redden en hij voerde blijkbaar goede argumenten aan, want je zag de soldaat aarzelen.

'Adriaan Groeneveen,' werd er naast haar gemompeld, 'zelfs zijn geld kan hem niet redden.'

Andere soldaten maakten een eind aan het gesprek, de gevangene hardhandig de ladder opduwend. Een hilarisch gejuich klonk, nog voor hij het schavot bereikt had. Vervolgens werd de galg, tot ontsteltenis van Cathelijne, om een van zijn enkels gelegd en werd hij zo, hangend aan een been, opgehesen. Een luid hoongelach volgde om de smadelijke aanblik van de gehangene. Diens hoofd liep rood aan en zijn ogen puilden uit hun kassen. Zijn gekreun ging Cathelijne door merg en been en het liefst was ze het schavot opgeklauterd om hem uit zijn mensonterende positie te redden. Blijkbaar kreeg een van de beulen medelijden, want even later werd de gehangene met een dolk in zijn hals gestoken, wat een snel einde maakte aan zijn lijden.

Daarna werden, op de twee vrouwen na, de overige gevangenen gehangen, totdat aan elke galg een lijk bungelde, als antwoord op de voorafgaande provocatie van de Spanjaarden. Oog om oog, tand om tand, daar kwam het op neer.

Het feest was nog niet voorbij. Voor de twee vrouwen was iets anders bedacht. Zij werden weggevoerd van het bolwerk, terug naar beneden de straat op. Cathelijne liep er wezenloos achteraan, voortgestuwd door de massa, die nieuwsgierig was naar wat er stond te gebeuren. De stoet bleef staan bij de Bakenessergracht, waar het begijntje en de Waalse vrouw zonder veel omhaal in het water werden gegooid. Blijkbaar vond een aantal burgers de verdrinkingsdood te mild, want zij schiepen er genoegen in de naar adem happende vrouwen ook nog eens te bekogelen met stenen.

Hierna droop de menigte af. Cathelijne sloeg de weg naar de werf in, murw en uitgeput. Op de brug over het Spaarne bleef ze staan. Starend naar het snelstromende water, zo vreedzaam en neutraal, probeerde ze te bevatten wat ze zojuist gezien had. Waarom was een aantal eerbare burgers, louter om hun Spaansgezindheid, op zo'n barbaarse manier terechtgesteld? Waarom had de overheid niet ingegrepen? Zaten ze op het stadhuis rustig te vergaderen zonder te merken wat er buiten gaande was? Of hadden ze vergeefs geprobeerd in te grijpen? De vraag die haar het meest verontrustte was: waarom waren er zoveel Waalse huurlingen betrokken bij de actie? Gelukkig was Dominique er niet bij geweest, maar ze had wel een aantal van zijn maten gesignaleerd.

De enige die deze vraag kon beantwoorden was Dominique zelf.

In de loods heerste grote opwinding. De huurlingen praatten dwars door elkaar heen – Waals, Duits, ja zelfs Schots. Het was een toren van Babel en de enige die de taal van het land dat ze verdedigden sprak was Dominique. Toen hij haar in het oog kreeg schoot hij op haar af. Blijkbaar zag hij aan de uitdrukking op haar gezicht dat er iets niet in de haak was.

'Je bent er toch niet bij geweest?' vroeg hij, haar ongerust aanziend.

'Ja, ik heb het allemaal gezien en vond het schandelijk.'

Hij knikte. 'Dat is het ook. Het had nooit mogen gebeuren, de meesten van ons waren er tegen. Maar de huurlingen die eraan deelnamen waren niet te houden, ze waren door het dolle heen. Ze zijn doodsbang voor een verkeerde afloop van het beleg en zochten een paar geschikte zondebokken voor hun angst, die tegelijkertijd als wraak konden dienen voor de veertien Waalse huurlingen die laatst door de spanjolen werden opgehangen.'

'Ze hebben enkele voorname burgers opgehangen, en de manier

waarop was zo vernederend. Zonder respect voor hun ouderdom!'

'Ik weet het, en het valt niet goed te praten. Het maakt alles alleen maar erger.'

'Ik schrok ook van het leedvermaak en het gejuich van de toeschouwers, en de felheid waarmee ze de twee verdrinkende vrouwen met stenen bekogelden.'

'Homo homini lupus est.'

'Wat zeg je?'

'Dat is Latijn voor: De mens is voor de mens als een wolf.'

'Spreek je ook Latijn?'

'Ik zat op een kloosterschool, totdat mijn vader overleed.'

Cathelijne keek hem peinzend aan. Hij zat nog steeds vol verrassingen.

36

Er zijn vijanden die niet verslagen kunnen worden. Honger, dorst, ziekte, extreme warmte of kou, in het menselijk lichaam heerst een balans, die gemakkelijk uit zijn evenwicht raakt. Bij gebrek aan voedsel wordt het spierweefsel langzaam afgebroken, dorst belast de nieren, de aanpassing aan warmte of kou wordt geregeld door een innerlijke thermostaat, waarvan de mogelijkheden begrensd zijn.

In Haarlem nam de honger toe. Nadat haast alle koeien geslacht waren was men aangewezen op paardenvlees. Wie de astronomische bedragen die daarvoor neergeteld moesten worden niet kon betalen moest genoegen nemen met de huid. Die werd zorgvuldig onthaard, gekruid, gezouten, in stukken gesneden en gekookt. Brood werd gereserveerd voor soldaten en zieken, de anderen moesten hun maag vullen met moutkoeken.

Elke dag maakten Kenau en Cathelijne een gang naar het raadhuis voor het brood dat voor de huurlingen bestemd was, en vervolgens naar verschillende adressen in de stad voor moutkoeken. Van de darmen, pensen en longen van paarden werd door een paar handige vrouwen worst gemaakt en verkocht. Voor bier waren ze aangewezen op een van de herbergen. Groente was, op wilde zuring na, helemaal niet meer te krijgen. De kleine moes- en kruidentuin achter hun huis was al gauw uitgeput. Op een braakliggend terrein in de buurt vonden ze aanvankelijk een keur aan wilde planten: zuring, zevenblad, brandnetel, weegbree en paardenbloemen. Gekookt en gezouten leverden die toch een soort groente op. Maar het duurde niet lang of de buurtbewoners ontdekten het terreintje ook, waarna het in korte tijd werd kaalgeplukt. In de tussentijd verrichte Mechteld wonderen met rattenvlees. Goed gezouten en gekruid was het haast niet te onderscheiden van kippenvlees, ja sommigen vonden het zelfs lekkerder. Elke dag werden de kinderen van de vluchtelingen eropuit gestuurd om ratten te vangen, ze deden zelfs onderlinge wedstrijden wie er de meeste ving. Sommigen waren er heel behendig in.

Het was niet genoeg om de voortdurende honger te stillen. De volwassenen klaagden, de kinderen huilden en jengelden, ze konden alleen nog aan eten denken. Het vinden van voedsel werd een dagelijkse obsessie, waar alle andere zorgen bij verbleekten. De huisdieren moesten er ook aan geloven. Spoedig was er in de stad geen hond meer te vinden, soldaten vochten om een nest met jonge katten en geen enkele vogel was nog veilig, tot aan de ooievaars toe.

Het gerucht deed de ronde dat de weduwe van een steenhouwer, die twaalf kinderen had en hun klaaglijk gejammer niet langer kon aanhoren, er met man en macht van weerhouden moest worden om zelfmoord te plegen. Dat verhaal werd overtroffen toen het lijkje van een pasgeboren baby in het Spaarne dreef. Kort daarna sprongen twee vrouwen met hun kinderen in de Bakenessergracht, ze werden te laat ontdekt om nog gered te kunnen worden.

In het laatste stadium van het tekort aan voedsel, toen er al mensen van de honger stierven, was een rat een halve stuiver waard en werd er zelfs van kaarsvet, mosterd en kruiden nog een gerecht gemaakt.

De laatste keer dat Kenau Hendrik Bastiaensz bezocht was ze geschrokken van zijn pessimistische kijk op het verloop van het beleg. Alle pogingen van de Prins om de stad door een militaire actie van buitenaf te bevrijden waren tot nu toe mislukt. De Spanjaarden moesten verduiveld goede spionnen hebben en in alle geledingen van de Hollandse strijdmachten zijn geïnfiltreerd, want haast elk plan werd verraden, met alle noodlottige gevolgen van dien. De Prins had al te veel manschappen verloren, de Hollandse steden waarin werd getreurd om de dood van vaders of zonen waren niet meer op een hand te tellen. Toch bleven ze in Haarlem per duivenpost brieven van de Prins ontvangen, waarin deze de Haarlemmers herhaaldelijk uit de grond van zijn hart complimenteerde: 'Omdat zij zo ongelooflijk dapper standhouden, tot grote opluchting van de rest van het land.' In elke brief beloofde hij wederom alles in het werk te stellen om de stad te helpen, eraan toevoegende dat het een schande zou zijn zo'n moedige stad, die langdurig zulke grote offers had gebracht, aan zijn lot over te laten.

'We kunnen ons beter op het ergste voorbereiden,' zuchtte Hendrik, 'of er zou nog een wonder moeten gebeuren.'

Als om zijn somberheid extra te onderstrepen hing er al dagen een grote zwarte vlag aan een lange stok op de Sint-Bavo, ten teken van de onuitputtelijke misère.

Kort daarna verscheen Ripperda ineens op de werf. Hij was zichtbaar vermagerd en uit zijn ogen was de glans verdwenen, die ze zich herinnerde van hun gezamenlijke beeldenstorm en de ontmoetingen die erop gevolgd waren.

Toen ze er iets van zei antwoordde hij: 'Ik heb drie dagen lang niets anders dan wilde zuring gegeten.'

'Waarom?' vroeg ze verbaasd. 'Ieder die deel uitmaakt van de strijdkrachten wordt toch beter gevoed dan de gemiddelde burger?'

'Ik wilde aan den lijve voelen,' zei hij, 'wat het is om honger te hebben, zoals de meerderheid van onze burgers.'

'Dat is een nutteloze vorm van zelfkastijding,' zei ze verontwaardigd, 'iemand als u moet juist in vorm blijven, u bent verantwoordelijk voor zo velen.'

Hij zweeg en keek haar aan met die blik vol peilloos verlangen, die haar steeds zo van haar stuk had gebracht. Maar sinds haar onvrijwillige verblijf in het Huis ter Kleef had haar gevoel van lust en begeerte, dat zich in zijn nabijheid was begonnen te roeren, zich weer diep in haar teruggetrokken. De verwarring en opwinding die hij had veroorzaakt bleven uit. Wat overbleef was een diepe genegenheid, grenzend aan liefde. Liefde, gekoppeld aan de pijn die liefde teweeg kan brengen, zonder de voldoening. In een andere tijd, op een andere plek, zou ze voor zijn verlangen gezwicht zijn, wist ze. Hij had op haar dat zeldzame effect van vertrouwdheid en aantrekkingskracht, dat ze bij andere mannen miste.

In dit hier en nu, in deze tragische stad die in een wurggreep gehouden werd en waar een zwarte vlag zijn schaduw wierp op het dak van de kerk, was een ontvlammende liefdesgeschiedenis onmogelijk. Onmogelijk.

'Kunnen we ergens rustig praten?' vroeg hij.

'Bij mij thuis,' zei ze, 'ik geloof dat er op het ogenblik niemand is. Mechteld is de stad in gegaan na het gerucht dat er nog ergens koolstronken te koop zijn.'

Samen liepen ze naar haar huis. Buurtgenoten keken haar bevreemd aan, omdat ze in zulk hoog gezelschap verkeerde. Zo te zien merkte Ripperda het niet eens, hij had wel andere dingen aan zijn hoofd.

In de woonruimte bood ze hem haar favoriete stoel aan, terwijl ze zelf op het houten bankje tegenover hem ging zitten. Er waren nog enkele moutkoeken en er was bier. Ze bood hem beide aan, maar moest lang aandringen voor hij overstag ging.

Terwijl hij at keek hij langs haar heen naar buiten, door het openstaande raam dat uitkeek op de moestuin, of wat daar nog van over was. 'Het begint te regenen,' zei hij.

Kenau keek om. Het zat er al de hele dag aan te komen, het was drukkend en onweersachtig weer.

'Wilt u het raam niet dichtdoen?'

'Ik geniet ervan, het was zo benauwd.'

Hij schraapte zijn keel en ze voelde dat hij iets belangrijks ging zeggen. Als het maar geen nieuwe toenaderingspoging zou zijn, ze wilde hem niet teleurstellen.

'De Haarlemmers zijn aan het eind van hun Latijn. Er gaan steeds meer stemmen op die pleiten voor overgave. Ook hebben we al verschillende onderhandelingen met de Spanjaarden achter de rug en Don Frederik heeft op een halfslachtige manier toegezegd dat hij ons als een christelijk, rooms vorst zal behandelen. Niets garandeert dat hij zich aan zijn woord zal houden, zelfs als wij hem een mooie afkoopsom bieden. Daarom hebben we een noodplan bedacht... Gaat u alstublieft weer zitten.'

Kenau was opgestaan om hem nog eens in te schenken. Alleen al het noemen van die ene naam, en nog wel uit de mond van Ripperda, maakte haar nerveus. Ze ging gauw zitten. 'Ik luister wel hoor,' zei ze.

'We organiseren een massale uittocht, dwars door het vijandelijk kamp heen, naar onze schepen op het Meer. In het midden lopen de magistraten, vrouwen, kinderen, en ouderen. Vooraan, achteraan en aan weerszijden worden zij beschermd door soldaten en gewapende burgers. Het vertrek is morgenavond. We nemen planken en ladders mee om de sloten over te steken, en begeven ons regelrecht naar de schepen. Die zijn al op de hoogte en bereiden zich voor.'

Kenau fronste haar wenkbrauwen. Ze begreep dat hij ongeveer hetzelfde traject voor ogen had dat zij in haar eentje had afgelegd, met haar polsstok.

'Dat kunt u niet menen,' schoot ze uit. 'Met kinderen en ouderen? In dat gebied heb je maar liefst vijftig sloten. Vijftig! Zo'n stoet zou veel te langzaam vooruitkomen en een ware schietschijf zijn voor de Spanjaarden. Het zou een bloedbad worden!'

'Dat wordt het ook als we blijven. Zo maken we tenminste nog een kans en houden we de eer aan onszelf in plaats van ons, om genade bedelend, over te geven. Inmiddels zijn veel burgers voorstander van het plan, omdat ze het gewoon niet langer volhouden om hier te blijven.'

'En de stad wordt dan gewoon achtergelaten, als een makkelijke prooi voor de vijand? Hebben we daarvoor zo lang gevochten?' Haar verontwaardiging werd steeds groter. Was het echt de gouverneur van de stad, die hier aan het woord was?

Hij zuchtte en sloot heel even vermoeid zijn ogen. 'U schijnt nog niet te begrijpen hoe slecht we er voorstaan. Er is geen hoop meer, de mensen sterven van de honger en willen weg! Weg uit de gevangenis die deze stad is geworden...'

'Dat begrijp ik heel goed. Maar een uittocht door dat gebied is massale zelfmoord. Ik werk daar niet aan mee. En ik wil ook niet dat mijn mensen zich in een dergelijk avontuur storten. Ik zal het ze in ieder geval met klem afraden.'

'Dus op uw steun hoef ik niet te rekenen...?'

Hij stond stroef op.

'Ik ben bang van niet. En ik hoop vurig dat u er ook van zult afzien. Dit kunt u de mensen niet aandoen.'

'Ik sta opnieuw versteld, Kenau! U weigert niet alleen uw medewerking, u slaagt er zelfs in me een schuldgevoel te geven.'

'Het zij zo, al is het niet mijn bedoeling.' Ze had het warm gekregen van boosheid. Het was hem weer gelukt haar op de kast te jagen. Hoe was het mogelijk!

Hij liep met grote stappen naar de deur. Hij was ook boos, zag ze, of misschien eerder gegriefd. Met de klink in de hand draaide hij zich om.

'Dan scheiden zich hier onze wegen,' zei hij bars.

'Voorlopig wel ja...'

'U bent een optimist, Kenau, een verrekte optimist.'

Ze keek hem na terwijl hij met grote, nijdige stappen de straat uit liep. Zelfs nadat hij om de hoek verdwenen was stond ze nog in de deuropening, overvallen door een gevoel van intense treurigheid.

37

Ripperda's plan vond geen doorgang. Om zes uur 's avonds streek een duif bij hem op de dakgoot neer met een boodschap van de Prins.

'Ik smeek u nog even geduld te hebben,' schreef deze, 'over twee dagen is er, onder aanvoering van Willem Batenburg, rond middernacht een grote aanval gepland om Haarlem vanuit de kant van het bos te bevrijden.'

Alle hoop werd nu op deze reddingspoging gevestigd. Vanuit de stad zou een leger de troepen van Batenburg te hulp komen, op het sein van een vuurpijl. Als het op de valreep toch nog zou lukken de stad te bevrijden, dan zouden alle strijd en opoffering niet voor niets zijn geweest! Maar het wachten viel de mensen zwaar. Ze voelden de hete adem van de Spanjaarden al in hun nek en de angst voor een overwinning van Spaanse kant was als een groot, verpletterend monster – menigeen lag 's nachts wakker, omdat ze zich door de dreiging niet meer konden ontspannen. Onder de huurlingen knepen vooral de Walen hem, omdat zij van Alva geen enkele vorm van genade hoefden te verwachten.

Maar wie had ooit gedacht dat het lot van Haarlem zou worden bezegeld door twee postduiven, die waren afgedwaald van hun gebruikelijke route, onder invloed van aardstralen, verblinding door de zon, valwinden... Niemand wist het. De gedesoriënteerde vogels werden door een hongerige Spanjaard uit een boom geschoten en bleken twee brieven van de Prins voor de gouverneur bij zich te dragen. Zo kreeg Don Frederik, zonder er iets voor te hoeven doen, de allerlaatste aanwijzingen voor de bevrijdingspoging in handen.

De onfortuinlijke Batenburg, die had gezworen dat hij Haarlem zou bevrijden of, in geval van het tegendeel, niet levend naar huis zou terugkeren, galoppeerde die nacht als onderdeel van de voorhoede met open ogen zijn dood tegemoet. Toen zij aan de rand van de Haarlemmerhout in het aardedonker een aantal ruiters tegenkwamen gingen ze ervan uit dat het, volgens afspraak, de soldaten uit Haarlem waren. Hun trompetter begroette de ruiters al met een opgelucht 'goedemorgen' en zette juist zijn trompet aan de mond om de Haarlemse uitvalstroepen te laten weten dat het leger van de Prins gearriveerd was, toen hij van zijn paard werd geschoten.

Het Spaanse leger, pas nog versterkt met een frisse, Italiaanse troepenmacht, had in een hinderlaag rustig liggen wachten tot de in de brieven aangekondigde regimenten onder commando van Batenburg, die via het Manpad trokken, in hun schootsveld zouden verschijnen. Er was niet eens een langdurig gevecht nodig om het Prinselijk leger in te maken. De infanterie en de cavalerie werden vreselijk in hun bewegingsvrijheid gehinderd door de enorme, door paarden voortgetrokken schilden op wielen, die ze meevoerden. Die hadden hun veiligheid moeten garanderen, maar bespoedigden toen het erop aankwam hun ondergang. Toen ze in de flanken werden aangevallen door Spaanse ruiterij die in volle vaart op hen afstormde, was het gauw bekeken. In korte tijd vielen er zevenhonderd doden, de anderen maakten zich uit de voeten, bijgestaan door de duisternis en de aard van het landschap: de duinen boden genoeg natuurlijke schuilplaatsen. Batenburg hield zich aan zijn woord en stierf twee dagen later aan zijn verwondingen.

Het leger van de Prins was nu voor lange tijd uitgeschakeld. Hij stuurde een duif naar Haarlem, die niet verdwaalde en het bericht met zich meevoerde dat volgende pogingen tot ontzet voorlopig uitgesloten waren. Dat was inmiddels al oud nieuws, want een vrijwillig soldaat uit Gouda had al uren daarvoor verslag gedaan van het dramatische verloop van de strijd. Hij hoefde niet eens erg uit te weiden, want zijn gehavende uiterlijk sprak boekdelen: de vijand had zijn neus en oren afgesneden.

Ook op de werf en thuis bij Kenau heerste grote verslagenheid. Ze hadden de Prinselijke vaandels gezien, die door de Spanjaarden ostentatief op een van de bolwerken geplant waren. Het was of de zwarte vlag op de kerk nu een schaduw over de hele stad wierp, een schaduw van wanhoop en toenemende paniek.

Was tot voor kort de stad een relatief veilig toevluchtsoord geweest, nu voelden velen zich er gevangen. Eruit! Iedereen wilde eruit!

In de loods van de vluchtelingen waren sommigen hun schamele bezittingen al aan het inpakken. De meesten waren bleek, vermoeid en vermagerd, en tot het uiterste gespannen. Hier en daar braken ruzies uit, de kinderen huilden of zaten stil in een hoekje op een hoop vodden, met grote donkere ogen van de angst. Er waren ook bejaarden bij, ziek of slecht ter been. Ook zij waren als de dood in handen van de Spanjaarden te vallen, maar waren zich er tevens van bewust dat ze een potentieel probleem vormden, in geval van een massale vlucht.

Opnieuw leek Ripperda's plan de enige oplossing. Via de stadsomroeper sommeerden de kapiteins de mensen zich gereed te maken voor een grote uittocht naar de schepen.

'Ga niet!' zei Kenau tegen de vluchtelingen. 'Het is levensgevaarlijk! Als u gewoon blijft waar u bent hebt u meer kans om het te overleven.'

Hoezeer ze het hun ook ontraadde, ze waren niet meer te houden. Bepakt en bezakt trokken ze naar de Schalkwijkerpoort, de ouden en zieken meezeulend op geïmproviseerde draagbaren of in kruiwagens. Zij die nog konden lopen strompelden mee, leunend op krukken of stokken. Bij de poort was al een menigte samengedromd, het was er een pandemonium van schreeuwende en scheldende mensen, kinderen werden platgedrukt te midden van de duwende en trekkende massa, zieken kermden, een blinde probeerde wanhopig te ontsnappen, vrouwen vochten zonder te weten waarom.

Kenau en Cathelijne, die meeliepen om 'hun' vluchtelingen voor het laatst te helpen, waren met stomheid geslagen. Dit kon alleen op een grote ramp uitlopen, dat kon iedereen met nog een beetje gezond verstand zien.

Gelukkig baande een kapitein zich te paard een weg door de menigte, met het dringende verzoek een moment van stilte te betrachten, omdat hij een boodschap kwam brengen. Met pauselijke gebaren probeerde hij hen tot bedaren te brengen. Uiteindelijk namen een paar mannen, die gezegend waren met een flink stemgeluid, het voortouw en zo lukte het ten slotte een soort stilte te bereiken.

'Geachte burgers, die allen hier verzameld zijt. Wij hebben zojuist bij monde van een bode een belangrijk bericht ontvangen. Het bevat het Spaanse aanbod van algemene genade indien wij ons overgeven. Dat betekent dat iedereen gespaard zal worden en dat er in onze stad, die wij zo lang met hand en tand verdedigd hebben, geen bloed zal vloeien. Dientengevolge hebben wij besloten af te zien van de uittocht en onze onderhandelingen met de vijand voort te zetten en af te ronden.'

Er steeg geen gejuich op uit de menigte. Een zekere gelatenheid maakte zich meester van de mensen. Ze hadden eindelijk tot actie willen overgaan en ontsnappen, het deed er niet toe waarheen. Nu moesten ze weer terug naar waar ze vandaan gekomen waren en kon alleen de hoop dat de Spanjaarden hun belofte gestand zouden doen, hen nog op de been houden.

Het was moeilijk op de hoogte te blijven van wat er inmiddels door de autoriteiten werd beslist. Kenau liet wel drie keer op een dag de klopper op de deur van Hendrik Bastiaensz vallen, maar de meid moest steeds zijn uithuizigheid melden: mijnheer was op het raadhuis.

De meeste informatie kwam van Dominique. Hij wist te vertellen dat de burgemeesters en kapiteins al twee keer een geheime ontmoeting met de vijand hadden gehad. Die zouden hebben plaatsgevonden net buiten de Zijlpoort. De berichten kwamen in fases, het goede nieuws, waarmee de kapitein de menigte had gekalmeerd, werd herroepen. De bode moest een taalfout gemaakt hebben, want de Spaanse eis voor overgave luidde: op genade en ongenade. Dat laatste hield in dat zij die een actieve rol gespeeld hadden bij de verdediging van de stad, hun straf niet zouden ontlopen.

'Rosigny en Bordet, onze kapiteins, zijn tegen overgave,' zei Dominique. 'Omdat wij Walen als eersten de pineut zullen zijn.'

'Ik laat jou niet zomaar oppakken,' riep Cathelijne verontwaardigd. 'Ma, we kunnen hem toch wel in onze kelder verbergen als het zover komt?'

Ze waren met zijn drieën. Het raam naar de achtertuin stond open en de zon scheen naar binnen alsof er niets aan de hand was.

Kenau aarzelde. Een korte blik op haar dochter was genoeg om in te zien dat die ontroostbaar zou zijn wanneer Dominique iets overkwam. 'Het is er koud en vochtig,' zei ze aarzelend.

'Ik ben wel wat gewend madame, zolang ik die zogenaamde straf van de spanjolen kan ontlopen kan ik alles verdragen.'

'We kunnen het wel een beetje voor je inrichten.'

Cathelijne viel Kenau om de hals.

'Mag ik zien waar het is?' vroeg Dominique.

Kenau tilde het schapenwollen kleed op dat de vloer bedekte. Een houten luik kwam in zicht, met een ring eraan. 'Maak maar open.'

Dominique viel op zijn knieën en gluurde naar beneden, het luik naast hem op de vloer.

'Ik zal een kaars voor je aansteken, dan kun je even gaan kijken,' zei Cathelijne.

Even later hoorden ze hem beneden rondstommelen. 'Ik heb wel eens een chiquere herberg gezien,' riep hij, 'mais ça va.'

'Ik ben blij dat het mijnheer naar de zin is,' zei Kenau, die haar ironie niet helemaal kwijt was.

Diezelfde dag nog kwam Dominique buiten adem vertellen dat kapitein Bordet zelfmoord had gepleegd. Hij trok de conclusie dat alles nu verloren was en dat een akkoord voor de overgave niet lang meer op zich zou laten wachten. Het onheilsscenario, dat hij in zijn optimisme lang voor zich uit geschoven had, werd werkelijkheid.

Zijn vrees werd de volgende dag al bewaarheid. De beide partijen waren het eens geworden en het akkoord was door de schutters bekrachtigd. De plundering was afgekocht voor een kwart miljoen, daaruit concludeerden de Haarlemmers dat zij als eenvoudige burgers niets te vrezen zouden hebben.

Claes zag dat anders. 'In Naarden was de plundering ook afgekocht,' zei hij sceptisch, 'maar haast niemand heeft het overleefd.'

Niemand was er dus echt gerust op. Daar kwam bij dat het lot van de burgemeesters, de gemeenteraadsleden, de schutterij, de soldaten en hun kapiteins zeer twijfelachtig was vanwege die ene grimmige zin: op genade en ongenade. Er heerste een onheilspellende stilte in de stad en niemand, behalve de gezagsdragers, wist welke voorwaarden er precies in het akkoord stonden.

Op 13 juli kwamen de eerste Spanjaarden de stad binnen. Het leek allemaal mee te vallen toen er onder de burgers brood en wijn werden uitgedeeld. Dat was een goed begin meenden de vluchtelingen, die zich enigszins ontspanden nu ze hun vluchtpogingen hadden opgegeven – de wijn hielp daarbij. Ook op de werf haalden ze opgelucht adem. De honger zou nu gauw voorbij zijn en ze zouden weer over hun oude spierkracht kunnen beschikken. Verschillende stadsomroepers deden kort daarna de ronde om de burgers te sommeren zich naar het stadscentrum te begeven. De mannelijke burgers dienden zich te verzamelen in het Zijlklooster, de vrouwen in de Sint-Bavo, de soldaten in de Onze-Lieve-Vrouwekerk en de vaandrigs moesten hun vaandels inleveren bij het Huis ter Kleef. Claes vertelde later dat het voor hem een nachtmerrie was geweest samen met de andere mannen in het Zijlklooster opgesloten te zitten. Hij verwachtte ieder moment dat de Spanjaarden het vuur op hen zouden openen.

Kenau zat op een van de bidstoelen, niet ver van de plek waar het Mariabeeld had gestaan. Iemand had er een vaas met wilde bloemen voor in de plaats gezet. Wat leek het lang geleden dat ze met Ripperda het beeld had neergehaald.

De vrouwen wachtten in gematigd optimisme af wat er zou gaan gebeuren. Dat optimisme werd nog gevoed toen er brood werd uitgedeeld. Brood! Hoe lang was het geleden dat ze dat voor het laatst gegeten hadden! Ze kregen er nieuwe energie van. Terwijl de kinderen elkaar op de grafzerken van voorname Haarlemse burgers achternazaten, wisselden ze oorlogservaringen uit.

De freule ontdekte Kenau en kwam geestdriftig op haar af. 'Mevrouw Hasselaer, we zitten allemaal in hetzelfde schuitje! Ik had nooit gedacht dat ik nog eens een roomse kerk vanbinnen zou moeten bekijken. Het blijft een mooi gebouw, ondanks alles. O, ik haat dat afwachten, ik verveel me hier dood. Ik ben een mens van actie, als ik lang tussen vier muren moet zitten word ik gek.'

Zo ratelde ze nog een tijdje door, tot Kenaus oren ervan tuitten. Gelukkig werden in de loop van de avond de deuren van de kerk wijd opengezet en mochten ze weer naar huis.

De dag nadat Don Frederik met zijn gevolg triomfantelijk zijn intrede in de stad had gedaan begon de terreur. Ten teken van de vrede luidden de klokken de hele dag door, maar toch konden ze onmogelijk de doodskreten overstemmen van de driehonderd Walen die onthoofd werden of opgehangen. Aan het eind van de dag waren de beulen zo moe van het doden, dat ze toestemming kregen de rest van de veroordeelden in een bootje te laden en ter hoogte van de Ton te verdrinken.

Dit was ook de dag waarop Dominique onder het luik verdween en het schapenwollen kleed er weer netjes overheen werd gedrapeerd. Ze waren bang dat ze hem toch kwamen halen, toen er een dag later hevig op de deur werd gebonsd en er drie Spaanse soldaten voor de deur bleken te staan. Maar ze kwamen niet voor hem, ze kwamen voor de Marimacha. Kenau verstijfde. Ze begreep meteen wat haar te wachten stond, al had ze al die tijd vurig gehoopt dat Don Frederik haar vergeten was.

Cathelijne viel haar huilend om de hals en Mechteld begon te gillen. 'Dit kan toch niet waar zijn, alle duivels in de hel! We kunnen niet zonder u!'

'Zit niet in over mij,' zei Kenau, 'ik heb een mooi leven gehad, ondanks alles. Het ziet ernaar uit dat mijn tijd nu op is.'

De soldaten gaven blijk van hun ongeduld. Een van hen stampte met zijn gelaarsde voet op de grond.

Ze kuste Cathelijne. 'Lieve schat, alles is voor jou. Zorg er goed voor, je kunt het! Zorg ook voor Mechteld en voor Claes.'

Ze was nog niet uitgesproken of ze werd meegetrokken, het huis uit, de straat door en de brug over. Kenau gebaarde dat het niet nodig was zo te trekken, ze volgde wel uit eigen beweging. Dat hielp, ze lieten haar los en voor buitenstaanders leek het nu meer of ze vrijwillig meeging, dat was in ieder geval minder vernederend. De burgers die ze onderweg tegenkwamen en van wie ze er enkelen kende draaiden hun hoofd de andere kant op in het voorbijgaan. Maar er was niets meer wat Kenau bitter kon stemmen. Ze was leeg en kalm van binnen, bereid haar lot waardig te ondergaan.

Op het marktplein wachtte haar een macaber schouwspel. Er hingen tientallen mannen aan galgen. Terwijl ze het plein overstaken passeerde hen een beul die een kar vol onthoofde lijken voortduwde, achter hem volgde iemand met een kruiwagen vol hoofden. Kenau durfde bijna niet te kijken, maar meende vanuit haar ooghoek het hoofd van Hendrik te zien voorbijkomen, met wijd openstaande, glazige ogen.

Wat een schok! Dat Hendrik, die altijd een rots in de branding was geweest en op de een of andere manier onverwoestbaar had geleken, op zo'n manier aan zijn eind moest komen... De gruwelijkheid van de overgave drong nu pas echt tot haar door. Haar kalmte verdween op slag.

Dat werd nog erger toen ze boven op het schavot Ripperda zag staan, in het zwart gekleed en recht voor zich uit starend, alsof hij de hemelpoort al voor zich zag. Ze ontwaarde geen greintje angst bij hem. Waardig, ja, hij was de waardigheid zelve, daar kon ze een voorbeeld aan nemen. Hij had de laatste man in haar leven kunnen worden, nee, hij was de laatste man in haar leven geweest. De beul dwong zijn prachtige, kaarsrechte gestalte om zich te buigen en hief zijn zwaard. Een kreet van woede en afschuw onderdrukkend wendde Kenau haar hoofd af. Er was geen hoop meer in deze wereld, ze wilde er zelf ook niet langer vertoeven en voelde alleen walging.

Kort daarna verlieten de beulen het schavot en deed het gerucht de ronde dat ze uitgeput waren van de massale executies. Kenau ving flarden op van gesprekken onder de overige gevangenen, bijna allemaal schutters en soldaten, die net als zij wachtten op wat ging komen. Ze hoorde al gauw zeggen dat de overblijvende gevangenen verdronken zouden worden door een groep Spaanse soldaten, om de beulen opnieuw een adempauze te geven.

Toen stond ze ineens voor Don Frederik en zijn eeuwige, onafscheidelijke adjudant. Hij was in vol ornaat, om zijn triomf zichtbaar te maken.

'La Marimacha,' constateerde hij ten overvloede, waarna hij er iets op liet volgen.

De adjudant vertaalde braaf. 'Waarom hebt u Don Fadrique verlaten?'

Kenau schudde haar hoofd. 'Het was de akeligste, weerzinwekkendste nacht van mijn leven.'

Don Frederik fronste zijn wenkbrauwen bij de vertaling van deze woorden.

'U liegt,' zegt Don Frederik.

Kenau haalde haar schouders op. Wat deed het ertoe of hij haar geloofde of niet. Was hij nu ook nog in zijn trots gekrenkt?

Ineens keek Don Frederik verveeld opzij, met zijn hand een teken makend dat alleen maar kon betekenen: voer haar af.

'Ik wil nog iets zeggen,' zei Kenau.

'En dat is?'

'Zegt u tegen de Don dat hij mij kan doden, en al die anderen hier,' ze wees met een ruime boog om zich heen, 'maar dat hij Haarlem nooit zal bezitten, niet echt, want de stad is van degenen die er geboren en getogen zijn, die haar liefhebben en er zullen sterven, en die de taal van de stad spreken.'

De lange zin werd vertaald, er verscheen een spottend lachje om de lippen van Don Frederik, waarna hij meewarig zijn hoofd schudde en kort iets zei, wat niet veel goeds beloofde, gezien de toon waarop het werd gezegd. 'Don Frederik houdt er niet van vrouwen te zien hangen of te laten onthoofden. U wordt verdronken.'

Tijdens die laatste woorden werd ze al weggetrokken door een paar ijverige soldaten en Don Frederik liet zijn blik weer over het plein gaan, zonder veel interesse. Ze moest in een kar vol soldaten klimmen, die meteen daarop begon te rijden. Tot haar verbazing bleken de mannen allemaal Hollands te spreken.

'We zijn van het regiment van Ripperda,' verklaarde er een, 'ze dwongen ons eerst om hem te zien sterven, voordat we zelf worden afgevoerd.'

Aan de oever van het Spaarne moesten ze overstappen in een boot, die klaarlag. Kenau vermoedde al wat er ging gebeuren. Ze zouden naar de Ton varen en het lot van de Walen delen die er de dag tevoren verdronken waren.

De tocht stemde haar vol weemoed. Ze zag haar geliefde polders voorbijkomen, de tocht met de polsstok kwam weer bij haar boven en het kortdurende gevoel van geluk dat ze toen had ervaren. Het was allemaal voor niets geweest. In de lucht dreven schapenwolkjes en ze dacht: er is regen op komst. Deze polders waren het laatste wat ze van de wereld zag, en dat was troostrijk, want de herinneringen aan de verschrikkingen op het plein verdwenen daardoor een beetje op de achtergrond.

Bij de Ton aangekomen werden de soldaten met dikke touwen ruggelings aan elkaar gebonden en twee bij twee in het water gegooid. Ze ondergingen hun lot zonder morren, elkaar moed insprekend. Een enkeling maakte een grap: 'Zie je terug bij de hemelpoort.'

Het antwoord was: 'In de hel zul je bedoelen.'

Nadat Kenau het laatste stel voor haar ogen had zien verdrinken gebeurde er een wonder. Er was geen passagier over om haar aan vast te binden, ze waren domweg met een oneven aantal aan boord geweest. De ene spanjool maakte een onverschillig gebaar naar de andere. Dan flikkeren we haar toch gewoon in het water, begreep Kenau. Ze waren moe, zag ze, en wilden dat het karwei erop zat.

Ze vergiste zich niet, want ze werd door beiden stevig beetgepakt en zonder misbaar met zoveel kracht in het water gegooid dat ze meteen zonk.

Trok haar leven aan haar voorbij, zoals ze zeggen? Nee, eerst was er alleen het water, heel veel water. Toen zag ze haar vader voor zich, jong nog, in de kracht van zijn leven. 'Wij zijn een volk van het water,' zei hij, 'maar niemand kan zwemmen. Dat is dom, want zelfs een hond kan zwemmen. Dus vooruit: benen gestrekt, voeten naar buiten, voeten intrekken, hakken tegen elkaar, benen spreiden, benen sluiten. Goed zo, nog een keer allemaal, ja... Benen strekken, voeten naar buiten.'

Toen kwam ze proestend boven. Ze keek verwilderd om zich heen en zag dat de boot die haar hier gebracht had rechtsomkeert had gemaakt. De dichtstbijzijnde oever was niet eens zo heel erg ver.

'Luisteren jullie wel?' riep haar vader.

'Ja pa,' riepen ze in koor, 'we luisteren!'

'Nou, zwem dan! Zelfs een hond kan zwemmen. Benen gestrekt, voeten naar buiten, voeten intrekken, hakken tegen elkaar...'

Epiloog

Hoewel Haarlem zich ten slotte aan de Spanjaarden moest overgeven, is de langdurige strijd niet vergeefs geweest. Het imago van de Spanjaarden was door hun onbetrouwbaarheid en wreedheid ernstig geschonden en de bevolking van de Lage Landen werd door de Haarlemmers geïnspireerd tot het voortzetten van moedig verzet.

Toen Don Frederik zich na de overgave van Haarlem naar Alkmaar spoedde, wachtte hem daar dan ook geen overwinning. Het werd de eerste stad die een Spaanse belegering wist af te slaan, waarna andere overwinningen van opstandige steden volgden.

Het verzet van de Haarlemmers heeft ertoe bijgedragen dat de Hollanders zich uiteindelijk konden bevrijden van de Spaanse overheersing, waardoor de Republiek der Zeven Verenigde Nederlanden kon ontstaan, de 'voorloper' van Nederland in de huidige vorm.

Verantwoording

Kenau, zoals zij in deze roman gestalte kreeg, is ten dele gebaseerd op wat is overgeleverd over de historische Kenau Simons Hasselaer. Over haar feitelijke deelname aan de strijd om Haarlem is weinig bekend. Wel is de gelijknamige romanfiguur gebed in historische gebeurtenissen, om de lezer een geloofwaardige indruk te geven van hoe het eraan toeging tijdens het beleg, en van de politieke belangen die op het spel stonden.

Deze Kenau kan gezien worden als een symbool voor alle anonieme vrouwen die in tijden van oorlog moed en daadkracht tonen.

Van Tessa de Loo verschenen eerder bij De Arbeiderspers:

De meisjes van de suikerwerkfabriek (verhalen, 1983)
Meander (roman, 1986)
Het rookoffer (novelle, 1987)
Isabelle (roman, 1989)
De tweeling (roman, 1993)
Alle verhalen (1995)
Toen zat Lorelei nog op de rots (toespraak Dodenherdenking, 1997)
Een varken in het paleis (reisverhaal, 1998)
Een gevaar op de weg (autoportretten, 1999)
Een bed in de hemel (roman, 2000)
De zoon uit Spanje (roman, 2004)
Harlekino (roman, 2008)
Daan (novelle, 2010)
Verraad me niet (roman, 2011)